目次

序章　科学技術と人間本性　リアリズムの日本精神《やまとこころ》

実体と観念　「やまとこころ」と「漢意《からごころ》」

固定観念という言葉をよく耳にするが、「観念」とは現実に基づかない情報を表す言葉であって、実体の在り方と無縁な妄想のことだ。印象や思い込み、風評や決めつけ、これらは観念の典型例だろう。

我々が情報と呼ぶものは、本来は実体に基づいた認識であるはずだ。実体に基づかない虚構の情報は、観念と呼ぶべきものでしかない。情報をまるで疑えず、実体を認知して情報の真偽を確認しないならば、我々は観念に無限に騙され続けることになるだろう。

世間には「騙される方が悪い」という言葉がある。この言葉は昔から存在しているが、現代に至っても世相を反映していることには何ら変わりがない。かつて日本最大の英雄の一人である織田信長が騙し討ちによって志半ばにして散っていったことを考えれば、人々には歴史に学ぶ賢さが足りない。

現代社会には、オレオレ詐欺のような低俗な騙しが大量に存在しているが、このような騙しは視抜くことも簡単であるし、騙されてもすぐに騙されたことに気付くことが出来る。

しかし、高等な騙しは人間の意識に働きかけるだけではなく、無意識下にまで干渉する能力がある。高等な騙しは、騙された者に騙されていることをまるで気付かせず、精神に思い込みを形成し、判断と行動にいつまでも影響を及ぼし続けるという、本当に恐ろしい性質を持っている。

キレイゴトとは、結果を省みない妄想的言説であって、それを行うと大変なことになるにも関わらず、実行することが道徳であると持て囃される騙しである。大体のキレイゴトは中身のないスローガンか社会に対する迷惑かでしかないが、人々の歓心を買う手段としては大変に有効だ。巷には迷惑行為によって人気取りを行う者も多いが、キレイゴトはその有害性を見抜きにくいことから迷惑行為より遥かに危険性が高い。善悪というキレイゴトは、事実に根拠が存在する是非の判断とは全く以て別物であって、宗教権威が恣意的に決めつける観念に過ぎないものだが、あらゆる騙しの中で最も広まったものだろう。

　キレイゴトは、ペテン師が利益を得るために広める観念でしかないが、キレイゴトを実行する者の大部分も公共心によってそれを行うわけではない。社会を向上させようという意思ではなく、自分が善でありたい、権威に認められたい、他者から善く見られたい、といった見栄張りや承認欲求などを動機にキレイゴトを行うのだ。斯様な彼等彼女等は、ものごとの是非を判断して社会に貢献することを実は嫌っている。キレイゴトを行う者が実体的な是非を判断する者を弾圧することは、頻繁に見られる現象なのだ。

　本当の嘘の達人はいつの時代でも高尚な肩書を持っていることが多いが、この世の肩書というものの殆どは実体を反映しない観念でしかないのだろう。暴虐野蛮の限りを尽くして人道に対する罪で裁かれたナチスですら、最初は選挙による支持によって選ばれた政党であった。

　この歴史的事実を省みれば、ナチスのような一党独裁支配を成立させないために、日本人も政治を監視する意識を強く持つ必要がある。複数政党による相互監視と事実に基づいた合議こそが、議会制民主主義を形成する骨格であるが、単に民主制選挙を行うことで民主主義社会が成立するわけではない。

　現代日本の学校教育は、ペーパーテストの点数を上げることや内申のための見せかけの行儀を重んじるという有様であって、民主主義社会のための実学からは程遠いものだ。突き詰めてしまえば、学校の教育内容のほぼ全ては、体育の兎跳びやピラミッドと同じように頭を使わずに動くことを刷り込んで、どうでもいいことに熱心にさせるだけの騙しでしかない。学識を得ることの意味を理解させるのではなく、機能美や合理性を捨てることを生徒達に強制しているのが、義務教育という名の拘束である。有害性を信仰させ、判断と行動の繋がりを分断し、何も考えない努力をただ尊ぶ教育は、お上の言いなりになる労働力を造るための洗脳に過ぎない。細かいルールを守れども創造力と無縁で、己の意見を持たずに周囲にただ流される臆病な奴隷は、学校教育から生まれている。

ナチス親衛隊の官僚であり、そして大虐殺者でもあったアイヒマンは、映画でも頻繁に取り扱われる人物だが、党に従順でマニュアル通りの仕事はよくこなしていて、部門の責任者にまで出世していた。この男は、一見は真面目で肩書も御大層なものであって、優等生であるかのように見えるものだが、表層を取り繕っても内面には自ら思考する能力が無く、場に迎合するだけの薄っぺらい無気力者でしかなかった。

現代日本の受験教育は、科挙という古の中華の官僚登用制度にその起源が存在しているが、科挙とは近代科学技術が存在しない時代の官僚登用制度である。科挙という制度は儒教という宗教と密接な関係を持っていて、それ故に人間の精神を愚民化するものであった。現代の日本でも、中学はともかく、高校や大学の受験は「紙の世界の外」を「想定の範囲外」にする人間を作るものでしかなく、この制度が続くうちはアイヒマンの如き者が社会に増え続けるだろう。とはいえ、人類の歴史では教育の殆どが騙しの観念に過ぎず、だからこそ鎗崎は人類を中世の暗闇の中に留め続けた「騙しの構造」の真実を解き明かすことを試みた。

本著ではわかりやすい対比構造として、プロイセン国王のフリードリヒ大王とナチス総統であったヒトラーを対比する演出を多用した。国王のフリードリヒは近代国民国家の原型を造るような民主主義者であったが、平民出身のヒトラーは民主制の選挙によって当選しても民主主義を徹底的に否定した。芸術家でもあった国王は政治制度の奥に存在する理念を理解していた一方で、美大落ちの総統は洗脳と支配にだけ執着していたのが歴史の実像だ。ドイツには「ハーメルンの笛吹き」という伝承があるが、ナチスはバイエルンの地域政党だったのだから、ヒトラーを「バイエルンの法螺吹き」と呼んでも何ら問題はない。

実体的な哲学者と宗教的な扇動屋の対比としては、彼等の対比こそが最も極限化された例だろう。人類社会に貢献した英雄と世界史に最悪の汚点を残したペテン師の対比は、善悪のような観念ではなく歴史的事実と言えるものだ。フリードリヒ大王とヒトラーの対比構造は、彼等の部下の対比構造にも同じ構図が存在していて、国民国家の人間と群れに蠢き権威に靡くアイヒマンの対比は、頂点の対比の延長でしかない。

実は、この対比構造は江戸時代の国学で既に指摘されていたものであって、本居宣長は哲学者の自由な精神を「やまとこころ」と呼び、儒教に見られる観念的で抑圧的で従属的な精神を「漢意《からごころ》」と名付けた。

国学者の本居宣長が「やまとこころ」と呼んだ精神は、本質的にヨーロッパのルネサンス精神と同一のものである。そして、明治維新とは政治思想を伴わないクーデターではなく、国学に基づいて儒教的な身分制度を破壊する政治運動であったのだから、維新志士はヒトラーではなくフリードリヒ大王であった。

古代の気風を見直す芸術活動が中世社会を打破して近代社会を打ち立てた歴史は、洋の東西で何ら変わることがない。明治時代の「文明開化」とは、西洋の文明が日本に入ったのではなく、日本古来の気風が復古しただけであって、それが西洋の近代思想と同じであっただけに過ぎない。しかし、現在では日本人の「やまとこころ」が弱体化しており、それによって日本社会が中世の暗黒に回帰しかけている。

本著ではヨーロッパの歴史について、ローマ帝国の崩壊までを古代、キリスト教による停滞の時代を中世、ルネサンス運動による国民国家成立以降を近代として扱うことにした。一方で、日本では宗教によって身分が固定されることは江戸時代まで存在しなかったため、戦国時代まではヨーロッパの古代に相当する時代であると鎗崎は考えている。現代の日本の惨状を表す言葉として、「中世ジャップランド」や「自民党幕府」という言葉がインターネットには存在しているが、儒教という宗教による世襲身分制度が存在した江戸時代は中世そのものであった。（図A）

本著では、アジアとは基本的に日本の西隣の極東アジアを指す言葉として用いていて、東南アジアの海洋民や中央アジアの遊牧民を指す言葉として用いてはいない。日本人にとっては、アジアという言葉には儒教的な要素が多分に含まれている。ヨーロッパという言葉がバチカンの影響が及んだキリスト教圏を指す言葉として用いられる場合もあるのだから、アジアという言葉も儒教圏を指す言葉として使っても問題はない。歴史的にアジアではまともな外交交渉が成立していないが、これは儒教という宗教が形式主義を重んじて公平性を否定する性質を持つことが原因だろう。

より深く言うならば、ヨーロッパとはキリスト教によって形成された領域ではなく、ギリシャ哲学とカトリックとプロテスタントによって形成された領域である。多くの日本人はキリスト教が万人救済の宗教だと認識しているが、カトリックと異なってプロテスタントはこの点を明確に否定している。プロテスタントはカトリックと完全に別の宗教であって、実は儒教に近い性格の宗教であるのだが、これに気付かなければ世界史の大局的な構造を理解出来ない。

このヨーロッパの構成要素の三分類は、西洋の歴

ヨーロッパと日本の時代区分（図A）

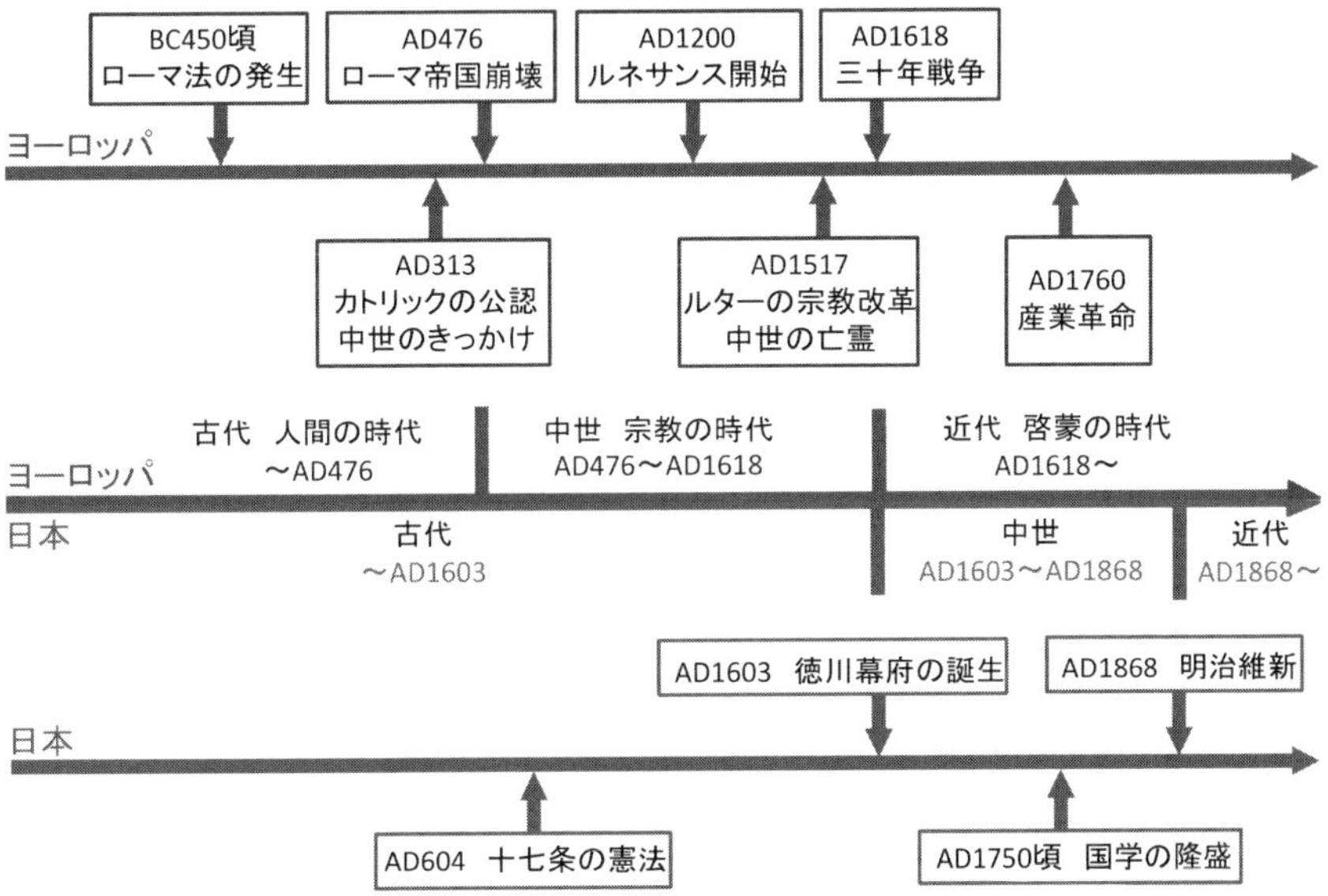

史の大雑把なモデルとしては適切なものだろう。大局的な解説を行うために実体構造をモデル化した情報は、実体構造から乖離したイデオロギーとは完全に別物である。イデオロギーとは根拠なき観念に過ぎず、実体構造への生きた認知とは完全に別であって、イデオロギーへの妄信は権威が押し付けるキレイゴトを暗記するだけの愚者の所業でしかない。

暗記とは人間の観察意識を阻害するものに過ぎないが、現代の学校教育では教科書の暗記を行う能力ばかりが評価の対象となっている。中世のヨーロッパには実体を無視した教科書重視のスコラ学という宗教教育が存在していたが、近代になって教科書中心から実験中心に移行することになった。観察を教えずに暗記を強制する現代日本の教育は、中世の宗教教育と何も変わらない。

情報と実体を照合する意識が理解を創り出すが、疑問を持たずに情報を記憶することが暗記であり、理解と暗記は完全に異なるものだ。コツなり技術なりテクニックなりデザインなりと呼ばれているものも、実体のメカニクスを見抜いて結果の制御を行う理解であって、工学も哲学も「こうしなければならない」を求める固定観念ではなく、「どうすればうまくいくか」を考える意思決定である。

実体構造には意味と機能がその奥に存在するという考え方は、デザインにおける基本的な思想である。人間には実体構造の「機能的な繋がり」を認知する直感が存在するが、古代ギリシャ人はこれを見抜くことを「イデアを視る」と呼んだ。実体を通してイデアを視ることもなく、理屈を積み重ねて理論を造っても、観念的な屁理屈が生まれるだけで、それはイデア未満のイデオロギーにしか成り得ない。

分かり切ったことであるが、自由なる探究精神を放棄するならばイデアを視ることは絶対に不可能となる。人間の自由とは人間が生きるために必要な能力であって、実体を認知し、駆動構造を解析して、その機能を理解し、それを自在に制御して、今の先の結果を創造する意思のことである。本著では身近で実体的な議論を重視して感覚的な話を増やしたが、観念的な話が増えるよりは遥かに良いことだろう。

　人間の自由とは、ニーチェが唱えるような「力への意志」であって、観念的な平和主義や繁栄を否定するイデオロギーのような「無力への信仰」ではない。有形力が無ければ湯呑みを動かすことすら不可能であり、つまりは己の意思を何ら発揮し得ないわけであって、「無力への信仰」は自由意思の否定に過ぎない。アーツ（芸術）とは、マインド（精神）とシステム（構造）を噛み合わせる能力から生まれるものだが、これを「心技体の調和」や「気剣体の一致」と呼ぶこともある。科学技術も、世界のシステムを解析し、それを制御しようとする人間のマインドから発生するが、これは実存と思考を繋ぎ合わせるアーツそのものだ。そして、人類の歴史も人間の精神と社会の構造の絡み合いによって紡がれるアーツであると言えよう。

　イデオロギーは、アーツの噛み合わせを否定するものであって、人間の創造力を殺すものでしかない。イデアとイデオロギーが別のものであることが分からなければ、ルネサンスの理念とプロテスタントの観念の違い、実体的な思考と観念的な妄想の差を知覚することは絶対に不可能になる。信念と信仰の違いとは、前者が己の内面に基づく一方で、後者は外から強制されるものであって、それ故に後者は結果の是非を自分で考えることが出来ないということだろう。観念的なイデオロギーと実体に基づいた科学技術を、嘘と事実を平等に扱うことによって、現代社会では意思決定が不全化してしまった。人間は、どこを目指し何をすべきかを認知できなくなり、政治というものが前後不覚に陥ったのだ。

　とはいえ、情報の実体性を検証出来ない者がカルト宗教に嵌まるということは、古今東西を問わない歴史的な法則である。自分の意思によって自分の思考と自分の動きを持つことが「心技体の調和」であると言えるが、宗教権威が人間の思考と行動を上書きするために道徳という観念を洗脳しているわけだ。

　かのマックス・ウェーバーは、二十世紀初頭の先進国はプロテスタントという労働教によって成立する奴隷的社会であると、『プロテスタンティズムの倫理と資本主義の精神』で訴えた。実は、「小さな政府」を求める市場原理主義の歴史的起源はプロテスタントに存在していて、二一世紀とはウェーバーの時代よりも社会のプロテスタント化が進んだ時代なのだ。

更に加えれば、現代の先進国に見られる官僚制や受験制度は、元々は古の中華で儒教の影響から発生したという歴史がある。それ故に、現代社会とはプロテスタンティズムだけではなく、儒教とプロテスタンティズムによって成立する社会であると言えよう。

現代の日本では、儒教から生まれた学歴至上主義とプロテスタントの一種である市場原理主義が、伝統的な文化骨格と民主主義を破壊し尽くしてしまった。蓄財と出世のために人生の全てを費やし、実体産業も問題解決も放棄して、公共社会と自由意思を犠牲にすることが、日本人の全てとなってしまった。マインドの劣化が原因で政治が不全化して、国家というシステムが内部から崩壊しつつあるのが現代日本の惨状だ。

これらの価値観に関わりが深いアメリカ、ドイツ、中華は、現在は地域覇権国家となっている。それは虚業的な経済力の強さ以上に、洗脳によって精神を劣化させせられた者は知的好奇心無しに結果だけを求めているが、それこそが原因だろう。洗脳によって精神を劣化させられた者は知的好奇心無しに結果だけを求めているが、それこそが愚かさというものである。経済力に劣るロシアは地域覇権国とも言い難いが、米独中と類似した宗教とフェイクによる政治を行っているばかりか、ウクライナに戦争を仕掛けるに至ってしまった。

大量生産・大量消費・大量破壊の社会においては、奴隷労働のための愚民を造る価値観が最も社会に適合していることは疑いようがない。とはいえ、本来の産業社会とは資本の量的向上ではなく科学技術の質的向上を目指す社会であるのだから、拡大再生産によって成立し得るものではなかろう。

元来の日本精神である「やまとこころ」は、社会を停滞させる宗教的な奴隷道徳から最も遠いものであったが、現代の日本は外発的な圧力によって世界で一番不自由な国と化してしまった。高度な産業社会のための実学よりも受験のためだけの勉強が崇められ、人間から「結果を創造する意思」が剥ぎ取られてしまった。

だが、問うことを学ぶ学問とは異なって、勉強とは元々は我慢を強いるという意味の言葉に過ぎず、これは現代の教育問題を暗示する「漢意」でしかないのだ。

我慢することだけを覚えた国民は、国力の増大も経済成長も社会の発展も求めず、腐敗した政権を批判する者に我慢を強制することしか出来ない。国家に必要なものは利益と理念と公平性であって、我慢と道徳と屈従は「善意による言論弾圧」を引き起こして社会を壊すだけのものだ。道徳は道理に反することが殆どであるが、我慢とは個々人の判断を否定する抑圧であって、繁栄とも理念とも工学とも無縁なる停滞でしかない。我慢とは、何をも狙わずに何をも目指さない無気力であって、保身に励むだけの卑劣さに過ぎない。

科学技術を重んじて殖産興業を目指すこともなく、実体を無視した経済指標や宗教への信仰に狂うだけの政治家達は、国家を繁栄させる意思など持たず、国民から搾取すること以外を考えられない。現代日本の景気が悪い理由は政府の無策が原因であるが、政府の劣化は日本人が儒教とプロテスタントによって順応と隷従を刷り込まれて、公共意識と批判精神を失ったことによって生まれた結果でしかない。

現代日本においては、コロナウィルスによる肉体への攻撃以上に、宗教やイデオロギーの観念による精神への攻撃が、人間に対して遥かに重篤な被害をもたらしている。ウィルスは自己複製機能を持たないが故に細胞への寄生によって増殖するが、観念も実体がないが故に人間の思考への寄生によって増殖を起こす。

芸術的なフリードリヒ大王は事実に基づいた風刺を好む人物であり、「芸術は爆発だ」と発言した岡本太郎は「自分の中に毒を持て」とも述べていた。芸術というものは、実体に捩じりと捻りを加えて演出することによって、己の意思を容赦なく表現する創造的破壊である。火を上手く使いこなす勇気が工学の本質であって、毒を上手く使いこなす勇気が人間の医学の本質であり、これらは本源的に芸術と同じイデアを持つものであるが、古の日本人はこの勇気を「あらみたま」と呼んでいた。勇気が無ければ嫉妬と保身しか考えられず、その思考の幅の狭さこそが不自由の本質であると言えよう。

医者でもあり文学者でもあった本居宣長は、「やまとこころ」とは「もののあはれ」を知ることだと述べた。これを現代的に言うならば、権威の観念に囚われずに己の感性によって実存と向き合うことだと言えるだろう。「もののあはれ」を知ることは、ギリシャ人が説いた「イデアを視る」ことと本質的に同じであって、己の意思によって世界の在り方を観察する科学技術的な意識であるといって何ら問題はない。

一方で、ドイツに見られるロマン主義は、妄想の美を追求するものであって、これは「もののあはれ」への無関心に過ぎない。これは「漢意」と同じものであって、斯様な嘘こそが中世暗黒時代を形成したわけだ。こうした実体の拒絶が、イデアを否定するイデオロギーを生み出すものであることは言うに及ばない。

構造を認知する意識が「やまとこころ」であって、妄想に執着する堕落が「漢意」である。「生きた哲学」を否定するために屁理屈をこねくり回し、思い込みで判断して何も自省しないことは、ただ只管に情けなく、如何なる進歩をも生み出さない。誰がなんと言おうとも、他者を騙す能力や暗記する能力が偽の知性であって、実体構造とその奥を認知してそれらの先を創造する能力が真の知性である。「漢意」は単に他者に承認されるための偽の知性であって、「やまとこころ」が真の知性であることは説明不要のことだろう。

言い訳がましい弁明ではあるが、鎗崎は神官という権威に仕える卑屈者ではなく、真実を射抜く道化師であるため、日本語の言霊の芸術性を最大限に過激な形で発揮させることを試みた。毒にも薬にもならぬものには本質的な美は存在しないのであって、芸術とは実体を誇張することによって本質を知覚させるものである。日本にも政治を風刺する芸術は多々存在するし、イギリス人やフランス人も伝統的にそれらを好んできた。言論の自由とは、まさにこうしたアーツを成立させるために存在しているものだ。

本著では、真実を抉り出すために可能な限りに激しい表現でアメリカやドイツを批評したが、鎗崎はアメリカを文字通りには嫌っていない。「分断」を引き起こすアメリカの宗教と、それに由来する人種差別を批判しているだけであって、ナチズムの本質が見過ごされてトランプ前大統領の蛮行が忘却されないために芸術的過激さを用いただけである。ドイツに関しては、ＥＵ支配やウクライナへの外交姿勢等の事実を重んじれば、徹底的に批判せざるを得ない。なんであれ、日本人が「やまとこころ」を取り戻さない限りは、儒教やプロテスタントによる洗脳支配が今以上に広まり、世界の全てが全体主義に堕落することだろう。

「やまとこころ」とは、世界の在り方を知らんとする「もののあはれ」と、己の激情である「あらみたま」を重んじる心である。「やまとこころ」とは、真実を重んじる誠意であって、己に嘘をつかない真心である。

「やまとこころ」とは、向学心であり、敢闘精神であって、世界と向き合う愛である。

「やまとこころ」は「貴く尚き心」と呼ばれることもあるが、つまりは名誉や公平性を意味する言葉である。「やまとこころ」は、「何をするか」「何をするべきか」を考える活発な心でもある。この心は、自分で視て自分で考えて自分で動き、そして世界を動かす自由意思であって、権威に応答するだけの受動性や理由をつけて行動しない消極性から最も遠い。鎗崎は、この心を今一度日本に呼び起こさんと思う。

自由の本質と民主主義の本質　「やまとこころ」とアンガージュマン

権威というものが「お上」と呼ばれるのをよく聞くものである。人間の世界で最たる権威は宗教権威であるだろうが、宗教以外にも様々な権威が巷には存在している。

お上とされる権威には、下とされる人間に同調を強制し、権威に対する忖度と迎合を引き起こす性質がある。だが、斯様な上と下の関係は能力的・実体的なものではなくて、立場的か若しくは観念的なものだ。故に、権威とは実体性の有無に関わらず、それを偉大であると思い込む対象のことだと言って問題はない。

斯様な権威による強制力は人間の肉体よりも人間の精神に作用するものであって、権威は人間の内面を支配することによって人間を物理的に服従させている。もっと言ってしまえば、権威は人間に同調圧力を掛けて洗脳する性質を持っているのだから、権威の存在自体が好ましからざる毒である。とはいえ、本当の問題は権威が存在していることではなく、人間が権威に従順な心性を持つことであって、意味も機能も考えずに権威を崇め、情報を疑って実体を確かめることを放棄するならば、科学も技術も公平性も毀損される。

こうした権威とは対照的に、権力と呼ばれるものは人間の実体的な有形力である。マックス・ウェーバーは国家権力のことを暴力装置と呼んでいたが、国家権力は実体的な有形力であって、社会に必要不可欠なものである。そもそも、人間のあらゆる活動は有形力によって実体を動かすことで成立するものであって、自由意思と有形力が繋がることによって結果が創造されることが「心技体の一致」というものだろう。

民主主義とは、国家権力という暴力装置を社会契約に基づいて運用する思想である。これは、人間の判断によって暴力装置を制御して、それによって社会全体の公益を創り出そうという政治思想である。

民主主義社会における政府権力の行使は、本来は為政者の個人利益を目的としたものではない。個人利益にしか興味がない者が政治を執れば、どんな富国も強国もあっという間に崩壊する。政府権力の行使には基本的に合理的・合法的な理由が必要であって、そのことを理解する精神が政治意識であろう。

大部分の権力は社会を統制するものであることを考えれば、権力は不自由を作り出すものであると言える。しかし、ありとあらゆる意思決定は可能性を絞り込むことであり、自由なる決定とは本質的には統制の裏返しである。つまり、自由とは己の意思による制御を示す言葉であって、放任や無秩序を示すものではないということだ。こうした自由と統制の表裏一体性について、フランスの哲学者のサルトルは「人間は自由という牢獄に繋がれている」と述べていた。

自由とは、何を成すべきかを判断してそれを実行する能動的な意思決定であり、これこそが「個の意識」と呼ぶべきものである。思考停止した相対主義や個人の恣意性といった野放図は、制御の喪失であって自由からは程遠い。人間的な自由とは無法とは完全に異なるものであるが、理不尽な拘束からの解放を求める者が多くとも、野放図という理不尽からの解放を求める者が少ないことは不思議なことだ。

民主主義という自由は、個々人が国家の意思決定を考える権利であり義務である。エーリッヒ・フロムは自由という義務を無視することを「自由からの逃走」と呼んで批判したが、公共政治への無関心と政府権力への無批判という形の「自由からの逃走」は現代日本でもよく見られる。斯様な形の権力の放棄は、権力の適切な行使を考えることの放棄であって、それは「力への意志」を否定する社会的不自由でしかない。

意思決定について考える「個の意識」が民主主義を成立させるものであるが、これとは対極的な同化欲求が「群れ意識」である。「群れ意識」とは、「個の意識」による自由で実体的な判断を破壊して、群れを騙すための観念を発生させるものでしかない。これは、問題解決と合理性を憎み、責任放棄と迎合を愛する思考に過ぎない。ただの群れと機能的な集団は完全に別物であって、民主主義は後者でしか成立しない。

自由とは、実体的な有形力と主体的な意思が「機能的な繋がり」を創ることで成立する。それ故に、自らの自由を持つ人間が連帯して協働することによって、より巨大で強力な自由が生まれる。人間個々人の意思決定能力と実体有形力は、壮大な目的を達するためには時として小さすぎることもあるだろう。だが、個々人の能力を集合させて実体有形力を大きくすれば、より大きな自由が誕生し、それによって大きな目的を実現させることが出来る。社会共助によって公共権力を創ることは、人間の自由を増やすことそのものだ。

一方で、人間の分断を起こす野放図は無力そのものであって、これを自由と呼ぶことは出来るはずもない。アメリカ人が述べる自由とは単なる野放図でしかなく、結果を考える能力の否定であって、己の快楽のみの追求であり、他者への無関心であって、これは個人主義というよりも「個人利益主義」に過ぎない。

元来の功利主義とは社会の公共益を重んじる思想であって、これは自分のことしか考えない臆病で内向的な個人利益主義とは完全に別の思想だ。功利主義とは、キレイゴトのような自分が気持ち良くなることを追求する偽善の対極でもあって、これは結果を追求する実体的な社会的意識なのだ。

互いが異なる存在であることを認め合って協力する社交性を否定して、似たような者だけで集まってセクトを作って内部に引きこもる習慣は、日本以上にアメリカに強く存在する。斯様な価値観は、公共社会への参加を否定して、閉鎖的な群れに籠るだけの分断でしかない。群れるだけで誰もが助け合わなくなり、自らの金と地位と宗教的な偽善と見栄だけを考える個人利益主義は、まさに人間の無力と不自由そのものだ。

この世界は物理的な制約もあることから、完全に人間の自由になるものばかりではない。だが、そうであっても実体や他者と積極的に関わって、この世界を自らの能動的な意思によって動かしていくことを、サルトルは「アンガージュマン」と呼んでいた。物理的な制約によって起こる問題を、人間の自由から生まれる創意工夫によって解消していくことにこそ、人間の活動の意味が存在している。こうした世界の物理的な制約は、人間を縛ること自体を目的とした権威による束縛とは完全に異なったものであることは言うまでもないが、「アンガージュマン」が「やまとこころ」であるということも説明不要だろう。

人間を拘束する過去の不自由な宗教は、権威への自発的隷属を道徳的善として称揚してきた。しかし、リベラリズム（自由主義）に基づいた現代社会でも、思考停止による権威への同化・迎合は相変わらず横行している。自由と寛容を求めるリベラリズムが不自由と不寛容を追求するほどに堕落したのは、リベラリズムの本質が自由と寛容ではなく野放図と野蛮であったことが原因だろう。だが、権威に媚びて下を弾圧するだけの馬鹿の一つ覚えでも世渡りは出来るし、愚か者は善という名前の不正義を疑うことが出来ない。善とは権威に従順な奴隷であるという意味であって、公平性を示す正義という言葉とは別のものなのだ。

この現代の野放図社会は、妄想に勤しむ権威的な神官とそれに迎合するワガママな幼児の社会であって、結局は中世社会と何も変わるところがないだろう。現代とは、人間個々人の意思と公共性を否定して、権威が個人利益のために社会と人間を支配する、中世的な時代である。

アメリカにおいては、野放図無法なリベラリズムのイデオロギーであっても、戒律に煩い白人至上主義的なプロテスタントであっても、どちらも実体を無視して幼児性を尊ぶだけの反知性の宗教である。彼等にはリアリズムは存在せず、左であっても右であってもその愚かさには大差がない。どちらであっても、公共精神への蔑視を尊び、論理と道理を否定して理不尽な恣意性を押し付けることを繰り返しているが、左の集団は新興勢力であって、アメリカの主流はプロテスタント集団の方である。

政治的左右を問わずとして実体に基づいた思考も公平な判断基軸も持たず、権威の観念に縋ることを妄信し、自己顕示欲によって他者との比較優位に執着することがアメリカの根本的な精神である。こうした精神は現代においては「トランピズム」と呼ばれることもあるが、トランプ前大統領がアメリカの精神性を崩壊させた原因ではなくて、トランプ前大統領はアメリカの歴史的伝統から生まれた結果に過ぎない。それ故に、斯様な自己に対する個人崇拝のことを鎗崎は「アメリカンマインド」と呼ぶことにした。無条件に己を肯定するこの精神は、多くのアメリカ人が普遍的に罹患している病魔であって、美意識を重んじる「やまとこころ」と対極の「漢意」である。

アメリカンマインドとは、己以外への無関心であって、人間的理念を否定する動物的欲望であり、公平性の欠如そのものであって、単なる自閉的な小心でしかない。競争社会に住むアメリカ人は、己の序列の昇進のために争うことにしか関心が無く、公共の結果のために戦うことはまるで得意としていないのだ。

アメリカ的な競争社会を破壊して協働社会を造らない限りは、人心が荒むだけには留まらず、全ての人類社会が崩壊する結果を迎えることだろう。アメリカンマインドとは短期利益と競争価値への信仰であって、コントロールの放棄こそが自由であると思い込む無責任な野放図であり、持続的な成長と創造価値の否定でしかない。人間から公共心を剥ぎ取れば、保身に走るか、蓄財に励むか、カルト宗教に傾倒するだけだろうが、他者を顧みることが出来ないアメリカンマインドは人々を繋ぐ文明精神を否定する野蛮の極致であると言っても何ら問題がなく、「一将功成りて万骨枯る」という言葉を思い出すものだ。

アメリカには宗教的な選民思想によって建国された歴史が存在するが、それ故に彼等はトランプ前大統領のような否定のための否定を辞めることが出来ないのだ。斯様な自省なき自己愛では、実体構造の「機能的な繋がり」を認知することが出来るはずもなく、観念的な自己正当化を繰り返すだけに陥る。アメリカンマインドとは、自己愛性人格障害そのものであるが、こうした自己愛は自らを醜く変えるだけのものであって、本質的に自己愛と言えるものではなく、エゴイズムと呼ぶことも出来ないミーイズムでしかない。

トランプ前大統領は、他者を否定することでしか自己主張が出来ず、陰謀論を妄信し、病的なまでの自己顕示欲に取り憑かれ、見栄を張るための嘘をつき続けていた。公平な視点から言って、トランプ前大統領は法螺を吹くことと競争で勝つことにしか殆ど興味を持っていなかった。実体の在り方を知ろうとも思わず、世界の構造と能動的に関わらず、ただ個人利益が欲しいというのならば、他者を騙すことが一番早い。

トランプ前大統領は典型的なアメリカ人の一例でしかなく、扇動的な人気取りと政治的対話を無視した多数決がアメリカでは横行している。彼のように実体性も論理性も公平性も伴わない人間は、妄想についてしか議論出来ず、本質的な生産性を発揮することは不可能だ。「アメリカ・ファースト」という彼の文句の実態は、「アメリカ・オンリー」というよりも「トランプ・オンリー」というミーイズムでしかなかったが、彼のように外交を理解出来ない大統領が今後も続くならば、日米同盟も機能不全に陥るだろう。

彼とその支持者達は、カルト宗教的なセクトを形成して、自らの主張のための証拠を集めることもなく国会議事堂を襲撃した。己の快不快以外に興味がない彼等は、世界の民主主義を守るどころか、アメリカの民主主義を破壊することしか出来なかった。これは社会的不信に基づいた無法の攻撃でしかないが、人気取りが出来るのならば彼等は無差別殺人でも行うだろうし、アメリカの歴史とは斯様なものであった。結果にまるで無関心で己の気分だけで動く幼児が政治に参入すれば、社会の全ては破壊されるだけだろう。

「個の意識」の否定によって成立する「群れ意識」の集団は、人間の協働と人間の自由を同時に否定するものであって、本質的には分断と抑圧の具現化に過ぎない。それ故に、アメリカ人の自己顕示欲は他者への弾圧という形に転化して顕現し、彼等は敵集団への反対によって纏まるわけだ。この醜さから目を反らす日本人は、アメリカの批判をするなどという戦後の呪いに取り憑かれているだけでしかなかろう。

　ソクラテスは、人間が動物的欲望を抑え込み、理知や気概を成長させることによって、国家の正義が、つまりは公平性が成立し、それによって社会が発展すると述べた。理知と気概は人間的意思と人間的感情と呼ぶべきものであるが、人間性を否定して動物的快楽欲求を全開にする野放図をアメリカ人は自由だと考えている。実体構造やロジックを無視する情操は感情というより感傷に過ぎず、これらは正義を否定する野蛮に過ぎない。現代社会の惨状は、「正義無くして文明無し」としか言いようがないだろう。

　社会を形成する内発的な規律が無いならば、動物的欲望や権威に造られた宗教的不自由によって人を纏め上げることになるが、それが故にアメリカにはQ-Anonやプロテスタント原理主義集団が跳梁跋扈している。公共の理念も科学技術的な探究心も存在しないならば、自分がどう生きるかの一身上の問題しか議論されず、全てのものごとが個人利益主義に還元される。斯様なミーイズムでは、事実を確認して意見を擦り合わせる民主主義が成立するわけもなく、奪い合いのゼロサムゲームによって恐慌が発生するだけだ。

　アメリカンドリームというものも個人的成功を追求するだけの思想に過ぎず、財を成すことや自らの妄想観念を具現化するためだけに人生を費やす精神であって、社会の在り方への無関心でしかない。私領域の一身上の自由を追求する彼等は、公領域の社会的自由とは無縁であって、故に公共の福祉が破綻するわけだ。

　アメリカの精神科医達は、トランプ前大統領は自己愛性人格障害に罹患している疑いがあると訴えていた。だが、アメリカの価値観が世界中に広まれば、彼のような他人の発言を全てにおいて無視する偽善と独善の塊が、世界中に溢れることになるだろう。他者の意見を認めることがないミーイストは、他者の意見を引き出すことが出来るわけもなく、合議には徹底的に向いていない。彼のような悪口と影口と自画自賛しか出来ない幼児が増え続ければ、人間の活動は社会から全て追放されるだけだ。

人間の活動の本質は速力であって、やりたいことと必要なことを行うための速さこそが結果を創造する力である。だが、形式主義や観念論はこれを潰すためのものであって、後ろ髪を引いて人間を捕えて不要なことに執着に停滞させて、そして社会を衰退させる性質を持っている。

もう一つの人間の活動の根幹は狙いであって、これは自らの意識を自らの外に伸ばす探究心である。何も視ずに何も考えずにただ速く動けたところで意味がなく、速力を活かすためには構造を認知して判断を行う能力が必要だ。焦れば速くなるという思考は、無駄な努力を起こす思考停止した野蛮に過ぎない。

自分が肯定されることだけを求める赤ん坊のような心性では、ただ動くことが出来たとしても何かを狙うことが出来るわけもない。赤ん坊には自らの心性以外のものをまるで認知できず、実体に基づいた判断を行うには、一定の年齢と能力が必要になる。とはいえ、自分の行動をとるのではなく親や権威が敷いたレールで動き続けるだけならば、少なくとも狙う能力に関しては必要がないのかも知れない。

観念妄想しか認知出来ずに一切の自省が伴わないアメリカンマインドは、赤ん坊の心性と変わらない。子供は自分の周りの実存を認知出来るが、赤ん坊に比べれば優れた認知能力を有しているわけだ。

そして、大人とは自分の周りを超えて社会全体を見通すことが出来る者であって、社会を向上させるためにどうするべきかを理解し、それを行う人間のことである。つまり、大人とは速さと狙いを理解した者であって、その能力によって政治権力の運用を考え、そして社会の動きを制御する存在であるわけだ。

民主主義社会と民主制権威主義社会　リアリズムとヴァーチャリズム

政治権力というシステムは、公共社会と人間の自由を支えるために絶対不可欠な存在である。政治権力は人間に作用する統制力であるが、同時に人間が社会契約に基づいて公益のために使いこなす道具でもある。

こうした政治権力とは対照的に、宗教権威とは本質的に序列概念であって、支配と被支配の関係を作ることで民主主義社会を破壊するものだ。もっと言ってしまえば、宗教権威とは神を持ち出して不公平を正当化するものなのだから、これは根本的に不正義であるということでしかない。

この権威の支配的力学、支配と被支配の関係性を重んじる価値観が権威主義と呼ばれるものであり、それによって成立する社会が権威主義社会である。かつて存在した政教一致の神権政治や世襲身分制社会というものは、権威主義社会の典型例であった。

江戸時代とは、朱子学という儒教の一派に基づいた身分制社会であったが、これは典型的な政教一致の社会である。儒教は神について説かずとも宗教的な教義を有しており、宗教の要件を満たしている。一方で、神道は教義を持たないが故に宗教ではなく、実は天皇が権威であるというわけでもない。この問題については二章で詳しく解説したが、儒教とは人間の自由と社会の向上を否定する奴隷制宗教であって、理不尽・非合理・不公平を崇める権威主義そのものであると先に明言しておく。

権威主義社会における権威は、人間観・世界観・社会観・善悪といった観念を人間に強制的に刷り込み、実体を認識出来ずに妄想だけを信じる人間を量産することで人間と社会の支配を確立する。権威が人間に刷り込む妄想の内容とは、「偉い人の言うことを聞け」や「権威をただ絶対的に肯定しろ」や「失敗が分かっていても権威の命令を行え」や「あらゆる責任は下に押し付けろ」といった実体を無視した立場的な上下論ばかりだろう。斯様な恣意的な観念は、人間の思考への抑圧であって、現状変革の否定であるが、いつの世であっても権威による同調圧力は支配体制を維持するためのものであった。建設的否定と否定のための否定は違うものであって、前者を批判と呼び、後者を弾圧と呼ぶ。寛容な人間は前者を重んじ、不寛容な権威は前者を否定するために後者に走る。観察抜きの肯定は、観察抜きの否定と同じだけに意味がない。

権威主義社会で道徳と呼ばれているものの大部分は、権威の煽動に流されることである。ものごとに真剣に取り組む向学心よりも、お上に従順な奴隷精神が真面目と呼ばれるのは本当に惨めなことだ。実体とその先を視ず、実体に何かを創ることを求めさせず、能動的な意思を全て諦めさせ、成果を放棄させるニヒリズムと苦しみを狂信するマゾヒズムを、権威は人間に徹底的に強制する。斯様にして、権威は社会の人間関係を破壊して、それを圧迫と束縛の序列関係に、つまりは支配と被支配の関係に変化させるわけだ。

　権威主義とは、権威が非権威を搾取することを恒常化させる腐敗した精神であって、社会契約の放棄そのものだと言える。権威に対する我慢と譲歩と服従が強制されて、それと同時に上から下への責任転嫁の連鎖が起こる現象を、丸山真男は「抑圧の委譲」と呼んでいた。「個の意識」を否定する権威主義が道徳と呼ばれることも多いものだが、斯様な道徳は実用的な能力からは最も遠いものだろう。

　権威は人間支配を安定させることしか考えていないのだから、善人とは「無能な権威主義者」を意味する言葉でしかない。我慢と譲歩と服従は、実体的な機能美というよりも単に陰鬱なだけのリスク回避であって、近代的自由や結果の制御や未来の創造を否定するものであり、ナチスが支配する社会を造るものだ。耐えることへの信仰は問題解決意識の否定であって、それは我が身を犠牲にしてでも突破力を撃ち出す覚悟から最も遠い、ネガティブな無力主義に過ぎない。

　権威主義に基づいた政治は、人が決めるのではなく権威が決める政治であるが、政治学ではこれを人治主義と呼ぶ。これは、社会にルールが存在するのではなく権威自体がルールとなる状態であって、民主主義の対極である。日本人はルールを決めることが下手と言われるが、それは無法の権威主義の儒教に汚染されていることが原因だろう。実体的な事実と法律に基づいた刑罰を重んじる法治意識が弱まれば、難癖的な脅迫と恣意的な私刑を繰り返す人治主義が発生するが、斯様な状態が恐怖政治というものだ。

　多くの権威主義社会では、権威による煽動によって「観念の拡大再生産」が発生する。この「観念の拡大再生産」は権威による思考誘導の連鎖現象であるが、こうした負の洗脳の連鎖が伝統やら文化再生産と呼ばれることも多々ある。権威主義の観念はまるでウィルスのように人間の脳に寄生して、人間関係を媒介にして増殖し、権威主義が社会に止め処なく溢れる状態に転落させる。地球の様々な場所で、こうした負の文化再生産によって、抑圧や殺戮が未だに続いているのが世界の実情なのだ。

　如何なる時代においても、社会のシステムというものは人間によって構成され、そして運用されてきた。それ故に、社会のシステムが人間のマインドに影響されることは当然のことでしかない。つまり、人間のマインドを掌握すれば、人間の社会システムを間接的に支配することが可能であるわけだ。

　これを例え話で説明するなら、仮に王様が社会を支配していたとしても、その王様を洗脳する神官こそが真の支配者であるということだ。権威が洗脳によって権力を敵視させ、神官が王様に責任をなすり続けるうちは、人間社会は宗教によって支配され続ける。誰がやっても神官の代行権力としかならないならば、それは神官の誑かしが全てを決定する人治主義の社会でしかない。

　現代の情報化社会と呼ばれているものは、実体を認識出来なくなった人間達が作りあげる観念化社会であって、本質的には妄想化社会と呼ぶべき社会だろう。実体構造のメカニクスを認知して、それを使いこなすための判断を行うことが本来の人間の能力であるが、それを失った者は社会をただ劣化させるだけだ。とはいえ、現代以前から、唯心論、観念論、形式主義などの実体への無視は存在していて、現代の観念化社会は、電気通信技術によって中世的な観念が社会の隅々にまで浸透して生まれたものに過ぎない。

　リアリズム（現実主義）と呼ばれるものは、「実体を基盤として重んじて、その上に創造を積み重ねていく」という人間の主体性を示す言葉である。それ故に、リアリズムとは単にリアルを観察することではなく、リアルに基づいた思考と判断を行うことである。

　鎗崎は、リアリズムと対照的な観念依存症のことをヴァーチャリズム（虚構主義）と名付けた。実体を確認することがリアリズムであるが、ヴァーチャリズムとは嘘に共感させるだけの詐術に過ぎない。

ヴァーチャリズムは実体構造を無視するか否定するかという性質を持っていて、「実体からの逃避」そのものである。実体を認識しないことは判断を放棄することであり、即ちこれは「自由からの逃走」でもある。人間の「個の意識」は、実体とその先を視切らんとする「認知への意思」を発揮する。人間個々人の「認知への意思」とそれに基づいた行動によって、人間の精神と実体世界の間に「機能的な繋がり」が成立している。「知は力なり」という格言を考えれば、「認知への意思」は「力への意志」であると言っても過言ではない。近代においては科学技術が国力の源であったが、全ての時代において意思決定こそが人間の強さの根本であった。勇気を否定すれば能動的に実体と向き合うことも出来ず、公平性を失えば認知はどこまでも歪み、向学心が無ければ怠惰と非効率が蔓延し、科学技術や判断能力は徹底的に劣化するだけだ。

権威の観念を妄信させようとするヴァーチャリズムは権威主義者が頻繁に使う手口であるが、情報を無批判に受容させることで懐疑精神を粉砕して、人間個々人を権威の集団に同化させるわけだ。己を疑えない者は他者に固定観念を押し付けるだけであって、民主主義を破壊することしか出来ない。「個の意識」に基づいた協働を否定して、共同体の分断を起こし、「群れ意識」を喚起させて権威に迎合させ、集団から追放する虐めを多用することで、権威は人間と社会を支配する。分断であっても同化であっても、「機能的な繋がり」とは全く別のことであって、協力とは完全に異なる現象に過ぎない。

リアリズムとは、「個の意識」によって実体を観察する意識である。武器や道具を創り、環境を改造する人間という存在は、現状の実体を改良し続ける存在である。つまり、リアリズムとは現実に基づいた理想を目指す思想であって、これは理想主義でもある。それが故に、理念を求めない思考はリアリズムと呼べるはずもなく、社会的目標の放棄は単なるニヒリズムに過ぎない。そして言うまでもないが、己にしか興味を持たないミーイズムは、実体を認知するためのリアリズムから最も遠いものでしかない。

現実実体の改良を目指さない権威主義や、現実実体を放棄するヴァーチャリズムに敵対する思想である。そして、権威は実体に対する「認知への意思」を弾圧し、「観念への応答」を道徳だと広めることで、権威の観念に煽動される人間を増やし続けてきた。

中世によく見られる神権政治体制や世襲身分制度は、高貴なる精神ではなく権威主義的な立場論が制度化されたものだ。斯様な制度は神が決めたルールであるとして、中世ではその理不尽が有耶無耶にされていた。その上、儒教やプロテスタントには教義の中に世襲的な身分制度を成立させるための理論が存在しているが故に、カトリックよりも権威と権力が一体化した神権政治と極めて高い親和性を持っている。

権威主義社会とは、一つの社会に複数の権威が存在し、それぞれの権威が拮抗しながら社会を寡占的に支配する社会である。だが、権威主義社会の中のある一つの権威の支配力が強まって、他の権威を打倒することで、一つの権威が人間社会を独裁支配する全体主義社会が生まれる。（図Ｂ）旧東側の共産国家は工業化された全体主義社会であったが、資本主義でも権威主義社会や全体主義社会を造ることは可能だ。

民主主義国家であっても、政府は一定に国民に監視と統制の圧力を掛けていることは事実であろう。だが、国民にも政府に監視と統制の力を掛ける手段が存在していて、選挙は政権に圧力をかけるための手段の一つだ。監視の否定は犯罪の推奨以外の何物でもないが、何よりもそれは政府の犯罪を助長する。

このような民主主義社会とは対照的に、全体主義社会は権威が隷民に対して一方的な監視と統制の圧力を掛ける社会であって、隷民は権威に対して徹底的に無抵抗状態となる。全体主義社会は、一切の自己主張と反論が許されない子供とあらゆる強制を行う毒親の関係性と、同じ構図であると言っても問題はない。

他者を弾圧することにしか興味がない権威が社会を占有することによって、全体主義社会が完成する。それは家庭のような小さな組織から、会社のような大きな組織、はたまた国家という巨大組織にまで変わることがない原則だ。こうした権威は自己顕示欲と個人利益のために公共の利益を破綻させることを喜んで選ぶのだから、最終的にその社会は破綻することにしかならない。透明化と分権化こそが民主主義の基盤である

(図 B)

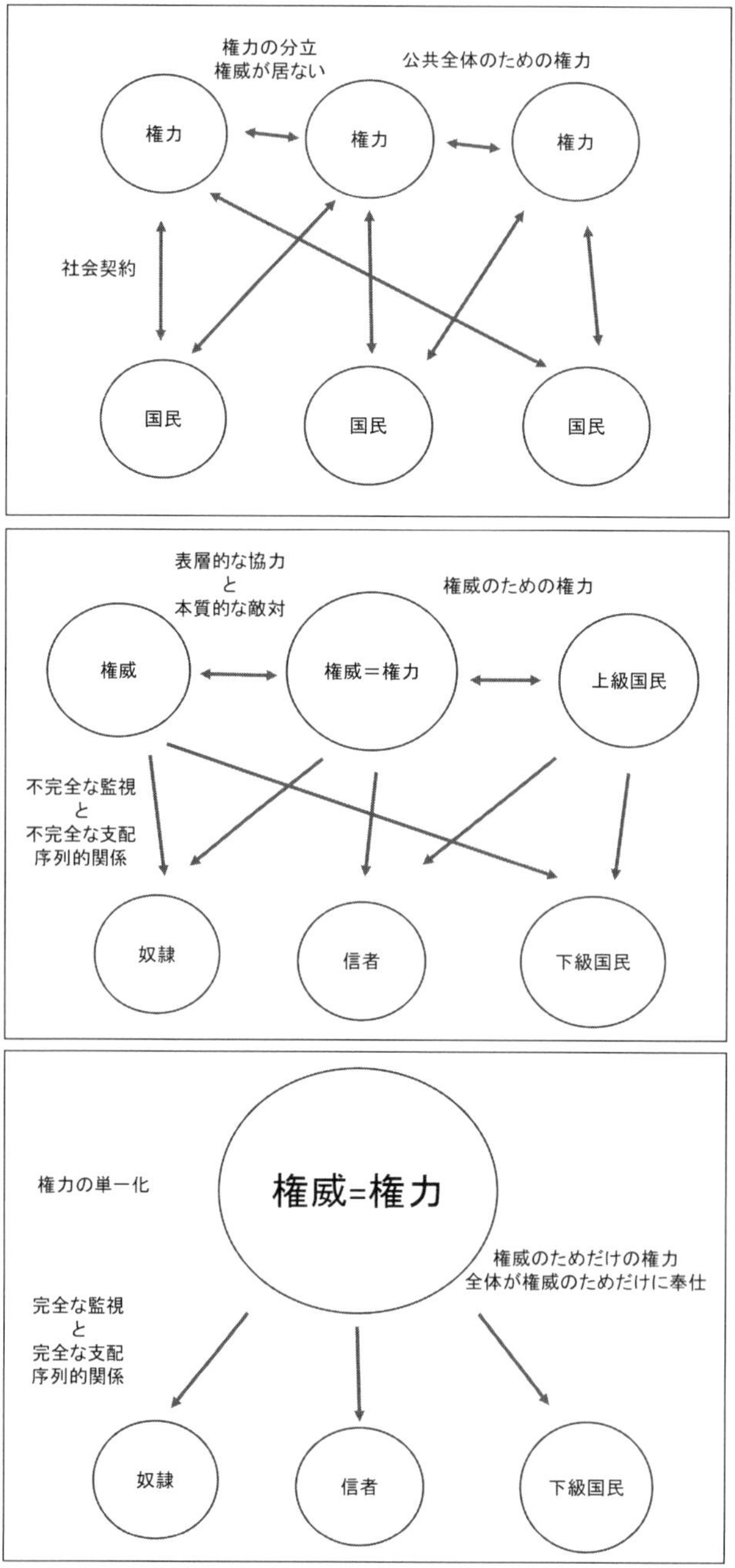

民主主義社会

権威主義社会

全体主義社会

が、民主主義のコンプライアンスを守るための監査機構を創り、学校や会社、政府、家庭などに、それを派遣する必要がある。そうすれば、財務省も公文書の偽装より積極財政に熱意を上げることだろう。現代日本の不景気は政治的な意思決定の稚拙さに由来し、キレイゴトの自己責任論によって解決するものではないが、受験勉強や市場原理主義が信じられているうちは世襲政治家や官僚達の宗教的な支配が安定する。

中世的な権威主義社会では、異なる権威同士が支配下の人間に異なる形で服従を求めても指示が機能することがないが故に、人間と社会を効率よく支配することは出来ない。だが、全体主義社会では社会の人間の全てを一つの権威に服従させているが故に、人間を権威の直接の支配下に置くことが出来る。そうすれば、人間は権威の指示通りに考え、権威の指示通りに動くこと以外が殆ど不可能な状態となるのだ。

例えを用いるならば、権威主義は無力な「兎」を作り、全体主義は貪欲な積極的支持者の「豚」と権威への追従者である「犬」を作る傾向を持っているということである。「犬」は食べるための「兎」や「豚」と違って、権威に忠実な番犬にするための調教を行う必要があって、全体主義社会における教育というものは「番犬を作るための調教」を意味している。出来が良かった奴隷が「犬」であり、出来が悪かった番犬が「豚」である。もっとも、これは文学的な比喩であって、生物学的な意味を示す言葉ではない。

往々にしてこの「兎」は判断能力の欠如と臆病さ、「豚」は動物的欲望を満たす打算のために権威に隷属している。しかし、「犬」の方は、自らが権威となって他人を隷属させたいといった権威主義的な見栄張り、卑屈で浅ましい自己権威化願望の「野心」に動かされている部分も大きい。洗脳教育によって権威への隷属が只管に強制され、自らによって何かをしようと思う意思が消滅すれば、見栄と快不快と保身以外に興味を持たず、動物的本能だけで生きる存在が増え続けるということだ。

「兎」と「豚」と「犬」は国家公共を考えることはなく、結局は自らの保身とせいぜい家族までの利得しか考えない冷血で権威主義的な生物である。ニーチェはこうした存在を畜群と名付けたが、かつての日本人は斯様に堕落した者のことを畜生道と呼んだ。彼等彼女等は実体性も論理性も公平性もないが故に、権威の指示に対して思考停止して従うことが可能であるが、それは人間らしい能力ではないだろう。

功利主義を否定して偽善を押し付けることは、公共精神を破壊することで権威の社会支配を成立させることである。権威が平和主義を嘯くのは、民主主義や社会契約を守れない無力な奴隷を欲しているからだ。議論と批判を停止させて我慢と徒労を刷り込むのが全体主義であって、人間と社会の自由は完全に抹殺される。全体主義社会を欲する権威は、議論と批判を停止させるために、観念的なキレイゴトや感傷に訴える唯心論を繰り返し唱える。実体功利性を無視した道徳のために自由を放棄すれば、国家は全体主義に転落する。

政治的自由や社会の発展を求める高貴なる欲望が、自己満足と安寧だけを望む畜生道には完全に欠如している。畜生道は、己が傷つくことを回避するために思考停止した我慢に勤しみ、群れて娯楽を貪るだけで、腐敗した社会を変革する意思がなく、寧ろ思考停止するために全体主義社会を欲している。

人間社会の問題の大部分は、道徳精神の欠如からではなく、知性とリアリズムの放棄によって発生する。信仰とは、信念という結果の是非を考える精神とは対極的なものであって、自己批判を停止させる妄念であり、実体を無視した暴政を誘発させる権威主義でしかない。他者の実体的な意見を聞くことを拒絶する権威主義の精神では、大体のものごとは失敗に頓挫するものであって、それ故に民主主義は独裁よりも強い。目的を明示して意思を共有する組織は、お上の恣意的な指図で動かされる組織よりも絶対に強いのだ。

美意識や規範性、公平性や助け合いといったマインドを失って教条に堕落した民主主義は、民主主義ではなくて民主制というシステムでしかない。そうしたシステムは単に群れるだけのものであって、実体的な議論を破壊して、イデオロギーを翼賛する。愚かな党派抗争は民主制の特徴であったとしても、そこには民主主義の理念は存在しない。誰が決めるかに重きが置かれて平等だけが追及されることになり、その結果として判断も検証もない多数決によって政治が動くならば、国家は嘘によって破綻する。思考停止して群れることが責任回避に役立つことは多いが、問題解決には繋がり得ないことを忘れてはならない。民主制への信仰は、多数決への狂信であって、実体的な是よりも他者に肯定されることを優先させる権威主義であり、これは人の目や世間体を気にして「もののあはれ」を否定するだけの「漢意」に過ぎない。自分の意思で行動せずに常に他人に合わせることを意識する不自由は、民主制への信仰から生まれているが、己をまるで信じずに権威だけを信じることは自己への絶望そのものでしかない。

民主主義とは、他人の意見を聞くことだけではなく、歴史を学び政治的知性を得た上で、実体を視て公平性と功利性に基づいた判断を行う精神である。他者を信用するだけで構造を己で観察しないならば、率先して騙されているだけであるが、斯様な愚かさこそが民主主義を破壊する。そして不思議なことに、他者を絶対に信用しないような者が権威への絶対の信用を抱えていることも存外に多いものだ。

権威に支配された民衆による多数決は、「民主制権威主義」か「民主制全体主義」とでも呼ぶべきものだろう。彼等は権威から承認されることを目的としていて、結果を創造することには関心を持っていない。斯様な「実を捨てて名を取る」だけの民主国家は、実体性、公平性、功利性を重んじる公共判断からは程遠い。民主制権威主義社会では、誰が意思決定を行うかが重んじられて何をするかがまるで問われず、現実政治と科学技術は軽視され、イデオロギーや宗教が跋扈する。これは、実体合理性、契約価値、社会的な規範を無視してワガママな恣意性によって社会を動かしているだけであって、破滅以外に帰結しない。

「大衆の反逆」を叙述したオルテガは、公共判断を志向せず、自分達の機嫌が許すかどうかでのみものごとを考え、理知と勇気に反発することを軸に群れる存在が大衆であると述べた。実体結果やら公共性ではなくて、観念妄想と気分でしか判断出来ない者達とは、対話が成立するわけがない。民主主義抜きの民主制は、政治権力の主体ではなく宗教権威の主体が民主化されたものに過ぎず、印象操作と個人利益主義で社会の全てが動かされることになるだけだ。文明的統治を否定する野放図を、自由と呼ぶことは出来ない。

オルテガは「文明社会の野蛮人」という批判を残したが、彼が言う通りに文明人とは単に文明社会に住んでいる人間のことではない。どんな社会に住んでいようとも、自らの観察力と理解力で創意工夫を行う人間が文明人であって、権威を信じ込み扇動に流される者は文明を弾圧することが関の山だ。後者のような存在をして、オルテガは「文明社会の野蛮人」と呼んでいたわけだ。

実体性、公平性、功利性を重んじる公共判断ではなくて、同意の数によって社会が動かされることになれば、社会はミーイズムの最大公約数に堕落する。自由なる社会とは、権威を破壊するだけのことでもなく、一切の規則がないということでもなく、自由のマインドを成立させるための的確なシステムが設計され、それが十全に機能している文明のことである。公共判断に反する露骨な個人利益主義を排除出来ない現代の民主制とは、最初から致命的な欠陥がある制度なのだ。実体として必要なことではなく、皆が好きなことにしか金が回らない市場原理主義も、最低の形で機能する民主制であると言えよう。

政治と法律の目的は、治安と言論の自由を担保し、国力を増やし、国民全てが能力を発揮する近代的な公共を造ることである。政治も法律も、個人の見栄張りや自己満足のために存在しているわけではないことを、我々は意識しなければならない。法律とは人間の自由を守るためのものであり、権力とは実体公平性を担保するためのものであって、これらを的確に扱うことで人間と国家の利益を守ることが社会契約である。

本著では民主制への批判が多いが、実は鎗崎は民主制そのものを否定しているわけではない。鎗崎が本当に批判しているのは、民衆を洗脳して民主制権威主義を成立させる神官達だ。民主制というシステムにおいては、観念的な煽動と多数決による強制を組み合わせることで、実体に基づいた話し合いを破壊することは容易い。こうした詐術を用いれば、権威主義の人治政治を成立させることは実際に可能である。とはいえ、日本史も知らない宗教的政治家の嘘によって人を動かすことは出来ても、知見と手法が無ければ実体構造を的確に動かして政治的結果を残すことが不可能であることもまた事実だ。

政治における究極の問題は、誰が行うかという属人性ではなく、公共判断を遂行するかどうかの意思決定の是非であり、そしてそれが社会全体に監視された上で納得されるかという社会的信認の有無であろう。王様から民衆に権力行使の主体が変わったとしても、王様を洗脳した神官が民衆を洗脳し続けるならば、結果は一切において変わることがない。

現代の民主制社会における議論とは、実体性と論理性の否定によって論争に勝利することを目的とするヴァーチャリズムでしかない。斯様なヴァーチャリズムが跋扈する現代では、政治家という権力よりもマスメディアという宗教的な権威が社会と人間を支配している。問題解決手段を示さずに権力への不信だけを徹底的に煽るマスメディアが、権威である自らをこの上なく妄信させようとする姿勢は、喜劇としても実に不愉快だ。権威である彼等彼女等は権力を批判しているのではなくて、権力を否定しているだけに過ぎない。何も実体に創造する意思がないにも関わらず、観念的批判にだけはどこまでも熱心で、建設性が徹底的なまでに欠如した彼等彼女等は、虚無の擬人化であると言って何ら問題はないだろう。

マスメディアは、人間の向学心を腐敗させて、自らの生活しか考えない消費者を増やし続けてきた。彼等はお茶を濁してふざけることとマウンティングにしか興味を持たず、サンゴにＫＹと落書きをしながらも、事実を指摘する者に対してＫＹ（空気を読まない）とバッシングを行う。人間の認知能力を否定し、認識の操作を企む彼等彼女等は、人間個々人が自らの意思で実体を観察することを何よりも望まない。

観念妄想は能動的な科学的観察の否定であり、形式主義は制御という技術的判断の否定であって、権威主義は民主主義国家の否定であり、宗教は政治哲学の否定であって、煽動は人間の自由の否定である。マスメディアという神官は社会を支配するために、国民から社会への関心を奪い取ってきた。自己保身のために他者を犠牲にすることに躊躇いを持たない、人間的公平性や社会的理念と無縁な畜生道だけを造り続けてきた。結果のために己で判断する意識を持たない、権威からの承認だけを求める奴隷を造り続けてきた。

学校とマスメディアは、人間の能動的な「認知への意思」を「観念への応答」に堕落させ、政治意識を否定して動物的欲求を煽り続け、実体世界を妄念にすり替えることによって人間を支配している。彼等彼女等が作った現代の観念化社会は、「お上の言うことを聞いているだけでいい」という思考を蔓延させ、人間の「群れ意識」をこの上なく増幅させている。己の快不快以外が殆ど何もわからない畜生道は、美意識とも自意識とも実体とも無縁であって、文明的統治を否定することしか出来ない。己の向上を社会に反映することによって社会を向上させることが出来る人間が居ないならば、公共は破滅するだけだろう。

とはいえ、ＳＮＳの発展によって学校やマスメディアよりもＳＮＳの方が社会と人間を支配しうる宗教的権威となるかも知れない。ＳＮＳでは麻薬中毒的な快楽を扇動することで判断を否定する試みが飽和していて、意見を交わす議論より「いいね！」という承認こそが求められる惨状だ。ネットには実体がそのまま存在しているわけではないが故に、実体を軸にした議論や検証は疎かになりがちであって、全てが虚構に基づいて決められてしまうこともしばしばである。人と人の間に実体があるが故に、人間の間に「機能的な繋がり」が生まれる。だが、実体を無視して人間を繋げようとすれば、観念的な権威主義の群れしか成立しない。実体について話し合うことが無くなった結果として、人間関係が互いの向上を求める実用品ではなく、群れて気分を良くするための麻薬になったわけだ。

必要なのは、群れを求める臆病ではなく、事実を確かめようとする誠意と、ものごとを動かそうとする勇気なのだ。アドラーは「嫌われる勇気」を説いたが、それを持たないヒトラーはフェイクによる扇動を駆使して野蛮極まる全体主義社会を造った。だが、「もののあはれ」というリアリズムを愛する日本人は、「あらみたま」という「嫌われる勇気」を持っているのだから、文明的な民主主義社会を創ることが出来る。

他者のご機嫌を取るだけで事実を言わない国民が増えれば、宗教だけを愛して産業を無視する政治家が当選するのは当然であって、そうなれば国家は確実に崩壊する。他者に嫌われてはならないという観念は、他者に嫌われていても危害を加えられることは確実ではないという事実を無視したものだが、それ以上に自らを嫌っていない他者が自らに危害を加えることも有るという事実を無視している。実害を考えない危機意識は単なる妄想に過ぎず、人間と公共社会を防衛する力を否定するだけだ。無害なものを恐れて有害なものを崇める倒錯は、知性の欠如よりも勇気の欠如に由来するのかも知れない。

咎められることを恐れて何もせず、承認されるためにキレイゴトを履くならば、問題解決は起こらない。現代とは人間の間にヴァーチャリズムが蔓延して、実体を目的とすることが忘却され、他者と意思疎通して目的を共有することが不全化した時代なのだ。友人がいない現代人は多いが、友人とは肩書や地位によって付き合う仕事の相手ではなくて、相手の内面的な思想や実体的な行動によって付き合う相手のことである。現代日本の教育は、幼少期から地位や肩書を得ることだけを教えて思想や行動については何ら問わない惨状であるが、つまりは他者のことを何も視ないことを推奨しているだけであって、単に友達を造らないことを教えているだけでしかないのだ。

科学技術と人間本性　認知と制御と出力

洗脳とは、実体的根拠がない観念を良いものやら正当なものやらと信仰させる術のことである。道徳なりキレイゴトなりと呼ばれるものは洗脳の典型だが、実体ではない虚構を善悪という観念を用いて受容させる手法は「道徳的正当化」とでも呼ぶべきだろう。

善悪というものは権威が決めるものであって、これは権威への忖度を強制するための基準に過ぎず、公共社会のための結果を考える是非の判断とは完全に異なったものだ。善という道徳的正当化は単なる騙しのヴァーチャリズムだが、何千年も前から人類は宗教権威にこの方法で騙され続けてきた。善とは、誰かの言うことを疑いもなく信じ続け、常に権威の顔色を窺い、集団に靡き続け、親に許されることだけを考え、他者に期待するだけで自分で何もしようと思わない傍観者の心性に過ぎない。

巷でよく聞くコミュニケーション能力というものも、その実体はご機嫌取りや騙す力であることが多く、意思疎通や問題解決能力を意味するものではない。そして、儒教が賢さと呼ぶものは、科学技術や実体合理性ではなく権威に取り入って出世して蓄財することであって、単なる卑屈さに過ぎないものだ。

宗教とは戒律、教義、道徳を人間に押し付ける権威である。戒律は行動において、教義は認識において、道徳は心性において、宗教権威が作り上げたレールを人間に強制し、権威が規格したもの以外の全てを人生から排除する。戒律は権威の言う通りに動けといった強制であり、教義は権威が絶対に正しいと認識しろという観念であり、道徳とは自分で何も判断するなという奴隷的な思考停止に過ぎない。

世間でよく聞く「正しさ」という言葉も、実体合理性や判断の的確性を示すものではないことが殆どだ。これは、権威の規格か、権威そのものを示す言葉であって、つまりは「お上だから肯定されるべき」という属人的な立場論を意味する腐敗でしかない。公平とは実体を観察することだろうが、「正しさ」とは観念を妄信することに過ぎない。学校教育の内容も、単に「お上に逆らうな」というだけのものだ。

権威による人間の規格化とは、人間を権威の末端に変えるだけのものであって、自己を持たせないための洗脳である。こうした洗脳から権威が支配する全体主義社会が生まれることは、ナチスを見れば明らかだ。戒律やら教義やら道徳やらは、権威が人間と社会を支配するという目的のために人間を抑圧する重荷を押し付ける手段に過ぎない。信仰とは権威が規格した人生以外を全て拒絶する態度を示す言葉であって、敬虔とは不合理に縛られて不自由で居ることである。

権威が直接に権力を握れば政教一致となるが、権威が権力の担い手を洗脳すれば間接的な政教一致が起こる。宗教による人間の洗脳が確立すれば、人間は実体を認識しようとしないどころか、実体を拒絶してまでも権威そのものと権威が訴える観念を無批判に信じ込もうとするのだから、社会は政教一致にしか成り得ない。それによって社会契約は否定され、権力は公益のためではなくて権威の個人利益のために行使されることになるか、観念のために政治が動いて全てが破壊されることになる。現代社会では既に儒教やプロテスタントの政教一致が成立しているが、別のカルト宗教による政教一致も成立するかも知れない。

斯様にして実体を認知出来なくなった人間は、権威が唱える観念こそが実体を超える「道徳的事実」として妄信し、嘘と権威主義による支配こそが道徳だと考えて、固定観念を社会に押し付ける。それが一切のペテンであっても道徳的正当化されれば、それを信じることが善とされ、それに異を唱えることは不謹慎だという認識が社会に蔓延することになる。己を疑う「無知の知」を持たず、権威を疑う公平性と無縁な信者が増えれば、民主主義の議論が抹殺されることは火を見るより明らかだ。

人間と社会に有害な強制が、神の意に適うなり、権威が望んでいるなりとして積極的に肯定されるのは、古今東西において見られるものだ。親孝行の強制とはその典型であるが、これは自らの親のためだけに行動させる洗脳であって、自らのために行動させないどころか、他者や他者の親や社会のために行動することをも否定するペテンに過ぎない。公平性とは、統治者として必要な自意識であり、人間の名誉であって、社会全体のためだけのものではなくて、自らのためのものでもあることを忘れてはならないだろう。

「まず神の言葉ありき」とはキリスト教が唱える文句だが、これは実体に先行して観念が存在するという認識そのものである。これは実体実物よりも権威の言葉を重んじる不公平な立場論であって、「虚を見て実を見ない」思考でしかない。当然のことであるが、絶対の神という結論を事実に先行させて議論すれば、事実を否定した上でどんなものごとをも正当化することが可能だ。「信じる」ということは、情報の検証を放棄することであって、実体構造の解析の否定であり、客観的観察を放棄した属人的な権威主義に過ぎない。

まず理屈からではなくて、まず実体から考えることが人間本来の思考である。その順序を逆転させることは「知ったかぶり」そのものである。この順序の逆転は、形式や手段の完全性にだけに拘り、結果や未来を何ら求めないことに似たようなものだ。この逆転によって騙されるだけの人間が量産されるのは説明不要だが、実体性を否定する屁理屈は実体に何も造らないための言い訳でしかない。他者を信じるだけで己で実体と向き合わないなら、能動性というものが完全に欠如しているだけに過ぎない。

神学とは、結論ありきで観察を否定して、権威を絶対肯定する論理を構築するための詐術を示す言葉である。ドイツ観念論は神学から派生したものだが、これらは理論的であったとしても実体的な論理性を否定する詭弁でしかなく、「宗教権威の奴隷で居ろ」という文句の言い回しを変え続けるものに過ぎない。人間の科学技術は、実体観察から理論を構築するが故に実体的なものとなる。世間一般で理論馬鹿と呼ばれる価値観は、実体観察の否定であるのだから、科学技術というよりも神学の類だろう。キレイゴトと呼ばれているものも大体はこうした神学であって、実体を無視して結論の正当性が妄信されるだけのものだ。

キリスト教のみならず、多くの宗教の中核には権威への絶対的な妄信と実体に対する権威の観念の優越が存在する。儒教にもキリスト教神学とほぼ同じ形のヴァーチャリズムが存在していて、日本におけるキレイゴトは儒教に由来するものが多い。儒教とは親を神として崇めるだけの宗教であって、己を他者に良く見せることを説くものであり、結果を能く変えることを重んじるものではない。結果を判断する能力が政治意識の中核であるが、儒教とは人間の公平性を破壊して、社会契約が機能しない社会を造る不寛容な不正義に過ぎない。それ故に、現代日本の世間一般で正当性と呼ばれるものの殆ど全ては、他者にどう見られるかを問題にするものか、若しくは権威の恣意性を問うだけのものとなってしまったのだ。

大体の権威は、「権威が絶対に正しく、権威に絶対服従しないことを許さない」という主張を押し付ける。実体として確認出来ない神学に対して、実体を持ち出して批判しても、権威は実体を否定する観念論で逃げ続ける。宗教権威が観念的な罪悪感を刷り込み自罰に誘導するが故に、それらの罪や罰を他者に擦り付けようとする者までも生まれてしまう。斯様な権威による「罪の捏造」を疑えない者は、許しという麻薬を権威に与えられるために権威に完全に隷属する奴隷にまで堕落する。権威と人間の関係は、懲罰する者と懲罰される者の関係であって、権威主義社会とは監獄そのものだ。権威とは他者の意見を排除することばかりを試みるものであって、言葉を発する口があっても聞く耳と理解する脳を持っていないのだから、対話が成立するはずもなく、実は交渉し得る相手ではない。「自分達の思い込みは絶対に正しい」という妄念の押し付けが、権威の本質的な性質であるが、この性質が強い現代アメリカの左派は宗教権威そのものでしかない。

神学を駆使した宗教権威の脅しは、「宗教権威や神や親は絶対の存在であって、その他は罪深くて地獄で焼き殺される対象である」という人間の精神への圧迫であるが、斯様な騙しは身分制度そのものだ。この身分制度を批判すると最低の身分に落とされ、身分制社会の全ての者から弾圧されることになる。斯様な強迫観念が人間個々人の脳に刷り込まれると、色眼鏡を掛けた状態でしか実体を見られなくなってしまって、権威の先入観を追認することしか出来なくなる。全ての事象の因果関係は無視されて、権威の観念が何よりもの最上位にされ、実体構造の「機能的な繋がり」を視切る能力は完全に破綻してしまう。

在るものを在るように認める「やまとこころ」のリアリズムは科学技術的である。だが、権威を正当化するために全てのものごとを観念的結論にこじつけようとする神学は、ヴァーチャリズムの「漢意」そのものだ。実害がない問題に不寛容でも実体問題を無視する者が社会に多く存在するが、ものごとの価値基準を実体ではなくて権威の観念に置いているのだろう。実体結果のためではなくて、権威に咎められないために生きる奴隷が増えれば、理念も繁栄も実体産業もどこまでも犠牲になる。

身体という最も身近な実体に対して科学技術的な思考を働かせることは、生きた科学技術意識を身に着ける上で何より重要になることである。だが、学校の体育というものは身体構造を無視する野蛮への信仰であって、これは実体性がまるで存在しない神学の典型に過ぎない。ヴァーチャリズムの具現であるピラミッドは、ただ群れて不合理な形式に硬直化するものでしかない。根性論の極みである兎跳びは、間違った動きの暗記であり、ガサツなる制御の放棄であって、望むように動く能力の破壊でもあり、「構造の視切り」の否定でもあって、科学への侮蔑と技術への軽蔑である。他人に従うだけで己で何も判断しない人間は、形式の暗記を構造の理解よりも重んじる教育によって量産されていることは説明不要だ。国際大会でフォーメーションも戦術もなく日本が大負けする現象は、思考停止した動きの刷り込みから起こるものだろう。

学校の体育は、思考と動きの「機能的な繋がり」の分断であり、身体を固めて我慢を強いるだけの精神論であって、出鱈目な型を繰り返してもそれを疑問視しない反知性であり、子供を生贄にすることであって、虐めと同じ構図である。斯様なる自己決定権の剥奪は、アーツを否定する権威主義であって、人間の自由に対する最も強烈な敵意であろう。科学的合理性を否定することで物理的な動きを阻害するだけではなく、精神における内発的駆動力をも損失させるという洗脳の構図は、古の中華の纏足と完全に同じものだ。

いつの時代であっても、宗教権威は洗脳と扇動によって、権威を支持する多数派を作り上げることを企むものだ。現代においてマスメディアがアニメオタクを増やし続けていることも、殆ど同じような構図である。マスメディアもオタクアニメも、非実体的な情報によって人間を受動的にすることが完全に共通している点だろう。コンピューターゲームは非実体的な情報を扱うものではあるが、将棋のように実体的に役に立つ思考と能動性を要求するものも多く、海外ではMinecraftのように教育に取り入れられたものも存在する。

しかしながら、アニメオタクはリアルを求めていない。「意識弱い系」のオタクと熱狂的な芸術家の違いは、現実に対する関心の有無である。実体性があれば他者と実体的な理解を共有出来るが、実体性がない観念妄想では独裁者が支配する権威主義の群れが成立するだけだろう。騙して脅して不安を煽れば他者を動かすことは出来るが、それによって実体構造を直接に動かすことは不可能なことでしかない。

「もののあはれ」という実体性と「あらみたま」という創造的破壊の激情は、日本人が伝統的に尊んできた偉大なる美意識である。理念とイデアを知覚して、己のエネルギーを実体に具現化させることによって社会に向上を起こすことが出来る。リアルに向き合わずにヴァーチャルに甘えてリスク回避に走るオタクは、日本の芸術精神から最も遠い受動的な消費者に過ぎない。我慢とはリターンの放棄であって、禁欲の諦念はリスク管理とも無縁であり、是となる欲望を否定して不寛容だけを生み出す社会的自殺でしかないのだ。

　芸術家とは公共へのメッセージを発する存在であるが、実体の中に好きなものを見つけられないオタク達は現実逃避的なミーイズムに基づいた麻薬的なヴァーチャリズムしか求めない。侘び・寂びという造り物ではない「生きた美」を、己で主体的に見出すものが「もののあはれ」であって、「やまとこころ」は妄想に共感するだけの受動的な感傷とは完全に別物なのだ。

　芸術家とは能動的な創造者であるが、受動的な消費者であるオタクは群れて隣のものを形式主義的にコピーすることが関の山だ。形式主義とは観察の放棄であって、探求なき模倣であり、構造を無視した丸暗記であって、斯様なる知性の放棄は科学や技術や芸術から最も遠い。己で解析と検証を行う研究能力がなければ未来を創ることなど不可能であって、理解を求める心が無ければ何をしても向上が起きるわけがない。

　血を滾らせる猛々しい芸術家が追及するものが、機能美、科学技術、向上心、合理性、問題解決、人間的探究精神であって、卑しく軟弱なオタクが有しているのが、虚飾、承認欲求、自己顕示欲、見栄張り、観念的正当化、保身的意識、動物的快楽欲求である。「学校の勉強と仕事以外に興味を持つな」という洗脳を妄信して自らの心を権威に支配された「良い子」達は、臆病なアニメオタク以外になれるわけもなかろう。

　岡本太郎は「自分の中に毒を持て」と述べたが、自らが承認されたいだけの者は芸術から最も遠い。アドラーは「嫌われる勇気」を説いたが、その勇気を否定すればヒトラーが全体主義社会を造る。

　ヒトラーというオタクは、不明瞭な意思表明によって自己を誇大化して演出する手法と権威主義的な脅迫によって衆人を洗脳する方式で、幻夢と悪夢を併用する手口で衆人を扇動していた。彼のやり方を用いれば、人間個々人の意思決定を無力化し、意思疎通を分断し、同調圧力によって権威に癒着同化させ、場の空気を支配することによって民主主義を破壊し尽くし、芸術家をオタクに変え、宗教的な全体主義を成立させることが出来る。権威主義的自己愛を民族単位に拡大させた集団的ミーイズムがナチズムであって、妄想と私利私欲以外を何も持たず、公共性と人間理念を完全に放棄した畜生の群れに過ぎない。自分だけしか愛することが出来ないナチスは、この世で最も正義から遠く、美が完全に欠如した存在でしかなかった。

アーツとは実存に人間の意思を加えて設計し直すことでその先を構築するものであって、マインドとシステムの間に「機能的な繋がり」を成立させ、「心技体の調和」を創り出すものだ。アーツという人為性は、科学技術と呼ばれるものと同一のものであるが、自らの行動を自らの意識によって行い、それを自らの目的とする結果にどのように繋ぐかを考えることで、アーツはより合理的に美しく進化していくことになる。

だが、オタク向けのヴァーチャリズムはアーツと呼べたものではない。実体に興味がない者には公共性も政治意識も芽生えるわけはなく、独善的な妄想によって暴走することが関の山だろう。政治哲学や科学技術に対する思考停止、リアルに対する無視無関心こそがヴァーチャリズムの本質であるが、人間から実体的な判断能力を取り上げる洗脳を施すが故に、権威は人間を無限に騙し続けられるわけだ。

現代では全ての価値観を平等に肯定するという「文化相対主義」が蔓延して、オタク向けのアニメのようなヴァーチャリズムがリアリズムと対等に扱われることになってしまった。しかし、本来はこのようなヴァーチャリズムはカルチャー（文化）と呼べず、故にサブカルチャー（文化未満）として扱われてきた。

日本のアニメは、「漫画の神様」と呼ばれた手塚治虫にその起源があるが、戦争を経験した彼の作品には実体的な社会批判が強く存在している。彼の弟子の富野由悠季は文化功労者となったが、創作世界の中に「もののあはれ」と「あらみたま」を描くというテーマは、手塚治虫の「物語の理念」を継承したものだ。

手塚治虫のアニメには、ウォルト・ディズニーの影響を受けて成立した歴史がある。現在のディズニー社の在り方とは異なって、ウォルト・ディズニーは白人至上主義者の女性差別主義者であったことも有名な話だ。手塚治虫の「もののあはれ」を描こうとした作家性は、ウォルト・ディズニーの観念世界の虚構の美とは完全に異なったものであることは疑いようがない事実だろう。

二〇一〇年以降に量産された絵が可愛いだけのアニメのつまらなさは、己以外への無関心に取り憑かれたオタクの好みに合わせた結果であるが、漫画の神様もあの世で仰天していることだろう。これらは、どこまでも観念的で表層的で、文化と呼ぶには実体性な生が欠如し過ぎている。斯様なピーターパン・シンドロームは、低俗な感傷を煽ることで現実逃避に共感させるだけの反文化に過ぎない。

ヴァーチャリズムに汚染されたオタク達には、人体の三次元的な機能美も「物語の理念」も理解出来るはずもなく、科学技術と生産労働力の「機能的な繋がり」が産業社会の基幹であるという事実を絶対に認知出来るわけがない。彼等彼女等はカップ麺とサプリメントだけで育った化学調味料中毒者の如き者であって、斯様な心身の弱体化こそが市場原理主義的な野放図の帰結というものだ。特に、精神的虚弱さはこの上なく凄まじく、「精神的に傷つきました」と訴えれば内容に関わらず相手の言論を否定できると考える被害妄想的な全体主義者が、若者の間には数多く存在している。あと少しすれば若返りの薬が発明されるだろうが、ヴァーチャリズムに甘やかされた幼稚なオタク達は、若返った老人に太刀打ち出来ないかも知れない。

とはいえ、儒教では大人に成らないことこそが道徳であると『二十四孝』の「老莱子」で説明しているのだから、アニメオタク達は儒教の教えに適うことは確かである。江戸時代の本居宣長が本当に否定したかったのは、こうした儒教の実体を無視した屁理屈の観念論であったのだろう。

肩書や身分や形式や所属だけを問題にする儒教の即物性は、他者の精神を何も視ない愚か者を造る。構造の奥も捉えることも出来ない愚か者には、マインドが欠如しているが故にアーツを理解することも不可能だ。こうした愚かさは「名だけを見て、実を視れず」とでも呼ぶべきだろう。

江戸幕府の政治は、言論の自由と科学技術を弾圧し、身分制度の維持のために屁理屈によって人間の理性と感情を否定する儒教的専制であった。儒教の本質はいわゆる「規制のための規制」であるが、これは何をも狙わず何をも目指さない我慢するだけの無気力者と不合理を守るだけの不自由な奴隷を増やすことで、権威の支配を維持するためのものに過ぎない。

近代民主主義国家においては自由の規制とは公益があるが故に存在するものであるが、儒教の形式主義は恣意的に押し付けられた理不尽な義務を守ることへの信仰であって、社会全体を不幸にするものであり、斯様な義務は国家を支える「高貴なる義務」の対極である。儒教とは、能動的な意思で国家のために動く者を殺し、お上に許されるために生きる奴隷を作る本質的不自由そのものでしかない。

現代の企業でも、観念的で形式的な無駄を守ることが評価されることが多いが、儒教的な空気は何ら意味も機能もないことだけを気にする従順な畜生道を造り続ける。どうでもいい規制と権威の恣意性だけを気にして、実体合理性に基づいて自分の行うべきことを行えない指示待ちの生き物だけが量産される。結果を制御することを考えずに権威に忖度を繰り返す現代日本人は、儒教から生まれた存在なのだ。

学校のペーパーテストというものも規格から外れないことだけを意識させるもので、己が何を行うのかを考える能力を削り取るものである。現代の受験制度の元となった科挙もペーパーテストであったが、科挙は儒教と強く結びついた制度であったのだから、儒教とペーパーテストは切っても切り離せない関係である。科学的解析意識を伴わない道徳者や向学心が欠如した高学歴者はペーパーテストのための暗記教育から生まれるわけだが、科学技術を成立させる探究心が無くなれば国家は衰退するだけだろう。

道徳とは、権威による社会と人間の支配を固定化するためのものであって、進歩を否定するものでしかない。道徳とは、権威の恣意的な決定に隷属する人間を造るために判断能力を抹殺するだけの洗脳に過ぎない。道徳とは、結果の是非を問うこともなく無条件に権威を肯定させるという思考への制限であって、近代国家と民主主義を重んじる者を抹殺するための愚民化であるのだ。主体的な思考と行動を持たない人間を増やすこと、自由の放棄を信仰する諦観の生物を量産すること、権威に承認されることだけを求める奴隷以外を許さないことで、権威は社会を支配し続けている。そうした無意味無機能への追求によって生まれたのが現代のアニメオタク達であって、彼等彼女等は「無力への信仰」に取り憑かれた究極の道徳者である。

文化相対主義は全てに対して平等を強制するが故に、有能な民主主義者と無能な権威主義者を等価にしてしまう。これは、実体に基づいた意見と実体を無視した妄言を均等に扱う不公平への信仰であって、何でもありを肯定する野放図への具現化でもある。公平性抜きの肯定とは、厳しさを否定する甘えであって、斯様な優しさの否定は人間と社会のためには成り得ない。平等の本質とは、精神的虚弱さへの無制限の肯定であり、高貴さと正義の放棄であって、嘘をつかない誠意への否定である。拒絶を否定する同調圧力と立場論的な権威主義が宗教道徳の本質であって、意思決定と公共権力が近代理念であることは言うまでもないが、文化相対主義によって客観性を喪失すればこの二つの是非を判断することが出来なくなる。

そして、文化相対主義と民主制多数決を組み合わせれば、国家に対する貢献への評価は放棄され、人間の向上心が否定され、自省能力も抹殺されて、数と金だけによって全てが決定されることになる。現代のような何でもありの社会においては、権威主義と自己保身が跋扈するだけであるのだから、野放図とは本質的に権威主義と自己保身を示す言葉だと言って問題はない。何でもありを肯定すれば、ソクラテスが弾圧されてアイヒマンが称賛されることにしかならない。「相対主義は、事実を述べる哲学者と嘘を吐く扇動屋を平等化して政治を破壊する」とソクラテスは訴えたが、正義と賊徒を平等にする文化相対主義が社会の公平性を抹殺し、そこから生まれた野放図が信賞必罰を否定して、国家を崩壊させているのが現代の惨状だろう。

政治的思考も持たず、流行に迎合し、表層を整えるだけの娯楽が売れるのは教育の影響であるのだろうが、それには何ら芸術性が存在しない。商業主義に基づいて現実をアニメや宗教で侵食することはどこまでも醜いものだ。軍と土木技術が軽視され、剣闘士やキリスト教が爆発的に流行したが故に、ローマ帝国は自壊することとなった。公平性も向上心も伴わずに享楽を人生の目的にする者は、文明を破綻させるだけの野蛮人に過ぎない。公共に有害な人間に金が集まる社会では、公共に貢献する意識を持つ人間が生まれるわけがない。表現の自由を規制すべきではないが、適切な教育によって人間の実体的感性を高めることが出来なければ、国家が崩壊することになる。能動的に実体と関わる趣味を持たず、金のために消極的に実体に関わることもなく、全てがヴァーチャルに還元されるようになれば、社会もヴァーチャルの中に消えるだけだろう。

　元来の人間は、自らの目によって実体を観察し、自らの意思によって身体や得物を制御して、実存に対して自らの意思決定を通すことによって結果を動かしてきた。科学とは実体構造の解析であって、技術とは実体構造の機能的制御であり、人問本来の意識と行動はリアルに基づいたものである。科学技術とは生存のための究極の能力であって、原初の人間はこの文明的な本性によって槍と火を使いこなして自然界を征服した。日本神話においても、火山の火を槍で掻き回すところから、国の創造が始まっている。

　人間は単に力の大きさに縋ったのではなくて、公平性と勇気によって自省と向上を繰り返し、それによって強さを獲得した。それ故に、人間がより科学的な視点を持ち、技術的な理解能力を獲得することは「もののあはれ」という人間性に根差した進化であると言える。

「あらみたま」とは意思と力を己の外に出す勇気であって、これは単なる粗暴さや強引さではなく、実存を動かす能力そのものである。人間は「あらみたま」によって環境を変革する存在であって、ただ環境に順応する生物ではない。観念の妄信や形式の刷り込みは、人間の学習能力と積極性から最も遠い退化であって、それが学校的な競争社会に必要な能力であっても結果の創造の役には立たない。情報の暗記は猜疑と解析の放棄であって、レールの上を走る能力は構造と機能を制御する能力の否定に過ぎないが、これらは能動的な問題解決を阻害する受動性でもあって、「イデアを視る」ことから最も遠いものでしかなかろう。

己でコントロールを持たないならば不自由にただ流されることしか出来ないが、公平性と無縁な者は何をしても自分を許すことが出来る。正義がなければ懲罰されない限りにおいては何だってやるし、自分を疑うことなど一切において不可能だ。自らが許せない者に自らがなりたくないと思えないならば、権威に許されることにしか興味を持たず、権威の下の奴隷として観念的な平等を求め続ける。斯様なる平等の観念は、実体合理性を全て破壊し、公共を否定して権威による支配を成立させるだけの全体主義でしかない。

　マスメディア出身のトランプ前大統領は、マティス大将のような有能な閣僚を否認して、自らの下にあゆる権力を集めて議論を否定し、人気取りのための敵対的交渉によって国家の全てを動かそうとしていた。嫉妬深いこのアメリカ人は日本的な恥という感覚をまるで持たないが故に、他者に難癖をつけて攻撃すれば支持率を稼ぐことが出来るという民主制の極意をこれでもかというほどに駆使していた。斯様なアメリカンマインドは、自己に対する無条件の肯定であり、批判を弾圧する美意識の欠如であって、社会全体を考える意思の放棄であり、個人利益や自己保身だけを求める腐敗である。アメリカンマインドとは、高貴さや正義と無縁であることを寧ろ積極的に誇り出す迷妄であって、賊徒か罪人かであることへの信仰でしかない。「無知の知」を持たず、他者を否定することにしか興味を持てないトランプ前大統領は、金と地位以外にはまるで無関心で、政治には最も適さない存在である。彼は、外面をよく見せるだけの虚飾を駆使して、自らの保身と他者を従わせるための嫌がらせばかりを行っていた。これは鎗崎の穿った評価ではなくて、前大統領の姪の告発本にも実際に同じことが描かれている。他者を尊重することが一切に出来ない存在が世界最強の権力の指揮権を有していた四年間は、人類にとってこの上なく有害な時間でしかなかった。

　こうした実態にも拘らず、前大統領の支持者達は事実を無視してまでも彼のフェイクニュースのヴァーチャルを妄信することを選び、それによって集団を形成している。こうした集団はカルト教団以外の何物でもないが、そのうちに権威を妄信することを選ばない人間を弾圧するための神明裁判が起こるかも知れない。

一九三〇年代のドイツもこのような有様だったが、アメリカはヨーロッパを追放されたピューリタン（プロテスタントの一派）によって建国されたが故に、斯様な現象が最初期からよく見られたものであった。トランプ前大統領がピューリタン教徒のドイツ系アメリカ人であることは、明記しておくべき事実だろう。アメリカはイギリスよりもドイツに似た部分の方が遥かに強く、彼等の中核的思想は同じ様相の権威主義なのだ。思考停止して人を傷つけることを繰り返す彼等は、真摯さが欠如し、本質的優しさと無縁で、他者を守る力を否定する不正義と臆病の擬人化に過ぎない。自己愛以外を持てない彼等は、観念的に自閉して、何とも繋がることが出来ず、それ故に政治に無関心であるわけだ。

名誉とは己の欲求と公平性を同時に重んじる自己規範であって、己の行動をとることで公共に貢献するという主体的な感覚であり、受動的な序列競争から最も遠い、能動的に結果を創造する自意識である。これは国家を自発的に支える能動的な政治意識であって、メンツやらミーイズムの対極である。「己のために行動するな」という価値観では理念を実現させることは不可能であって、斯様な我慢は名誉から最も遠い。無私の強制とは全体主義を引き起こすキレイゴトに過ぎず、我慢とは本質的に自発的向上心の否定でしかない。不公平に無抵抗で、理不尽な権威に無警戒であることは、臆病の極みそのものであろう。そして、自分のこと以外を考えられない思考の幅の狭さこそが、不自由と不名誉の本質であることは言うまでもない。

政治家は合理性と理念で国を率いるが、宗教家は属人性と権威主義で人を従える。政治とは結果を制御する工学であるが、宗教とは人間を扇動する詐術に過ぎない。現代の神官支配の歴史的な原因はどこに由来するものであるのだろうか？　王様と民衆を洗脳する神官がいるならば、その神官を洗脳したのは誰であったのだろうか？　これを明らかにして、人間がこの支配から卒業することが本著の最大の目的である。

人間の活動は、「認知と制御と出力」によって構成されている。あらゆる意思決定は観察から始まるものであって、より速く動くためにはより早く認知する必要がある。何も観察せずにただ思い込むことは、何も学習しないだけのことであって、それは究極的なまでの向学心の否定に過ぎない。「意識と行動と結果」を的確に繋げながら脳の速力を高めることで、人間は世界を動かし続けている。「認知と制御」は科学の別名であって「制御と出力」は技術の別名であるが、前者が狙いであり後者が速さであるとも言える。

文明社会を構築し、科学技術を向上させ、世界を探求して実体について知ることが、人間の生きる一つの目的だと言えるだろう。文明の本質とは、自分で視て自分で考えることによって社会全体を向上させることである。それは知ることと創ることであって、「科学と技術」そのものである。「自分で何がしたいか」と「公共に何が必要か」と「実体に何が効果的か」を考える意識こそが近代理念というものだ。

一方で、観念を妄信し、形式をコピーして、権威に服従し続ける不合理と不自由が「漢意」である。宗教は「教義と道徳と戒律」によって人間を拘束し、「意識と行動と結果」の「機能的な繋がり」を分断し、動く力を否定して、社会的目標を放棄させ、人間の生きる目的を権威に従うことにすり替えている。教義とは認知を破綻させるものであり、戒律とは出力を不全化させるものであって、その両者によって道徳という心性が刷り込まれ、人間を惰弱かつ不自由に留め置くことで権威は人間を支配するというわけだ。己の保身のために嘘をつくこと、己の利益のために他者を犠牲にすることに躊躇いを持たないこと、他者と自らの扱いにおいて判断の基軸を曲げることが不正義であり個人利益主義であるが、事実を認めることも出来ない不名誉な指導者が率いる不公平な組織は、何時の時代であってもとにかく弱いことを忘れてはならない。

ルネサンス運動では、科学技術を生み出す精神のことを「人間理性」と呼んでいた。「科学と技術」は、「認知と制御と出力」であるのだから、これは人間の意思決定の言い換えに過ぎない。そして、科学技術は「あらみたま」の感性と理性の組み合わせから生まれるものであるのだから、ルネサンス人達が「人間理性」と呼んだ精神は「人間本性」と呼ぶべきだろう。この「人間本性」こそが、我々が知性と呼ぶものであって、文明を築き上げる能力であることは言うまでもない。

人間の感情は論理性と繋がりを持ったものであり、感情を否定すれば論理性も崩壊し、その結果として権威主義や屁理屈に走ることになる。論理や道理や実体性を否定すれば、感情が感傷に堕落するが、結果として権威主義が蔓延することは同じことなのだ。斯様にして知性を否定すれば効率を否定する徒労ばかりが横行するが、非効率とは出力を削り落とすことであって、「認知と制御」の破綻そのものであると言える。動物的本能では不可能なことを行わない限りは、「人間本性」が開花することはない。科学技術とは本来は人間の思考能力から生まれる力であるが、その本質は完全に忘れられ、「分解と構成」を否定する形式主義によって思考を伴わない科学技術力が蔓延していることが現代という時代の最大の問題だろう。

「やまとこころ」とは、実体を観察して、能動的に判断し、結果を創造せんとする己の激情であって、人間の活動を創り出す本質的な意思である。「やまとこころ」とは、日本人が本来は持っていた向学心と敢闘精神の伝統である。「やまとこころ」とは、創造と破壊を制御する文明の力であって、科学技術を探究する哲学的な意思である。我々は、臆病によって思案するよりも勇気によって観察するべきなのだ。

「漢意」とは、最初から無理だと考える敗北主義であって、「あらみたま」の放棄と「もののあはれ」への嫌悪であり、揉め事を避けるために問題解決と進歩向上を諦める無責任である。「漢意」とは、自由であることを危険だと思い込む強迫観念であるが、この臆病はあらゆるコントロールを喪失する最も危険な精神である。我々は、「漢意」という政治的無責任を、社会から殺し尽くさなければならないのだ。

理不尽な恣意性を押し付けることと意思決定を徹すことは完全に別であって、前者が「漢意」であり、後者が「やまとこころ」と呼ぶべきものだ。我々の一人一人が「認知と制御と出力」の「やまとこころ」を体得すれば、人類の未来は輝かしいものになるだろう。「ものづくり」には「もののあはれ」を認知する観察眼と「あらみたま」という進歩向上への意思が必要であって、己の意思で世界を視ることが啓蒙である。現代という新しい中世を終わらせて、未来に前進する社会を創ることを、鎗崎は何よりも望んでいる。

第一章　社会契約の文明史と愚民化の宗教史

私の幼少期　親孝行という非日本的風習

親孝行をしろ。私が小さい頃には社会全体からこう言い聞かされて育ったものだ。テレビという洗脳箱でも、親孝行などという言葉が良く喧伝されていた。幼い私の中には「金を払って親に育てて貰っている」という引け目が実際に存在していて、だからこそ「親の言うことを絶対的に順守しなければならない」というある種の強迫観念があった。子育てには金が掛かるという意識が十にも満たない子供にも存在し、それ故に親に対価を支払わなければいけないとあまりにも強く認識されていたのだ。

とはいえ、親が望んでいたか望むまいかは知らないが、己が望んで生まれてきたわけではなく、子供は親が勝手に作っただけの話であって、子供を作った以上は金をかけてでも育てる法的義務がある。ペットですら養育放棄が非難されるのだから、ましてや人間の養育放棄が非難されないわけはない。

だが、幼少期の私はこのことを認識出来る程は賢くはなかった。親の発言が実行されたならば、親が養育放棄で処罰を受けるという認識を持つことが出来なかった。私は常に親からのご恩を意識していて、親への服従を正当化する神学観念を疑えなかった。子供は自らが知らぬ世界には大人なりの合理性や正当性が存在すると信頼してしまうもので、親が刷り込む罪悪感と自罰意識を疑うことは難しいのだ。

子供の斯様な愚かさは、世間に普遍的なものだろう。子供が「認知への意思」を持ったところで親を論破することは難しいし、それが出来たところで逆上して暴れる親を有形力で打倒出来るはずもない。世間では親に従順であることを何故か利口と呼んでいるが、実はそこにも一定の合理性が存在している。家庭のように法律が存在しない場所では、有形力に劣る者に対してはどんな嘘をも押し通すことが可能なのだ。幼少期の私は親を疑うことは少なかったが、親の恣意的な理不尽に対して己の意見を曲げるようなこともなく、勇敢であれども利口ではなかったが故に、痛覚が無くなるまで痛い目に合うことを繰り返すことになった。

「権威である親は全て正しく、子供である自分は絶対的に間違っている」という観念を子供に狂信させることは、全体主義社会における教育そのものでしかない。養育費を払われているが故に親の言うことを全て聞かなければいけないのならば、ナチスに金を払われている党員はみなユダヤ人を虐殺する義務があったことになる。私の場合は、親が「ユダヤ人をガス室に放り込め」と述べたならば、思考停止してそれを行っていた可能性もゼロではなかった。世間では親を喜ばせることが親孝行であるとされているが、親が狂信的なゲシュタポの長官であるならば、こうした虐殺も間違いなく親孝行となる。

そして、親孝行と言っても結局は養育費に対する貸し借りであったわけだ。孝行というものは、大金を稼いで親に贈答をする、貢物を行うといったことでしかない。実際に、儒教圏で理想とされる親子関係は朝貢関係そのものである。日本でも子供には高い官職や高給を望まない親は少ないだろうし、そうして子供が地位を獲得すれば、親には金やら高級車やらが貢がれることになる。子供が健やかに育ってくれることが親の望みなどと言うような人間を私は見たことがないが、世間体の見栄と社会的な地位とそして金のことばかりを子供に教えている親は実際に多い。現代においては子育てとは投資の一種であるということだろう。

故郷に錦を飾ることが親孝行とは言われてはいるが、子供が高偏差値の大学に合格して官位を手に入れて、親や一族が地域でふんぞり返ることはよく見られる現象だ。親の期待に応える親孝行が子供の使命とされているが、その期待とは公共性や社会通念の類ではなく、単なる親の個人利益主義であることが殆どである。

こうした風習は、子供は出世しなければならず、群れの中で自己権威化することが出来ない者は存在価値がないという圧力であって、児童虐待の一種である。斯様なる見栄張りは序列の上を求めるだけの権威主義でしかないが、公平性といった社会的価値観を持たずに一族の利益のみの追求を倫理と定義するならば、こういった浅ましい人間こそが道徳的な善人となる。詳しくは後述するが、実は儒教における親孝行は、他者から搾取して自らの親だけに尽くすべきという思想でしかないのだ。

　さて、親孝行などと古臭いカビの生えたような価値観について述べたが、実のところ日本史の英傑には親不孝者が多い。つまり、親孝行とは日本の伝統ではなかったということだ。

　明治時代に作られた墓石はまだカビが生えるか生えないかという状態であるが、幕末の英雄である吉田松陰には父親に親不孝を謝っている手紙が残っている。その吉田松陰の弟子の高杉晋作は、彼の父親に「松陰とは付き合うな」と言われた後も平気で松陰と交友を続け、自らを「正義派」と称した。吉田松陰の訴えた「至誠」とは、ものごとに対する真摯さを重んじることであるが、これは親という権威に対する忠誠ではなく、理念を裏切らず己を騙さないことを意味する言葉であったのだろう。

　幕末ではなく戦国時代にも目を向けることにしよう。日本史史上最大の英雄の一人である織田信長は、彼の父親の葬式で位牌に灰をぶちまけたことは有名である。また、彼の好敵手であった武田信玄は、その父親を追放するといったクーデターを行って自分が一国の領主となった。下剋上が当たり前の戦国時代では、親などは当たり前のように国から追放することが日本の習わしであった。戦国武士が親子に分かれて殺し合うことは珍しくもない。「戦国一のつわもの」と評価された真田幸村は父の唱幸と共に関が原を西軍側で戦ったが、彼の兄である真田信之は東軍に付いたのは有名な故事だ。親子に分かれて殺し合う戦乱は、平安時代末期の保元・平治の乱の頃から多発しており、日本には親を大切にすべきと言った価値観は弱かった。

　実のところ、日本において親孝行がもてはやされるようになったのは江戸時代からであって、これは大陸由来の朱子学の影響であった。朱子学とは儒教の一派であって、それ以前の儒教を整理し直して生まれた宗派である。江戸時代以前の日本では朱子学は大して広まっておらず、「士農工商」の身分制社会を確立させるために、幕府が朱子学を布教することで広まったのだ。戦国時代までの朝廷の官位というものは、役職としての側面が強いものであって、実は宗教的な身分制度としての色が強いものではなかった。戦国時代までの日本は下剋上の連続であって、宗教的な権威主義を背景にした身分制度は希薄であった。

　こうした歴史から言える事実は、「親を大切にしろ」なり、「親孝行をして死ね」なり、「目上の言うことを守れ」なりは、日本的な伝統ではなくて江戸時代に幕府が中華から移植した価値観に過ぎないということだ。実際に、儒教の聖典とされた論語では親孝行の大切さとそれによる権威的な身分制社会の維持が数多く述べられている。朱子学を重用した徳川綱吉が暗君とされ、彼を批判した水戸光圀が名君とされるのは、当時の日本人も儒教的な親孝行を嫌っていたのかも知れない。

　長州の維新志士達は親不孝者であったが、薩摩の西郷隆盛は主君不孝者であった。藩主の島津久光の「廃藩置県だけはするな」という要請を彼は平然と無視し、それに激怒した久光は桜島の噴火に見立てた花火を打ち上げて怒りを表現していた。明治維新とは親不孝と主君不孝から生まれたものであって、親や主君への無条件の忠誠心などといった馬鹿げた思想は、実は日本には存在していない。

　維新志士の首魁であった吉田松陰は、死刑執行の現場においてすらも至って堂々と己を貫き通す様であった。彼は誰が相手であっても己を捻じ曲げるなと弟子の伊藤博文達に教育していたが、親や主君を前にして己を捻じ曲げる忖度など維新志士達にはあり得るはずもない。

　日露戦争の開戦前に明治天皇の和歌に

　　よもの海　みなはらからと　思ふ世に
　　など波風の　たちさわぐらむ

という一首があるが、これは開戦を望まないが仕方なく戦争を行うという意思表明である。そして、伊藤博文等の元老達が明治天皇の意図を無視して開戦を決定したことは、一度だけではなかった。

この詩は明治時代の天皇の行政上の意思決定権は形式的なものに過ぎず、日本は立憲君主制であったという事実を示している。日本の歴史において、天皇は西洋に見られる教皇のような強制力を発揮する存在ではなかった。天皇とは、宗教権威ではなく、立憲君主という極めて弱体な公共権力であり、名義代表のような国家のための機能的役割であって、権威主義支配のための序列存在ではないのだ。

日本における天皇制は権威としての「王権」ではなくて、立憲君主制の「王憲」という古の人間の知恵であると考えれば、日本の歴史は分かりやすい。明治の天皇機関説であっても、「十七条の憲法」の時代には既に存在していた伝統を、近代的に説明し直しただけに過ぎない。

アメリカ人が何と言おうとも、天皇制というシステムは公共性というマインドの反映であって、家柄の長さだけを誇るような浅ましい制度ではない。天皇は神話に基づいて尊重される存在でもなければ、そもそも「天皇対平民」といったような単純な上下対立構造があるわけでもない。立憲君主制には、大統領と首相を兼任する総統が誕生し得ないというシステム上のメリットが存在している重要な点である。

明治時代と言えば夏目漱石が最も有名な文豪の一人だろうが、彼はイギリスに国費留学をするほどのエリートであっても、小説家という当時は見下されていた稼業を行うことになった。これは親不孝どころの騒ぎではなく政府不孝とすら言えたが、彼の小説は大いに流行して現代の千円札が生まれることとなった。

結局のところ、孝行者の理想の子供なるものはヴァーチャリズムに過ぎず、日本の歴史における実体の子供はまるで別物であった。親孝行というものは子供を騙すための「漢意」であって、フェイクの観念そのものでしかない。理想の子供を求める親の心性は、妄想の異性を二次元平面上に求めるアニメオタクの心性と同じか、それよりもなお質が悪いものである。他者の実存を認識出来ない彼等彼女等の世界には、自己と妄想観念しか存在していないのだろう。

海外における親孝行と親不孝の事例

儒教の本場の中華では、孔子は「親のためには嘘をつけ」と言った逸話がある。おそらく、古の中華であっても現代と同じようにフェイクニュースが横行していたことだろう。

さらに、儒教では他の人よりも身内一族を愛せと説いている。儒教の本質は嘘と権威主義であり、誠意なき構造的腐敗であって、それ故に恥や不名誉、政治的汚職こそが道徳とされるわけだ。

こうした身内優先の立場論に対しては中華でも多くの批判があった。特に「兼愛交利」という公平性と功利主義を唱えた墨家は、儒教は「博愛」ではなく身内だけを愛する不寛容な「偏愛」の思想だと非難した。

偏愛による親や身内への依怙贔屓が横行すれば、公平性も実体への認知も全てが破壊される。有害過ぎる虚構の許容は、人間関係の中に露骨な嘘を埋め込むことであって、騙しによって意思疎通が不全化してしまう。儒教における善とは権威が得になるという意味であって、公共判断を示す言葉ではない。「親のためには嘘をつけ」とは、己が権威であれば下から無制限に搾取することを善とする構造であって、親のために嘘をつく子供が親となれば、自分のために嘘をつく親になるというわけだ。

実際に中華ではこのような嘘と偏愛が横行して、皇帝の愛人の楊貴妃の一族が官位を独占し、国が乱れることになった。だが、儒教とは一族による縁故政治を道徳として肯定するものであって、楊貴妃の一族はこれを遂行しただけでしかない。こうした混乱の結果として地方役人の安禄山が反乱を起こし、唐が崩壊してしまったことはあまりにも有名な歴史である。

唐から時代は下るが、下関条約の清の全権大使であった李鴻章が伊藤博文から内政改革を勧められた時には、「皇帝陛下に自分如きが意見出来るわけがない」と述べた。この逸話は立憲君主国家である明治日本と専制王朝の清の対比が明確となった例であろう。

こうした史実を考えると、親孝行とは結局は親の望むように金と地位を稼ぐことだと考えていた幼少期の私の直感は、何ら間違っていなかった。歴史的に、親孝行とは時代劇の悪代官の如く汚職までして親のために金を稼ぐというような意味でしかなく、公共を放棄して権威を利することが親孝行の本質なのだ。

儒教の一族利益主義とアメリカの個人利益主義は大差あるものではないが、これらに基づいた行為こそが善なり徳なりであると持て囃せば公共は破壊される。だからこそ、中華の歴代の多くの王は儒教を弾圧していたし、毛沢東も文化大革命という焚書坑儒を行った。だが現代日本では、論語程度も読んだことすらなくとも、皆が肯定しているからという権威主義的な迎合によって孔子への信仰を持つ者が数多く存在する。

中華の長い歴史の中で最後に焚書坑儒を行った毛沢東は、親不孝者でなかったはずがない。毛沢東は地主の家の生まれであったが、親が周りに見栄を張るために借金までもしたことや、小作人に対して強権的に振舞っていたことを徹底的に批判していた。毛沢東は、親不孝者であるが故に自らの祖先の蛮習を否定することも可能であったのだろう。

実は、毛沢東の文化大革命の思想的前身には、『狂人日記』や『阿Q正伝』で有名な魯迅の思想が存在している。魯迅は「中華が変わるためには漢字を捨てることまでが必要である」と、毛沢東よりもさらに過激な発言をしていた。改革を断行しようとした志は立派であったが、全ての問題を同時に解決することには無理があって、彼等の改革は毛沢東主義という新たな宗教を作るだけに頓挫した。農本主義的な毛沢東主義は、実は機械動力を前提とした共産主義の理論とは全く異なったものでしかなかったが故に、文化大革命は儒教を破壊することに完全に失敗して、「赤い儒教」を作り出す結果に終わったのかも知れない。

同じ共産主義者のゲバラも「機械の不足は勤労で補える」と唱えていたが、同様に失敗に終わった。唯心論で問題解決が出来るという思い込みは共産主義を否定する共産教でしかなく、これはただの権威主義に過ぎない。ゲバラも毛沢東も近代兵器の不足を戦略によって補った優れた将軍であったが、鎌と槌では産業革命を成し遂げられるわけもなく、機械動力の不足を手工業の労働力で補うことは不可能だ。マインドを実現するためにはシステムを重視しなければならないということが、彼等の失敗から得られる教訓だろう。「権力は銃口から生まれる」とは毛沢東の格言であるが、その銃を製造するための鉄は、近代においては機械動力によって造られている。産業革命抜きの文化大革命では何も出来ないということを理解していた点においてレーニンは慧眼であった。科学技術への軽視によって達成されるものは、平等や平和などではなくて権威による社会の支配と非権威の餓死だけだろう。

とはいえ、毛沢東路線を変更した鄧小平を英雄視することも、愚かなことだ。鄧小平は経済的実績を上げたが、天安門事件に見られるように、思想の自由の弾圧と民族主義を強化した。鄧小平政策は、その実において「赤い儒教」を更に儒教的に復古させてしまった。思想の自由への弾圧と経済発展と民族主義のセットはナチズムと瓜二つだが、現代の中華を作り上げたのは毛沢東ではなくて鄧小平である。彼は、貧富の格差による不満を対外強硬政策によって有耶無耶にしただけなのだ。

ここまではアジアの親不孝者を紹介したが、西洋でも親不孝者が改革を行ったのが人間の歴史である。明治日本の政策がプロイセン王国に影響を受けていることは有名だ。プロイセン王国とは、国王による改革によって近代化を成し遂げ、国とは言えない小領土状態から強国に成り上がった欧州戦国の雄である。

プロイセン王国の建国者であるフリードリヒ大王は、幼少期は厳格で倹約家の親に質素倹約を旨とした苛烈な虐待を伴う教育を受けて育った。だが、彼は親の死によって王位に即位してからはそれなり以上に贅沢を嗜み、特に年間の食費の金額は現代の貨幣価値にして一億円を超えていた。ルネサンス的な文化人であった大王には放蕩気質があったようで、彼は親不孝者であったと言えよう。親不孝者の彼は、旧来の宗教の蒙昧に根差した統治を革新し、近代国家の成立について多くの業績がある。改革者として成功した織田信長や豊臣秀吉も享楽を好んだが、毛沢東が失敗したのは贅沢を否定したことが原因なのかも知れない。

フリードリヒ大王はバルト海沿岸からベルリンまでの版図の国の王でありながら、ドイツ語を殆ど話せなかった。大王はドイツの言語や文化に対しては否定的であって、アカデミーの学者達の論文発表にはフランス語の使用を半ば強要し、『ドイツ文学論』という大王の著書はフランス語で書かれた皮肉な叙述である。享楽者のフリードリヒは、ドイツに見られる夢想的な現実感の欠如や硬直的な権威主義を大変なまでに嫌悪していた。一方で、ギリシャ哲学やローマ文化を徹底的に愛好し、世俗的なイギリスやフランスには好意的であった。ラテン的な性格を持っていた大王は陽気な皮肉屋であって、御涙頂戴のドイツ文学とは感性が合うはずもない。この文学や芸術への好みを好意的に評価するのであれば、彼は生得的に実体的感性と文化的知性と批判精神を持ち合わせる自由人であったと言えよう。

余談ではあるが、フリードリヒ大王にも毛沢東にも農作物の収量を上げるために雀を皆殺しに追い込むことを試みて、その結果として農作物の収量が圧倒的に下がったという歴史が存在している。だが、毛沢東と違って自らの庭に限定して生態系実験を行った点において、大王は慎重であった。フリードリヒ大王はその生涯の意思決定において無慈悲と言えるまでの決断力を発揮していたが、改革者は激情家であったとしても冷静さをも併せ持っておくべしということなのだろう。変革には破壊を伴うことが常だが、破壊は変革ではなく虚無だけを生み出すこともしばしばであるのだから。

「ますらおぶり」を尊ぶ日本　反骨心を否定した中華

日本には「ますらおぶり」という言葉があるが、これは勇気や豪胆さといった名誉価値を尊ぶ美的感性である。この言葉は男らしさを示す言葉ではないわけではないが、それ以上のイデアを示す言霊である。

神功皇后や巴御前のような女武将は数多く存在していたし、北条政子は尼将軍と呼ばれていて、間違いなく彼女達は「ますらおぶり」を発揮していた。男勝りの毅然とした女性が日本史には多く存在するが、彼女達は英雄として尊敬されている。男尊女卑とは儒教的な風習に過ぎず、女も弓や薙刀を取るのが日本の伝統で、国学者の賀茂真淵は日本では女性にも「ますらおぶり」があると述べている。それ故に、「ますらおぶり」とは男性固有の精神を示す言葉ではなく、ある種の豪胆さを顕す言霊であると言えよう。

　そして、「たおやめぶり」であっても、なんらかの丁寧さや洗練性を示す言葉であって、これも女性固有の心性ではないはずだ。それが故に、本著では「ますらおぶり」も「たおやめぶり」も肉体的な意味ではなく、精神性を意味する言葉として用いることにした。

「ますらおぶり」とは、反骨神をも含む概念であって、古来から日本人は圧政に抗する気概と自尊を重んじていた。事実として、日本人は平将門や赤穂浪士をも英雄として祀っている。あの源義経ですら、安徳天皇を滅ぼして、その後に彼自身にも追討の院宣が出された逆賊である。逆賊という単語には体制への反逆者という程度の意味合いしかなく、売国奴という意味は存在していない。「勝てば官軍」という言葉には、所詮は官軍とは勝っただけの存在であって、絶対的な善ではないという意味も存在している。上が全て是とされるという権威主義の立場論は、日本には存在してはいなかったということだろう。むしろ、「判官贔屓」として敗北者の義経を尊重する気風までもが存在していた。

　古代の日本人には、体制に反抗的であることを美徳とすら考えていた節は数多く見られる。古事記には高天原で神であるスサノオが乱暴狼藉の限りを尽くす描写があるが、現代で言われるテロリズムを許容する気風があったということだ。実際に、大化の改新はテロリズムであるし、壬申の乱もクーデターである。世間には反抗期という言葉も存在しているが、その言葉は輸入品であるのかも知れない。

　実は、このことは単なる日本人の主観的な認識ではない。フビライ・ハンはモンゴル文化を重んじた祖父と異なって中華的な習慣を愛好していたが、彼が日本侵攻を計画した際には「あのような長幼の序も知らない国の人間の王になっても困るだけ」と大臣から諫められていた。

「ますらおぶり」という気概を示す言葉が日本語には存在する一方で、「小心者」という気の弱い委縮した人物を軽蔑する言葉が日本語には存在している。しかし、中華においては小心者とは小さなところに気配りが出来る者と言った意味であって、同じ文字であってもむしろ人を評価する際に使う言葉であり、日本とは対照的だ。とはいえ、日本人からすれば、小心という言葉は些末を気にして要事を行う胆力がない従順なニヒリズムに聞こえてしまう。それどころか、先述した歴史を鑑みるに、瑣事だけを意識させて本質的な重点を無視させるために、中華では小心者を作ろうとしていたのではないかといった疑いも生まれるものだ。

歴史において、改革者とは反抗期を極端に拗らせたような者ばかりであったとは先述した。彼等は、体制に対して委縮し従属する小心者と違って「ますらおぶり」を体現していた。日本は破壊的なイノベーションを起こす進歩への意思を「あらみたま」として尊んできたのだから、元来は変革を重んじる国なのだ。

一方で、儒教の本場の中華大陸や朝鮮半島では、物理的なインポテンツを作る刑罰の宮刑が大変に有名である。一説によれば、去勢された男性を神官にする風習が宮刑の元となった事例であって、そこから派生して刑罰によって去勢された者を宦官として皇帝に仕えさせるという制度が出来上がったらしい。これを考えると、「ますらおぶり」の否定こそが中華的な歴史伝統であったのだ。

よく考えてみれば、日本の仏教における妻帯の禁止は、中華からの影響であるし、日本の坊主達は妻帯していた者ばかりであった。仏教の開祖は妻帯して子供まで作っているのだから、原始仏教の妻帯の禁止の説得力も疑わしいものであって、事実として日本の坊主は鑑真が律宗を持ち込んでくるまでは平然と妻帯していた。日本の仏教の妻帯の禁止というものは、中華の神官を去勢するといった要素が中華から輸入されたことで発生したのかも知れない。破戒僧であった親鸞はその戒律自体を破壊して坊主が妻帯出来る浄土真宗を創設したが、これは仏教から中華色が抜けて日本的になったということだろうか？

他にも有名な中華の伝統としては、科挙という人材登用試験が存在している。科挙は現代の受験制度の元になった制度であるが、受験制度は日本どころか世界中に広まることになった中華的な伝統なのだ。そして、この制度は儒教の影響によって成立したという歴史があって、試験の内容には儒教の経典である四書五経の暗記というものが存在していた。現代においても、受験という制度は、思春期の人生に観念的な勉強を強制し、人間の実体的感性と文化的知性を棄損する機能を最大限に発揮している。それどころか、儒教圏では受験勉強の過労によって死んでしまう「過学死」という現象が存在していて、本場の受験戦争は日本とは比べものにならない苛烈さであるのだ。こうした現象を鑑みれば、人間の「ますらおぶり」を去勢することが中華的な伝統であることは間違いないと言えよう。儒教とは、従順な奴隷を作るための洗脳であって、勇気を持つ人間を社会から淘汰し尽くし、国家を崩壊させる腐敗に過ぎないのだ。

西洋における「ますらおぶり」の否定　勤労カルヴィニズムの永続中世論

東洋に「ますらおぶり」を拒む地域があれば、西洋にも「ますらおぶり」を拒む地域は存在している。不寛容を極限までエスカレートさせたナチスドイツは、間違いなくこの最たる例だろう。人類史における唯一の限りなく絶対的に害なる存在であるナチスと、それを産み出したゲルマン民族の特異性について、我々は徹底的なまでに考察する必要がある。

本著では過激な表現を大量に用いたが、これは歴史的集団への批判的風刺であって、「個の意識」を重んじる個々人を差別するものではない。アメリカへの批判に関しては、彼等彼女等にはラップという素晴らしい文化があるので、寛容に受け入れて貰えることだろう。激しい批判を鎗崎は申し訳ないとは思っているが、日本には言論の自由というものが存在している。昨今のドイツでは『我が闘争』が再出版されたが、本著におけるドイツへの歴史的な批判はナチズムというヘイトへのカウンターである。プロイセンのルネサンス理念を否定してナチズムに走ることを繰り返してはならないし、ナチズムとその他の問題を平等に扱うことは不可能だ。現代を生きる我々は、もしもナチスが復活すれば人類の未来からは民主主義というものが完全に消滅するという事実を理解して、その脅威に対して危機意識を持ち、適切な予防策を用意する義務がある。

　ナチスの諸々の政策は、ドイツ人達に支持されていたという点で歴史的な特異性を持っている。民間からのナチスへの協力も積極的であったため、ナチスを選んだドイツ人も共犯であるとはよく言われることだ。

　実は、ナチズムのような全体主義思想は一次大戦以降に勃発的にドイツに誕生したものではない。ナチス以前から、ドイツでは不寛容な権威主義の伝統が存在し、ナチスの世界観は当時のドイツ人の価値観を反映しただけに過ぎない。事実として、プロテスタントを創始したルターというドイツ人は、「奴隷意思論」という神学を唱えて、「人間の自由意思は罪悪そのものであって無価値である」と訴えていた。

　ルネサンスの精神は斯様な奴隷意思論の対極の哲学であって、「人間主義」と呼ばれることもある。一六世紀とは人間の自由な精神を尊重するルネサンス運動がヨーロッパで勃興していた時代であるが、同時期のドイツではこのような権威主義が崇められる有様であった。「哲学は神学の端女」という言葉がヨーロッパには存在するが、ドイツではこの言葉が風説以上の事実であったのだろう。

　この時代にはカトリックの司祭のエラスムスが、ルターに反論して『自由意思論』という書を叙述していた。この書物が本当に人間の自由意思を尊重するものであったかは定かではないし、ガリレオ裁判などを起こしたバチカンが賢かったとは言えない。だが、レオナルド・ダ・ヴィンチやミケランジェロを後援するなど、バチカンがルネサンス運動と完全に対立的であったというわけではなかった。非人道的なカトリックと進歩的なプロテスタントという対立構造は、歴史の実像から程遠い。

　分派が多いプロテスタントでは、全てのセクトが奴隷意思論を唱えているということはなく、エラスムス的な理論の派閥も一定には存在してはいたし、ジョン・ブラウンのような奴隷制度に反対した者も存在した。英国国教会は一般的にはプロテスタントに分類されるが、カトリックに近い理論を唱えており、実質的にはプロテスタントではない。逆に、米独のカトリック教会はプロテスタント的な性質が強いと言われている。

ルターは『ユダヤ人と彼等の嘘について』という叙述を残すほどの強固な反ユダヤ主義者でもあって、ドイツ人こそが神に選ばれた民族であるという言説を唱えていた。プロテスタントという宗教は、人間は権威の奴隷であるべきであって、ユダヤ人を弾圧・殺害しろという言説を唱えたドイツ人によって造られたものである。彼の宗教による政教一致が起こるなら、ナチスの世界が誕生することにしかならないだろう。プロテスタントはその発生した当初から、根拠がない選民思想を虚構的な観念によって正当化するカルト宗教であったという事実を認知出来なければ、現代まで続く歴史の構造はまるで見えてこない。

ルターはどこまでも観念的な信仰を推奨し、「信仰のみ、聖書のみ、神のみ」という「排除の論理」を唱え、実体的善行は無意味であって、神を信仰する心性のみに意味が存在すると訴えていた。彼の実体を無視した唯心論は、実体的な隣人愛を否定する観念的な自己愛なのではないかと誰もが考えることであるが、実際にデンマークのキルケゴールがこの批判を行っていた。ルターの唯心論は「実を捨てて名を取る」倒錯であって、観念によって実体を拒絶するヴァーチャリズムそのものだろう。

ドイツには、ドイツロマン主義と呼ばれる有名な文化的伝統が存在しているが、これもまた唯心論的で現実実体を軽視するところに特徴がある。この夢遊病的な伝統は幼稚な感傷の発露以外の何物でもなく、実体的な文化というよりも軟弱極まるサブカルチャーでしかない。ドイツロマン主義とプロテスタントの共通性を見る限りは、ドイツは屁理屈を捏ねて観念的な自己満足ばかりを追求していると言えよう。

ロマン主義という言葉は、ローマの末期の非貴族階級の堕落した風習に語源があるが、それはつまり「パンとサーカス」のサーカスを示すものであった。故に、ロマン主義とは理想主義から最も遠い妄想主義であって、人間の政治意識を破壊して愚民化を成立させるだけのものに過ぎない。ギリシャ・ローマの哲学を見直すルネサンス理念は、蒙昧なロマン主義から最も遠い位置に存在していると言っても問題はないだろう。「パンとサーカス」は愚民化政策を示す言葉として有名であるが、「腹が減っては戦は出来ぬ」ということは事実であるのだから、問題はパンではなくてサーカスの方である。見栄では腹を満たすことは出来ぬし、妄想によって社会問題を解決することは不可能だ。アメリカンドリームやドイツロマン主義といった文化的貧困は近代精神への反動であって、政治哲学を否定する幼児的蒙昧と断言出来るものだ。

実は、プロテスタントの創始者には、カルヴァンというルター以上に危険な教祖も存在している。フランスから追放されたこの男が唱えた宗教理論は、誰が救われて誰が救われないかを含めて、全てのことは予め神によって決められているというものであって、これは「運命予定説」と呼ばれている。

カルヴァンの宗派では、労働によって蓄財出来ることこそが神に選ばれているという証とされるが、この理屈は現世利益と選民思想を混ぜ合わせたものに過ぎない。カトリックの神父達は、「日本人は利己的で現世利益的な宗教観しか持っていない」という批判を唱えることも多いが、実はプロテスタントこそが現世利益的な宗教観しか持っていないのだ。

この運命予定説は、「勝てば官軍」ならぬ「勝てば選民」とでも呼ぶべき拝金教でしかない。だが何より、隣人愛の実現のための手段としての労働ではなくて、自己救済のための蓄財を労働の目的としているという点において、これは現代社会そのものであろう。実体の在り方を問わずして権威の恣意的な承認こそが人間の全てであるとする点は、運命予定説は学校の内申書とそっくりで、やはりこの理論は現代的だ。

ルターはバチカンの免罪符を拝金教として否定していたが、実はプロテスタントはバチカン以上の拝金主義であって、実際に牧師達が営利主義に走ることもしばしば存在している。プロテスタントとはバチカンの利権を否定したのではなくて、バチカンの利権を奪うための競合他社でしかないのだ。

カルヴァンの運命予定説では、ありとあらゆる全てが神が決めた計画の通りに存在していて、誰が救われるか救われないかも既に決定され、それは覆ることがないとされている。キリスト教には何があっても神に抗議するなという権威への妄信が存在しているが、運命予定説は実体公平性を破壊してでも権威を正当だと信じ込む狂信だろう。運命予定説は、カトリックの「許す」という価値観を完全に否定するものであって、「悔い改めよ」という姿勢から最も遠いものでもある。説法の内容よりも権威的位階を重んじるプロテスタントは、その実においてキリスト教とは名ばかりのルター・カルヴァン教に過ぎない。

少し考えればわかることであるが、全知全能でありながらも全ての人間を救わない者程に、非合理な存在もないだろう。キリスト教の神よりもギリシャ神話のカオスの方が、最初に居た者の想定であっても論理的である。ギリシャ神話は全知全能を想定することとは無縁であるが、神も統治者として無能であるが故に現在の世界が上手く回っていないと考える方が合理的な思考である。神は何でも出来るという考えは観念でしかないのだろうが、権威が説くことであればそれは絶対的に正しいのだから思考停止してそれに従うべきという価値観も最低のものでしかなかろう。

奴隷意思論と運命予定説は権威の独裁的支配を妄信する観念であって、実体の存在と人間の自由意思を否定する反民主主義の価値観である。斯様なる自己決定権の放棄は我慢の強制そのものであって、他者への弾圧と自己陶酔に自閉する狂信者を大量に生み出すものだ。斯様な理論は、あらゆる理不尽を正当化する観念であって、これを用いればナチスの虐殺も権威が定めた正当な運命だったことになる。

実際にそのように発言したアメリカの牧師も存在し、故マケイン上院議員は彼を徹底的に批判していた。この牧師は、キリスト教の神はナチスの蛮行を含めたあらゆる陰謀を使って社会を支配するという認識を持っているわけだが、多くのアメリカ人が陰謀論を妄信することには宗教的な背景が存在しているのだろう。

プロテスタントの全ての宗派が奴隷意思論と運命予定説を信仰しているわけではないが、鎗崎は本著において奴隷意思論と運命予定説を信仰するプロテスタントの宗派のことを「勤労カルヴィニズム」と呼ぶことにした。正義とは公平性を意味する言霊であるが、実体的な公平性ではなくて観念的な正当性を妄信し、権威の独裁を肯定して思考停止して従属することを尊ぶ勤労カルヴィニズムは、反正義を信仰する立場論的な宗教だと評価して何も問題がない。勤労カルヴィニズムとは、中世を生み出したカトリックの権威主義を、より強烈に濃縮した「永続中世論」に過ぎない。

マックス・ウェーバーは、「プロテスタンティズムの倫理と資本主義の精神」で、資本主義社会はカルヴァン派という信仰と労働を結合した「勤労教」によって発達したと説明した。現代のアメリカの白人至上主義者には、プロテスタント原理主義と資本主義を合わせた政教一致を求める者も実在していて、これを鑑みてもウェーバーの理論は妥当なものであったと言えよう。

勤労カルヴィニズムでは、神や聖書や教祖などの権威は絶対とされているが、権威主義によって自由意思を破壊して思考停止した労働を強制すれば、奴隷労働を正当化することも簡単なことだ。ウェーバーもこの勤労教は人間に対する道徳的脅迫であると批判しているが、彼の死後にはドイツでそれが他のどこよりも激しく実行されることとなった。それ故に、勤労カルヴィニズムの勤労とはドイツを意味する言葉でもあると考えて貰って結構であるが、これは松田優作の金狼とは何ら関係が無い。そして、科学技術に熱心で工夫を好む産業労働者はこの宗教における勤労の対極的な存在であるとも追記しておく。

「権威に従い続けなければ死んでしまう」や「死んだ後に最悪の刑に処される」といった強迫観念を植え付ければ、人間を完全に奴隷に貶めることも容易い。観念的な脅迫と幻想的な安心の組み合わせ、「騙しと脅し」によって人間の精神を操作し続けることが、「ナチスの手口」であることは言うまでもないだろう。

蓄財を目指す勤労教は社会貢献に繋がるという意見もあるかも知れない。だが、勤労カルヴィニズムにおいては個人利益主義の選民思想が存在しているため、この宗教は本質的に公共性を志向していない。蓄財したところで消費を行わなければ社会貢献になるはずもないが、勤労カルヴィニズムにおいては清貧で厳格な生活が重んじられ、経済的消費は軽視されているのだから、社会貢献に繋がることは少ないはずだ。

現代社会において、稼いだ金をどう使うかは、公共に反しない限りは個人の自由として最大限に保障されるべきだろうが、ただ貯めて独占することは社会的功利に反している。トランプ前大統領のようにアメリカの富豪は納税の回避を好む者も多いが、これも勤労カルヴィニズムの蓄財信仰に由来するのだろう。

カトリックにも仕事の成果とそれによる社会貢献を道徳と結びつける性質が存在したが、勤労カルヴィニズムでは蓄財に成功すること自体が宗教と結びつけられた。前者は信仰と隣人愛の実践の結合と言えるのかも知れないが、後者は信仰と個人利益主義の結合である。現代社会の人間活動の殆どは、地位と金と身分の独占を目的としたものであるが、その原因は勤労カルヴィニズムであろう。「時は金なり」という格言は、絶え間ない労働によって蓄財という選民の証を手に入れなければならないという信仰を示す言葉なのだ。意味のない焦りは人間の観察力を曇らせるものだが、斯様な信仰では最初から盲目にしかならないだろう。

プロテスタントは政教一致を強硬に目指す性質を持っており、勤労カルヴィニズムは単なる宗教というよりも、神権体制を形成する性質を持った政治的イデオロギーである。実際にカルヴァンは、自らの街で政教一致に基づいた政治を実践し、宗教に基づいた虐殺を実行することまでもあった。彼は、予定説によって救われる者は実体的な善行と関係なく既に決まっていると説いていたが、おそらく自らは絶対に救われ許されるという価値観を持っていた故に、こうした虐殺もなんら躊躇いなく行えたのだろう。

あらゆる政治権力は有形力と威迫の具現化である暴力装置に過ぎないが、政治権力が社会契約を無視して恣意的に運用される状態が恐怖政治である。宗教の権威主義は社会契約を容易に破壊するが故に、往々にして政教一致では公共社会は権威に独占支配され、法律と刑罰によって社会を治める状態から、脅迫とリンチによって人間を圧迫する人治政治へと転落する。実体的な是非が問われることよりも権威の観念と属人性が優先されれば、如何なるペテンであっても正当化することが可能だ。

どんな権力行使でも宗教的に正当化出来るならば、宗教的な脅しに騙されて抵抗を試みない相手に対しては無敵になれる。ナチス政権下では、カトリック教徒のシュタウフェンベルク大佐は戦傷によって片腕を失っていても、ヒトラーを爆殺することを試みる「ますらおぶり」を発揮した。だが、ナチスにどこまでも従順な「凡庸な悪人」のアイヒマンはプロテスタント教徒であって、これはカトリックと勤労カルヴィニズムの違いを示す一つの証拠である。エラスムスには『痴愚神礼讃』という著作も存在しているが、ルターの立場は「痴愚民礼讃」であったと言えるだろう。

現代の日本人がキリスト教であると認識しているものは、戦後のアメリカによる布教の影響もあって、カトリックよりも勤労カルヴィニズムに近い。プロテスタントはカトリックからすれば正統なキリスト教ではなく、審問にかけるべき異端の一派であるが、本質的にはこれはキリスト教ですらない。鎗崎の経験から言っても、カトリックは「一応は許しの宗教」であるが、プロテスタントは「本当の脅しの宗教」であった。

プロテスタントは教典原理主義を取っていて、教典と異なる一切の主張を否定する性質を持っている。これは、権威と異なるあらゆる意見を否定して、他人の意思を叩き潰すものでしかない。これは、他者の意見を排除して、自らへの反論を拒絶して、建設的な対話を否定するものに過ぎない。斯様な権威主義こそが、観念的な難癖の言い掛かりを押し付け合うディベートを引き起こす、訴訟社会のアメリカの精神である。

アメリカンマインドとは、己を肯定することにしか興味を持たない虚弱性であって、公平性の欠如であり、自省を不可能にする幼児性である。これは、向上心と公共意識を否定し、実体の在り方も戦略的目的も考えずに、ただ単に折れたら負けというミーイズムであり、理不尽な恣意性を他者に押し付ける反知性である。ものを言わなければ悪者にされ、武器を取らなければ殺される、「自らと神以外が信用ならず、故に自らで神権政治を行わなければならない」という信仰がアメリカの分断の根源なのだ。

トランプ前大統領は他者と提携するために実体を持ち出して話し合うのではなく、対話を否定するために虚構を捏造し続けていた。彼のように己以外に無関心な人間は、他人の話を聞かないことを信仰しているのだから、会話が成立するわけがない。誠意を一切持たない彼が、他者を騙すこととお金を儲けることは上手かったことは事実だが、それで政治家が務まるほどには国際政治というものは甘くはなかった。

アメリカの惨状を見ればわかるように、プロテスタントの攻撃性は特筆すべきものだが、カトリックであっても十字軍や異端審問などの攻撃的な行動を行い続けてきたことは事実だ。しかし、それらは宗教的な問題というよりも、政治的な問題だった部分が存在している。かの有名なスペイン異端審問も、信仰というよりもレコンキスタの泥沼的な戦争の延長によって発生した政治的な問題であった。

スペインの新大陸への対外拡張政策もこのレコンキスタの延長によって発生したものだ。新大陸への拡張政策も王室政府の主導というよりは、傭兵崩れが半ば既成事実的に植民地を作ったものであって、王室は事後追認しただけに過ぎない。であるが故に、実際に南米を征服したフランシスコ・ピサロは、現地での虐殺を理由にスペイン王室に処刑されてしまったし、コロンブスも同じ罪状で投獄されていた。中米を征服したエルナン・コルテスについては現地での事態が複雑であって、彼は単なる虐殺者とまでは言えない。

実は、スペインによる新大陸の征服は、軍事的な圧力によってだけではなく、現地の反乱勢力の協力によって成立してしまった部分も大きい。大航海時代とは銃火器の近代的な運用体系が発明される以前の時代であって、白兵戦で勝負を決する半ばドン・キホーテのような時代であった。

火縄銃の集団運用を開始した織田信長や、榴弾を用いる鋼鉄砲を活用したスウェーデン王のグスタフ・アドルフが、こうした中世的な戦争を終わらせた張本人だ。己で止めを刺さずとも敵を倒せればよいという合理主義が、近代軍の本質である。伝統的に長弓の火矢を好む日本やヴァイキングは、射撃兵器の製造と無駄撃ちを減らす管制力に関して、他の文化圏よりも一日の長があったのかも知れない。

織田信長の後継者の豊臣秀吉が近代的な思考を持った物流のエキスパートであったことは、付け加えておくべき事実だろう。日本史を考えれば、武士という存在は戦闘以外を知らない戦士ではなく、戦いを熟知した工学者であった。つまり、暴力以外に興味を持たない者は武士からは最も遠い者でしかないのだ。

西洋における三つの価値観とその歴史　国家主義と権威主義と選民思想と

勤労カルヴィニズムの運命予定説はカトリックでは否定されているが、この差別的な選民思想がアメリカのＫＫＫや南アフリカのアパルトヘイトなどの白人至上主義に繋がったと神学者達が述べることもある。白人だけが神に選ばれた選民であって、非白人に生まれてきたことは大罪であり、それ故に白人が有色人種を奴隷にすることこそが宗教的に善であるとされ、奴隷制度がアメリカや南アフリカでは宗教的に正当化されていた歴史は本当に存在している。これはカトリックが説いている自己犠牲から最も遠い個人利益主義であって、他人を犠牲にすることを道徳とした勤労カルヴィニズムはカトリックと根本的に異なる宗教なのだ。

十六世紀の宗教改革では、「神の下の平等」という絶対的な権威主義による平等が志向されたカトリックから、絶対的な権威主義による不公平な選民思想を旨とするプロテスタントが生まれた。これらはガワが似ているだけで殆ど別の宗教だが、白人至上主義者には内面的な精神性より表皮の色や装丁が大切なのだ。

かのジョン・ロックは、イギリスのカルヴァン派が起こしたピューリタン革命を「暴徒の反乱」と評価していた。カルヴァン派はオランダ独立戦争を起こした勢力でもあるが、彼等の価値観を考えればオランダ独立戦争には狂信者達の宗教的な暴動という側面が存在している。宗教的な革命思想であった勤労カルヴィニズムは、時の警察力から弾圧されることも必然のことでしかない。

大英帝国は残忍で狡猾であったように語られることもあるが、公平性と合理主義を重んじる文化も存在し、独善的で自己中心的なナチスドイツとは全く異なった存在であった。イギリスは植民地に対して一定の融和政策を取ったことは事実であって、南アフリカではオランダ統治時代よりも人種差別を減らしている。南アフリカのアパルトヘイトも、イギリス本国の影響が減衰した際に強くなったというのが歴史的な事実なのだ。ここから言えることは、帝国主義と人種差別は問題の根本が別であるということだろう。

一定は公平性を意識していたイギリスとは異なって、オランダは植民地に対して徹底的に差別的であったが、それは宗教に基づくものであった。キリスト教以前からの歴史が存在するイギリスと異なって、オランダは勤労カルヴィニズムの勢力による宗教革命によって成立した新興勢力だ。功利主義のイギリスは産業革命を起こしたが、宗教立国であったオランダはチューリップバブルを起こすことしか出来なかった。

ヒトラーはオランダ人、デンマーク人、ノルウェー人、スウェーデン人のことをほぼ純血のゲルマン民族と評価していた。だが、スウェーデンはナチスに屈することはなく、デンマークやノルウェーはナチスに徹底的に抵抗した。一方で、オランダは彼等とは異なってナチスドイツに協力的であった部分がある。ナチスに抵抗力を発揮したノルマン人は文化的にはゲルマン民族と異なる存在であるが、美大に落ちる人種主義者には文化的背景は理解出来ないということだろう。知性を重んじるヴァイキングの社会と蒙昧が支配するナチスの世界観は、完全に対極的だ。歴史的にヴァイキングは地縁・実力的組織であって人種・血統的集団ではなく、彼等のＤＮＡにはアジア系の遊牧民のものまで確認されている。つまり、彼等はナチスドイツのような民族主義とは、最も遠い存在であったということだ。

カトリック国のスペインは、オランダ独立戦争の少し前にラス・カサスという司祭の奮闘によって、人種差別に基づいた支配制度を一応は禁止する決定を下すことになった。カトリックは人種差別を否定する傾向が有るが、ブラジルでも奴隷制度を解体した後に人種差別が残存するというアメリカ的な現象は起きてはいない。そして、世界でいち早く奴隷制度を解体したのも、カトリック国のポルトガルとフランスである。

斯様なカトリックの奴隷制度への反対とは異なって、プロテスタントのアメリカでは人種差別は推奨されて、教会すらもが人種別のものとなっていた。アメリカの奴隷制とは生産を目的とした制度というよりも、奴隷制度のための奴隷制度であって、これはプロテスタント的な信仰に由来するものであったのだ。

　現代社会においては、全ての文化が平等であるという決めつけを訴える、文化相対主義というヴァーチャリズムがまかり通っている。それが故にこうした奴隷制度への信仰であっても、奴隷制度の否定と平等な価値が認められてしまっている。文化相対主義においては、奴隷制の否定であっても、仕方なく行う奴隷制であったとしても、奴隷制を目的とした奴隷制であっても、全てが平等であると肯定的に評価されることになる。この平等は「法の下の平等」とは完全に異なったものであることは説明不要だ。

　文化相対主義とは、ものごとを判断する能力を破壊する宗教に過ぎない。これは思考停止した肯定への信仰であって、実体に基づいた批判への抑圧であり、言論弾圧の一形態でしかない。中身を問わずに全てを平等とするヴァーチャリズムは、単なる内容に対する無関心だ。街を歩く人間を視れば、名も無き英雄も居れば肩書を持った詐欺師も居るが、全ての人間が平等であると思い込むのは人間に対する無関心でしかない。

　平等という観念は、他人と同じにならなければならないという怨念でもあって、「群れ意識」という同化欲求を喚起させ、同じにならない者を排他する作用を強烈なまでに発揮する。機会平等と結果平等は異なるものであって、後者は人間をどこまでも堕落させて社会を破壊する。全てを平等と観念的に定義するならば是非を判断する思考は社会から消滅し、文化相対主義を批判する賢者が憎まれ、それを称賛する愚者が尊ばれる結果を招く。反知性の暴徒が高貴な義者と平等に扱われる権利を求めて、信賞必罰が破壊されて公共の福祉は抹殺されることになる。つまりこれは、正義の否定への信仰でしかない。

　実体に基づいた大人の意見と妄想的な子供の甘えが同じ価値とされ、社会の成立に必要な規律が個人利益主義によって無力化されるならば、人間の世界は絶対に滅ぶ。現代では文化相対主義が蔓延した結果として、実体的を基にした基準と出鱈目なフェイクニュースの陰謀論が同じ価値であるとされ、意思決定というものが社会から追放されてしまったが、平等の強制は不適格な差別と同じように価値判断を壊すだけのものだ。

人間が平等ではないにせよ、それによって誰も彼もが争い合わなければならないという結論になるわけでもない。遺伝子改造技術が普及した三百年後の人間に比べれば、能力の面では我々の皆が劣っている。何の理念も社会的目標も無いが故に誰も彼もが協力せず、全てを均質化しなければ「万人の万人に対する闘争」が起こるというのであれば、差異の有無以前に単純な愚かさを示している。

遺伝子を変えることは科学技術さえあれば数世代で終わるが、文化が愚劣ならばその変化もまるで役に立つことはない。逆説的な話であるが、科学技術を以てしてもそう簡単に変えることが出来ない精神性こそが、遺伝子を超える人間社会の本質である。精神的な高貴さがなければ遺伝子の力が能く発揮されることも殆ど有り得ないだろうし、ましてや先天的な才能を超える力を発揮することも絶対に不可能だ。民族主義というものは、個人の遺伝子だけではなく、「個の意識」を無視する点においても愚劣極まるものであろう。

名誉とは己の能力の多寡以上に、己の意思と社会的結果のどちらをも重んじる感覚であって、個人と国家公共を繋ぎ合わせる公平性のことである。そして、実体の困難や苦しみと向き合い、それと戦うのが「やまとこころ」というものだろう。かつての日本人の美意識においては現代的な堕落を不名誉と恥じたものだが、現代においては文化相対主義によってこの堕落も肯定されている。堕落を恥じる意識が無ければ、我慢と順応と屈従と憂さ晴らしの畜生道に落ちる以外は何も出来ない。文化相対主義は自分の妄想を固守するだけの人間を作り、実体的な議論を受け入れる気風を社会から消滅させた。

人間であっても文化であっても、全ての存在が平等に無価値とされているのが現代という時代だ。向上心を持つことも退化することも、社会契約の順守も搾取・弾圧・略奪も、公平性の希求も私益以外の放棄も、他人を守る義務も他人を傷つける不正も、炎上で話題を作ることと優れた作品を創ることも、全てが平等で神聖なもので肯定すべきであると扱うのが現代社会の風潮である。

　多数決と文化相対主義の組み合わせにおいては、何を採択すべきかを判断する根拠は数だけとなり、あらゆるものごとが人気投票となる。それ故に、現代では人種差別を含む全てのものが多数決によって肯定されているわけだ。実体性、公平性、功利性という公共判断の基盤ではなくて数を基軸にするならば、観念的な迷信による煽動が選ばれてしまうが、これが民主制によって民主主義が破壊されるという現象である。

　支持者の数によって意思決定が起こる多数決では、権威主義的な脅迫と虚飾的な印象操作を活用すれば、どんな理不尽をも採択させることが出来る。実体判断を無視してどこまでも堕落することが民主制の最大の問題であって、虚構でもペテンでも差別でも支持されるならばそれが成立するのだ。どれだけ排他的で他者に攻撃的であろうとも、売れればよし、票になればよし、というのが経済原理であるが、これは蓄財が選民の証とされる勤労カルヴィニズムと瓜二つである。

　人間は群れれば愚かになるとは言われるが、独りであれば己の結果責任を拒絶出来ない。それ故に、自らによって実体を観察し、「個の意識」によって真摯に考えるしかない。王様は暗殺と暴動を恐れて自らで思考するだろうが、神官や民衆は責任をお互いに擦り付け合うことが出来る。故に、神官や民衆が王様よりも呆けることは構造的な必然だ。

　「みんなに嫌われてはならない」という言葉における「みんな」とは、問題解決を考えず、保身のために厄介事を押し付ける誰かを求め、判断に責任を負わない虚無の集合体でしかない。それが故に、人間が集合すること自体を信仰しても、無責任な群れが生まれる以上の結果は起こりえない。神官がどう説こうとも、権威と「みんな」の奴隷である在り方は、人間の精神としては徹底的に無責任で不適格なものだろう。

　権威と「みんな」の奴隷であることには、人間個々人の主体性がどこにも存在しておらず、それは全体主義社会の精神そのものだ。一九三〇年〜一九四五年のドイツで虐殺を行った真犯人は「みんな」であるが、迎合とは「みんな」の愚かな意見を拒絶せずに、同調圧力に屈して「みんな」と同じになることだ。「みんなが一つにならなければならない」という文句は観念そのものであって、それは機能的な連携とは全く別次元の話でしかない。

世間一般で言われる「良い子」や「良い人」は、実体的な知性と己の感情を捨てて、「みんな」に同化し、他人の何もかもをただ受容するだけの畜生道のことだろう。自らの意見を発言せず、中身のない意見に同意すること以外は何も出来ないのが善という観念の本質なのだ。実体を無視して「みんな」が頑張ったことを評価するだけなら、ナチスの虐殺を肯定することになってしまう。無責任な「みんな」を信じるよりも、自分を信じて実体に対峙した方が、人生は遥かに有意義なものとなる。アドラーは「嫌われる勇気」を説いたが、この精神はヒトラーの全体主義の対極だろう。

民主制は政治意識を持った責任者を生み出しにくいという点において、王政よりも神官の政治支配が強固になりやすい。民主制においては、他者の顔色を恐れ、権威に忖度・迎合するだけの独裁政治が成立することになるとは、トクヴィルも『アメリカのデモクラシー』の中で述べていた。「個の意識」と客観的な公平性を並立させることが出来ないならば、他人の心性を理解してもそれに流されることしか出来ない。

公共の目的ではなく自己の売名と金を目的として他者を非難することは、現代の神官であるマスメディアによく見られる現象だ。ルターやカルヴァンの宗教改革の時代は、アジアから数世紀遅れてようやくヨーロッパで活版印刷が登場した時代であって、現代におけるマスメディアの原型がヨーロッパで生まれた時代であった。ルターは、誰にでもわかる説法という現代のマスメディアのような手法で人気を博していたが、この点を考えても彼こそがヒトラーの先祖であると言えよう。ヒトラーもラジオによって選挙に勝ったと言われるが、活版印刷や無線通信技術には人間を権威の言うことを聞くだけの奴隷に変えた部分がある。

カルヴァンは自らへの批判者を火炙りにしたこともあったが、これは現代のインターネットでよく見られるリンチと炎上商法の組み合わせの原型なのかも知れない。ヒトラーがミュンヘン一揆で投獄された後に『我が闘争』を叙述したことも炎上商法の一種なのだろうが、これは最終的にドイツの大部分を焼け野原にする結末に終わった。この美大落ちは根も葉もないことばかりを述べることしか出来ず、実体的なテーマを基に自らの意思による演出表現のひねりを加えるというアーツの基本をまるで理解していなかった。迷信的な観念に基づいたコピー品を濫造することはマーケティングでは有効であるが、それでは美大の教授陣を唸らせる作品を創ることは出来ない。

ルターの後継者であったヒトラーは、ユダヤ人がドイツ人を支配している等と発言していたが、ユダヤ人が造った宗教をルターがコピーして、ユダヤ人の神をドイツ人が勝手に崇めているというのが歴史的事実である。これは、単にドイツ人が率先してユダヤ人に支配されようとしている構図に過ぎない。自分でものごとを考えることが出来ないゲルマンの煽動屋達は、全てを神に縋り、全てをユダヤ人に押し付けなければ気が済まなかったのだろう。ルターが創った宗教は二次創作の同人作品でしかなかったが故に、その後継者であるヒトラーもコピー元を無意識的に攻撃してしまうわけだ。とはいえ、プロテスタントは神と人間との権威主義序列が基盤であるが、ユダヤ教は契約価値が根底であるが故に、実はこれらは別物の宗教である。民族的服従を尊ぶナチスからすれば、交渉を重んじるユダヤ人が恨めしくて仕方なかったのだろう。

勤労カルヴィニズムが発生した当時は、この宗教は貧民や王侯よりも成金に人気があった。それ以前の社会では、貧者への寄付が半ば強制され、中世ヨーロッパでは蓄財を行うことが極めて難しかった。それが良かったか悪かったかはさておき、カトリック的な救貧を個人の蓄財と選民思想に置き換えた勤労カルヴィニズムは、貧者への蔑視を生み出して拝金教による新たな世襲身分制度を成立させたとはよく言われる。

現代の多くの先進国が、工業化の初期の段階で収奪的徴税を行ったことは事実だ。しかし、生産能力を向上化させた後は、再分配を試みる動きも存在していた。明治維新の殖産興業と富国強兵は国家を守るために生産能力を向上させるものであって、個人の蓄財を目的としたものではなかった。西郷隆盛は「命も要らぬ、名も要らぬ、官位も金も要らぬ」とまで発言していたが、国家全体のための工業力の増強が明治維新の目的であった。鎗崎は金儲けを全否定するつもりもないし、明治の全てが正しかったと述べるわけでもないが、明治維新は勤労カルヴィニズムと異なる思想背景を持っていたことは歴史的な事実である。

バチカンの腐敗を指摘したルターやカルヴァンのような宗教家達は、宗教としての構造的な欠陥を伴う過激な権威主義を発生させ、それが現代社会の隅々にまで様々な悪影響を及ぼすことになった。良くも悪くもカトリックはバチカンによる統制が一定に取れた宗教であったが、統制が効かないプロテスタントでは野放図に過激派が出現する構造が存在しているが故に、ナチスのような後継組織まで発生する。こうしたことを考えると、バチカンの異端審問というものも、単なる宗教的な弾圧だという一面的な見方も出来ない。

ここで、ヨーロッパの国々の宗教と人種差別の歴史をまとめることにしよう。序章で説明したように、ヨーロッパにはルネサンス的な国家主義、カトリック的な平等、そしてプロテスタント的な選民思想が存在している。（図C）

ルネサンス的な国家主義においては、国家内部の「法の下の平等」を保つ機能が発揮されるため、人種差別に基づいた奴隷制は緩やかな速度であったしても解消に向かう。一方で、科学力や文化というものはその思想の自由によって飛躍的に発展する。イギリスは世界に先駆けて産業革命を起こしたが、それはルネサンスの時代にイギリス経験論という科学的な実証を重んじる思考が生まれたことに由来する。

イギリスやプロイセン、そしてスウェーデンがこのルネサンス的な国家主義を体現した国であった。これらの国家はバチカンから遠いためキリスト教が弱く、キリスト教以前の多神教の影響が存在している。それが故に、多神教的なルネサンス文化を問題なく受容できたのだろう。スウェーデン王のグスタフ・アドルフはフリードリヒ大王より百年以上も早くルネサンスの理念を実体としての政策に起こしていた。日本の「やまとこころ」はルネサンス精神と類似したものなので、実は日本はヨーロッパ北方に近い国である。

カトリック的な隣人愛では、平等性を保つ速度は速い。カトリック国家においては人種差別の解消が早かったが、権威主義的な価値観も一定以上に強いため、思想の自由を制限する側面も存在している。これは共産主義に近い部分もあるが、発展抜きの平等は実体社会としては致命的な欠陥が存在している。

ラテン系国家、フランス、スペイン、ポルトガルなどがカトリック国家であると言えるだろう。実は地理的なローマ近辺はカトリックの影響が強く、ローマから遠い北方の方がギリシャ・ローマ的な性質が強い。立憲君主制の民主主義を好む北方に対して、ラテン系国家では共和制の民主主義を取っていることが多い。

プロテスタント的な選民思想では、選民思想が存在するため、人種差別は解消されえない。その上、思想の自由も制限されるため、科学力や文化も停滞する。実体を議論して結果を創造するには

ヨーロッパの分類（図C）

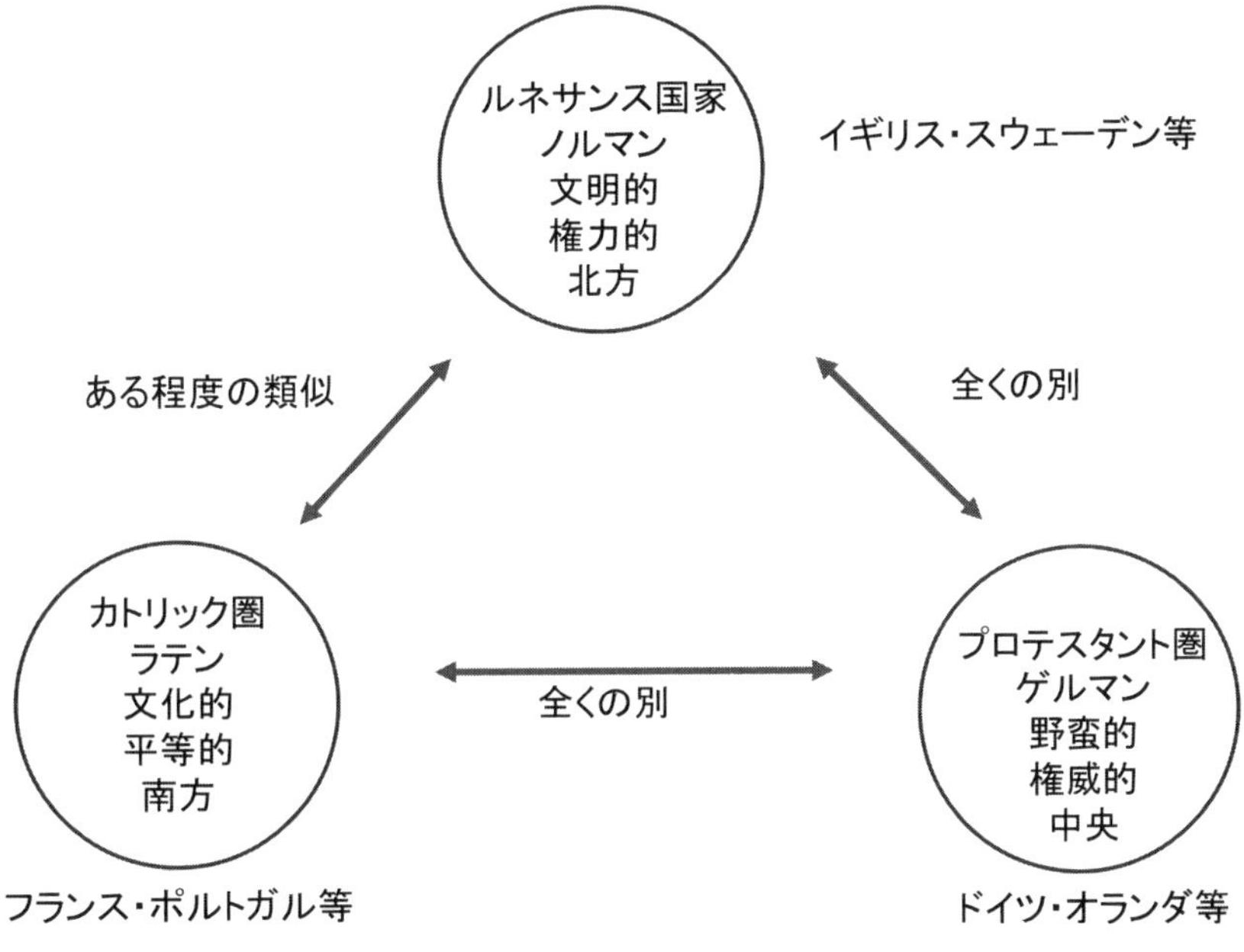

高度な教育が必要だが、ものを買うことにはそれが必要ない。ただし、プロテスタントの根底には労働拝金教が存在するため、商業力だけは高度に発展する可能性がある。

オランダやドイツ、アメリカなどの新興国が典型的なプロテスタント国家である。アメリカはイギリスやフランスの影響も受けているが、ドイツ系アメリカ人が白人の最大多数派であることもあって、現在では英語を話すだけのゲルマン系の国家である。ルター的な「排除の論理」とカルヴァン的な選民思想を見れば、精神的基底には他者へ徹底した不信が存在している。権威と自己の絶対無謬性を妄信し、セクトの同調者以外を想定せず、内集団以外の人間を餌食として考える価値観であって、これが奴隷制を宗教的に正当化した。この価値観には、公共性やら利他性といった人間理念がまるで存在していないのだ。

自ら達の神以外の神の否定を唱えるキリスト教には、「異教徒は地獄に落ちろ」というフレームが存在している。キリスト教徒以外は地獄に行くと定めたキリスト教はキリスト教以前の歴史を否定しているわけであって、このイデオロギー的な態度は選民思想そのものである。

最近のカトリックには斯様な態度が多少は改善される節もあるが、プロテスタントの過激派は相変わらず他者に対する排他的攻撃意識を発揮しているし、信仰と言うよりも人種を問題にしている部分もある。ピューリタンとは純化なり浄化なりの意味だが、彼等は異民族を浄化することにも熱心であった。

政治とは異なった要素を柔らかく噛み合わせて社会を動かすことであって、「排除の論理」に基づいた純化はそこから最も遠い宗教観念でしかない。アメリカは神に選ばれし国であるが故に何をしても許されるという観念は「アメリカ例外主義」と呼ばれているが、「自分だけが許され自分以外は許されない」という選民思想は、自分以外を許さない独善的な個人利益主義者を造り出す。自分は絶対に悪くないと思い込んだ人間は、同じ過ちを繰り返し続けることしか絶対に出来ない。

日本の「勝てば官軍」という言葉は、官軍は所詮勝っただけの者に過ぎないという意味でもある。それ故に、日本には「判官贔屓」という言葉も存在している。一方で、「勝てば選民」とは勝利は全てを正当化するという善悪二元論と勝負二元論の混合観念であって、アメリカの自由とは「無法への信仰」と「野放図なる殺戮」を正当化する言葉でもある。道徳がある方が勝てるという価値観は観念そのものだが、勝ったならば道徳が保証されるという価値観はそれ以上の観念だろう。

　思考停止して勝ち負けを求め続ける彼等は、相手の打倒しか考えず、実体事実がどうあるかなど気に留めることもない。個人利益主義のアメリカンマインドに取り憑かれたトランプ前大統領は、「勝てば選民」を体現するアメリカ人であった。官軍は一応は社会契約を守る必要があるが、選民は何をしても正当化されるというわけだ。ちなみに魔女狩りに熱心であったのはカトリックではなく、選民思想と個人利益主義を重んじる「許しより脅し」のプロテスタントの方である。

　また、プロテスタントという宗教自体が経典原理主義を取っていて、それ故に経典の観念以外の全てを拒絶する権威主義的な性質が存在している。経典にそぐわない全てのものを抹殺しようとする視野狭窄は、文化破壊そのものであるが、ドイツよりもアメリカにこの姿勢が強くみられるものだ。現代のキャンセルカルチャーもアメリカで生まれたものであるが、斯様なる『大衆の反逆』は「公共心への反逆」でしかないのだろうか？　兎にも角にもこの宗教は非人間的な「漢意」であって、権威に全てを委ねて人間の意思を否定する価値観であり、ルネサンス的な国家主義とは完全に対立している。偽善のヴァーチャリズムと独善の個人利益主義を世界に押し付けるアメリカとドイツは、文明的統治を否定する賊徒か神官かに過ぎない。

ドイツとナチスとプロテスタント

　ニーチェはその著書において、プロテスタントの過激派達はヨーロッパにおける奴隷的精神の反映であって、彼等に存在しているのは自発的な愛ではなく受動的な権威主義であると批判していた。奴隷意思論と運命予定説は自分の思考を持たないことへの信仰そのものであるが、自らの死後の生活以外にはなんら興味を持たない彼等彼女等は、現世における公共性を持ち合わせていない。一身上の事柄以外に無関心なこの価値観は、一身教とでも呼ぶべきだろう。彼等彼女等は積極的に社会を向上させる意識を持たず、権威に怯えているだけの臆病で哀れな存在に過ぎない。

この奴隷的精神は、宗教権威という奴隷主を使って自己正当化をしようとする保身であって、実体としての公平性の欠如を観念的に正当化しようとする言い訳であり、慈しみ抜きの自省なき自己愛でしかない。斯様な妄念は、実体的な結果の追求や公共政治の尊重を否定して、三大欲求だけを追及するものであるが故に、環境破壊も積極的に肯定してしまうのだ。アメリカ人の述べる自由の実体とは社会に必要な規律の破壊でしかなく、プロイセン王国の哲学者のカントが現代の有様を見れば仰天するに違いない。

自己正当化のために思考停止して自己放棄を行うという勤労カルヴィニズムの信仰は、「個の意識」の否定であり、権威主義によって自己確立するという倒錯である。この倒錯を「他威確立」と呼ぶことは、何ら問題がないだろう。権威を使わなければ自己を肯定出来ないほどに自信がない彼等は、個人主義を標榜していたとしても権威に縋る思考放棄を何よりも愛しているのだ。

権威の絶対性を肯定するために人間の自由を否定する勤労カルヴィニズムは敗北主義以外の何物でもないが、これは一切の権威への批判を禁じるが故に、権威と同化した己を無条件に全肯定するという性質を有している。「他威確立」は、自分たちだけが絶対に正当であると盲信する視野狭窄であって、これこそが運命予定説の選民思想の根本であり、選民である自己が非選民である他者を差別するために権威を使って自己を否定するという偽善の我慢比べを発生させている。彼等彼女等は、権威に許されるかどうか、承認されるかどうかだけを気にして生きているが、これは人質となって命を脅されている状態であるか、自己嫌悪を強制されているだけに過ぎない。であるが故に、彼等彼女等は本質的に権威に謝ることと、そうしない他者を屈服させること以外が一切何も出来ないのだ。

つまりは、「他者を弾圧する権利を手に入れるために自らの思考を捨てる」というナチス親衛隊の心性が、勤労カルヴィニズムの信仰であるわけだ。選民思想的な自己顕示欲と抑圧的な権威主義という最悪の矛盾がここに成立しているが、この見栄張りのための我慢比べは「負の方向への競争社会」とでも呼べばいい。全体主義社会に完全に順応したアイヒマンは自分で思考する能力を完全に失っていたが、斯様な環境への順応能力は社会を変革する力の対極であって、この畜生道には人間らしさがまるで存在していない。

勤労カルヴィニズムの信仰は精神的内面に留まって終わるものではなく、政教一致によって現実社会へと実体化されるものであった。歴史的事実として、ドイツでは革命であってもプロテスタントの過激派との深い関係が存在し、一五二四年のドイツで起きた農民戦争はルターとの関わりが強かった。

諸国民の春とも呼ばれる一八四八年の革命は、プロテスタントが直接の原因であったとまでは断定出来ない。だが、ドイツにおける一八四八年の革命では、ナチズムに親和性を持つ民族主義の影響が強かったこともまた事実だ。この革命には、反ユダヤ主義者でドイツロマン主義者であったワーグナーも参加している。彼はこれが原因で官憲から狙われる羽目になり、結果として国外に高跳びすることになっていた。

ナチズムとは、ドイツロマン主義が宗教的な領域にまで過激化して、ドイツロマン主義と政治の政教一致であったと言われることもある。それ故に、ドイツロマン主義者のワーグナーがヒトラーの思想的先達と見なされることも多い。見栄張りな彼等の芸風を見るにおいて、ドイツロマン主義とは空虚に気取るだけの野蛮なサブカルチャーでしかないが、彼等の自己顕示欲と自己満足の合成ドラッグは実体を考えることから最も遠い唯心論に過ぎない。「こうあって欲しい」という願望は「どのように変える」を考える政治とは完全に別のことだし、「こうあらなければならない」という観念は主体的な判断意識の対極である。

勤労カルヴィニズムの選民思想はナチスの民族主義と似たようなものであるが、実はルターからしてゲルマン民族の優越を唱えていた。ナチスは選民であるゲルマン民族による世界支配の運命を常に唱えていて、支配下の人間の自由意思を否定することを徹底的に好んでいたが、これも運命予定説や奴隷意思論というプロテスタントの世界観の延長だろう。

ナチズムとプロテスタンティズムの類似性はエーリッヒ・フロムやフリッツ・フィッシャーも指摘しているが、実際にプロテスタントの牧師達には平然とナチスを支持する者も多かった。ヒトラーの方も自らが神から遣わされた使者であるといった王権神授説的な宣伝まで行っており、プロテスタント教会をナチスが後援してユダヤ人であったはずのイェス・キリストが金髪に描かれることもあった。

一九三〇年代のドイツの教会は「父と子と聖霊のために、アーメン」というよりも、「ナチと子と選民のために、ハイル・ヒトラー」であったのだろうが、権威を盲信して同調と追認を示す文句であることは何も変わらない。「信仰のみ、聖書のみ、神のみ」というルターの理論は権威以外の全てを拒絶する原理主義的な信仰だが、この「排除の論理」が「ヒトラーのみ、ナチスのみ、ゲルマン民族のみ」に転化したのだ。

斯様な歴史的背景を考えれば、かの有名なフランス革命とドイツの革命には本質的な差異があるように見える。フランス革命においては、政治と宗教は分離される世俗主義が志向されていた。この革命はギロチンの宴と言われることもあるが、ルネサンス的な人間主義、ヒューマニズムと呼ばれるものによって人間の自由を重視した近代国家を作ろうとした部分が存在している。とはいえ、この革命は、ドイツ圏から来た王妃が企てたヴァレンヌ逃亡事件がなければ、革命というよりも革命未満の改革で終わっていたことだろうし、その方がおそらく全てのフランス人にとって幸福な結末であったはずだ。

フランス革命とは異なって、ドイツ農民戦争や一八四八年の革命は宗教や民族主義による集権が目的であって、世俗的な政治ではなくて権威への信仰が目的とされていた。人間の自由のために有形力が必要であることは疑いようのない事実だが、権威主義のために力を求めたところで理念なき力に政治的自由が生まれることはない。ドイツの革命は民主主義社会を目指す「自由への闘争」ではなく、エーリッヒ・フロムが唱える「自由からの逃走」であったのだろうが、そうであるが故に、その後には民主制の選挙によってナチスドイツという全体主義社会が誕生したわけだ。

　斯様な歴史が存在しているにもかかわらず、現在のドイツもＥＵ支配という個人利益主義に走るだけであって、自省という文字をまるで知らない。彼等の完璧主義は、批判から逃れるための現実逃避から生まれた陰鬱さに過ぎず、向上心の類からは程遠いものだろう。

　現代でもドイツは政教分離を成立させられておらず、前与党はドイツキリスト教民主連盟であった。こうした政教一致はドイツの伝統であって、古くはキリスト教の司祭が政治を行う「聖界諸侯」という制度が神聖ローマ帝国に存在していた。ドイツではプロテスタント以前から政教一致が存在していたわけだが、自らを正しいと信じて疑わない善意によって政治を行うことは、判断が伴った悪意で政治が執られることよりも、なお危険なことだろう。権威と権力が区分出来ないというならば、経典をいくら暗記していても実体的には無知そのものである。斯様な善意に満ち溢れた社会には権威を疑う機能が無く、ヒトラーのような詐欺師が全てを支配することも必然でしかなかったのだ。

　宗教が個々人の精神のみならず直接に政治権力に影響を与えるのならば、その宗教は社会を規定するイデオロギーである。そして、イデオロギーが奴隷意思論であるなら、人間の意思決定能力は宗教権威によって粉砕され、政治的な判断によって権力が制御されるのではなく、観念的な信仰によって政治権力が権威に使役されることになる。王様であっても民衆であっても神官の奴隷であると言うならば、王政でも民主制でも何も変わらない。功利主義とは利他性抜きの利己主義という意味ではなく、公共の利益を可能な限り志向する公利主義であるが、政教一致の政治は神官の個人利益主義と自己満足によって権力が動かされることにしかならず、その結果として全体主義社会が成立する。

ナチスは功利性に基づいた政治を否定して、ナチズムというイデオロギーを社会に反映させることに異常に拘っていた。インド人科学者を重用したイギリスとユダヤ人科学者を追放したドイツの間には、徹底的なまでの功利主義と民族主義の差異が存在している。ドイツロマン主義の中世的なナチスが、産業革命の鏑矢を放った近代的なイギリスに負けたことは当然の結果でしかない。「山の中のナチス、七つの海を知らず」ということであって、権威主義よりもユーモアを尊ぶイギリスは、権威が作る監獄の檻の枠の外の実体を、ドイツが絶対に知り得ない世界を知っているのだ。

俊英な英吉利《イギリス》と独善的な独逸《ドイツ》の間には、圧倒的なまでの視野の広さの差が存在している。前者は向上心や知的好奇心という希望であろうが、後者は嫉妬と自閉的偏執の呪詛でしかない。権威に仕えることと実体公平性を守ることはまるで違うもので、高貴さを持たない人間には神官の観念的自己正当化を見破ることが出来ない。騙しによって動かされることは実体に基づいて動くことは完全に対極だ。産業革命と公平性の客観性のイギリスの文化は、民族主義の独善とロマン主義の蒙昧のドイツからは最も遠いものであろう。人種がどうあろうとヒトラーがどう言おうと、実力が先行する自尊心と蒙昧な誇大妄想の差異は、ドーバー海峡の隔たりよりも遥かに大きい。地球の裏側に近代科学を輸出したイギリスであっても、英領ハノーファーのすぐ東に文明をもたらすことは不可能であったわけだ。

プロイセン王国とドイツ帝国　現実政治と政教一致　卵味のピザは如何にして腐ったか

ＥＵにおける今日の問題は、ドイツの無計画な難民の受け入れが最たるものの一つだ。難民を功利主義を意識して受け入れることは政治的選択であるが、必要な用意を怠るならば政治的選択であるとは言えない。

ドイツの無計画な難民受け入れは政治的な感性や経済的な繁栄との並立を目的とした人助けではなく、過去への贖罪と言った道徳依存症から起きたものだろう。メルケル前首相は現実問題に対して何を成すべきかではなく、選挙権を持たない思春期の子供のように自分達が何者であるかについてしか考えていなかった。社会を実体的に向上させるのが政治の目的であって、良いことをした気分になるための偽善は政治の否定でしかない。妄想的な宗教観によるキレイゴトは、現実的には公共の混乱と難民への反感を引き起こし、それによって逆説的に人種差別を誘発させるだけだ。ヒステリックなドイツがヴァーチャリズムを好むことは事実だが、ロマン主義という幼稚な感傷は良い結果をもたらさない。

残念ながらドイツが行おうとしたことは、世界に対して観念的正当性を顕示するプロパガンダであって、この点においては一九三六年のオリンピックと同様であった。とはいえ、いつの時代でもドイツの行動は保身と自己正当化を目的としているのは歴史を観察すれば明らかなことで、現在のウクライナへの対応からもこのことはよくわかる。ドイツが自らの無責任な姿勢に気づいていないのであれば、それは「裸の王様」ならぬ「裸の神官」と評するべきだろうが、アメリカのコメディ映画の『裸の銃を持つ男』やウクライナの大統領のような「裸でピアノを弾く男」ではないことも間違いがない。過ちの因果を理解し得ない愚者は、進歩することが出来るわけもなく、永久に同じことを繰り返し続けることになるが、「君臨すれども統治せず」がイギリスで、「謝罪すれども自省せず」がドイツであると言えるだろう。

しかしながら、聡明な読者の中には、ドイツと言えばRealpolitikという言葉が有名ではないかと憤慨する方も居ることであろう。邦訳すれば「現実政治」と呼ぶべきこの言葉とは、ビスマルクが体現したマキャベリズムとされる。だが、ビスマルクが宰相を務めたドイツ帝国は、迎合する衆愚の国家であるアメリカ合衆国とは異なって、「名は体を現す」ものではなかった。ビスマルク時代のドイツ帝国は、ヨーロッパ東部の新興国家であるプロイセン王国が政治的中核であったものだ。このプロイセン王国は功利主義を伝統とする軍事国家であり、人間の権利や公共の福祉といった考え方が大切にされ、自由と寛容を国是としていた。プロイセン王国がプロテスタントの移民を多く受け入れたことは事実であるが、この国の本質は近代的啓蒙と現実政治であり、宗教的な要素が希薄な国家であった。

　プロイセン王国の建国者のフリードリヒ大王が戦上手の芸術家であるとすれば、ビスマルクは殖産興業に長じた政治家であったと言えるだろう。ビスマルクの政治に誤魔化しがなかったわけではないが、それらの大部分はプロイセンの民主主義を守ることを目的としていた。政治家ビスマルクは、その演説の中で「ドイツがプロイセンになるのではなく、むしろプロイセンがドイツにならなければいけない」と述べていた。オベンチャラに卓越していたビスマルクの本心はこれとは正反対であったが、この時代にはプロイセンはドイツとは別物だと認識されていたことは事実である。

　ビスマルクは大の卵好きであり、朝食に十個以上の卵を使ったオムレツを食べることもあった。実は、卵を乗せたピザのことをビスマルク風と呼ぶのは、彼の卵好きに由来している。ドイツというピザ下地の上に、プロイセンという卵が乗ったものがドイツ帝国であるが、このピザは殆ど卵の味しかしないピザであった。現実政治とはプロイセンの滑らかな口当たりであって、硬いだけのドイツ的歯応えではなかったのだ。

　ビスマルクが宰相であった時代のプロイセン国王がヴィルヘルム一世である。彼は、民主制の導入には急進的というよりも斬新的であって、慎重な保守派ではあったが頑迷な権威主義者ではなかった。政治的バランス感覚に秀でた国王は、「ドイツ人民が求めた民主制」の裏にあった「ナチズムという民族主義」を見抜いていたのだろう。国王ヴィルヘルム一世は、ドイツ帝国の皇帝号を戴くその前夜に、「ドイツの汚冠よりもプロイセンの王冠の方が遥かに偉大である」と言い放ったが、その後の歴史ではドイツの民衆はヴィルヘルム一世よりも遥かに権威主義的であったのだから、この言葉には間違いがなかったわけだ。

　現代に流行する反植民地主義は被害者であれば全肯定されるという倒錯であって、実体の在り方を無視して被征服者を全肯定するものでしかなく、被征服者が征服者よりも非道であった場合もそれなりに存在したという歴史的事実を無視している。ビスマルクの政治は現実政治であったが、ドイツの大衆はその後の選挙で神官を支配者に選んだ。その結果として、プロイセン王国というルネサンス理念の具現化は、ナチスという最も醜い存在に成り果てた。王様と大臣が神官に煽動された衆愚に阿ることなく、政教一致と人種差別を否定して政治を行うならば、ナチスが生まれるわけもない。しかしながら、民主制を観念的に信仰するアメリカの価値観なら人種差別を認めるべきという神学理論が跋扈するだろうし、神官と民衆は政教一致の十字軍を求め続けるだろう。

　プロイセン王国においては、宗教や人種を問わず、国家に貢献する人間であるならばプロイセン人であるとされ、「各人には各人のものを」という個人の自由を重んじる理念が重んじられていた。「各人には各人のものを」とは元々はローマ帝国の標語であったが、プロイセン王国の黒鷲勲章にはこの標語がラテン語で記されている。このプロイセン王国の近代国家的な感覚はギリシャ・ローマ的な気風に由来するものなのだ。

　プロイセン王国は伝統的に多くの技能者の移民を受け入れ、その中にはユダヤ人の移民も存在していたし、トルコ人の移民を受け入れようとしたこともある。プロイセンは宗教に対しては兎に角無頓着であって、民族主義を取らずに有能な人間を抜擢するといった功利主義が存在していた。この国は、公共への貢献という国家主義によって国民が統合された国民国家であって、民族主義によって権威の下に均質的同化を行う権威主義社会ではなかったのだ。ヴィルヘルム一世の時代にビスマルクと共に活躍したモルトケ元帥であっても、元々はデンマーク出身であった。

　こうした世俗的なプロイセンとは対照的に、古くは聖界諸侯という司祭が政治を行う制度を保持していたのがドイツである。ドイツにおいては為政者が神官に洗脳されるどころか、神官と為政者が兼業であったわけであって、これはヒトラーという宗教家が政治家に選ばれたことの一つの起源だろう。国家主義を否定する彼等は、法治権力ではなく道徳的優位によって政治を行うことしか出来ない。

神聖ローマ帝国は現代のドイツの祖とされているが、この神聖という看板はキリスト教の政教一致国家であることを示している。ヴォルテールは、神聖ローマ帝国を「神聖でもなく、ローマ的でもなければ、帝国ですらなかった」と評価したが、神聖であったかどうかはともかく宗教的であったことは事実だ。

ドイツ帝国というプロイセン王国とその衛星領域の集合体は、時代が経つにつれてドイツの宗教的な民族主義の影響力が強まることとなった。ドイツ帝国という名前のピザも賞味期限を過ぎて腐敗が始まり、現実政治という卵の味はカビ臭くて苦いだけの政教一致に堕落したというわけだ。王室によって担保されていたローマ的な民主主義が、民主制によって徐々に神聖ローマ的な権威主義にすり替わってしまったのだ。

偉大なるプロイセン国王ヴィルヘルム一世が死去してからは、ワーグナーの「神々の黄昏」が現実化することになる。ドイツ皇帝ヴィルヘルム二世はプロイセン国王の祖父ヴィルヘルム一世とは対照的に、功利的な国家主義者というよりも宗教的な民族主義者という性格を持っていた。

ヴィルヘルム二世は宰相であったビスマルクを更迭して皇帝親政に励み、愚かで攻撃的な外交を繰り返す有様であった。存外に領土的野心が薄く内政重視であったビスマルクは植民地獲得競争には熱心でなかったが、誇大妄想的な民衆とヴィルヘルム二世はドイツ帝国の過大な拡大政策を引き起こした。黄禍論という人種差別を喧伝したのもこの時代のドイツであって、これは日露戦争の遠因でもある。国家の繁栄を求めるビスマルクは不必要な戦争は行わないという思考を持っていたが、民族主義的なメンツに取り憑かれて思考停止したヴィルヘルム二世には知性というものがまるで存在しなかった。

ルネサンス的な国家であったプロイセン王国と民族主義が蔓延したドイツ帝国の関連性をして、ローマ帝国が神聖ローマ帝国に成り下がったと言って何の問題もない。グリム童話の眠り姫は王子様のキスで目を醒ましても、ロマン主義のドイツはプロイセンの啓蒙によって近代に目覚めることがなかったというわけだ。

帝国が広くなれば、元来の気風を維持することが出来なくなるという歴史の法則がある。プロイセン王国も版図をドイツ圏に拡大した結果として、逆にドイツロマン主義に侵略されることになった。ローマ帝国も肥大化したことでローマ的な気質を維持出来なくなったが、それがローマ帝国の内部崩壊を引き起こして、その後には神聖ローマ帝国が生まれることになった。国家に必要なものは社会インフラと産業力であって、過度の領土の広さや人口の多さは国力には直結しない。

大日本帝国もプロイセン王国と同じ形の破滅を迎えた。天皇機関説という近代民主主義国家の理論を一度は確立しながらも、アジア大陸への領土の拡張に伴って天皇を儒教的に信仰する天皇主権説が生まれて、太平洋戦争中には元来の日本らしさまるで消え失せていた。必要なことはアジア大陸に人間主義を広めることであって、アジア主義によって日本列島が儒教化することではない。

天皇機関説とは、国家主権は国に存在し、政治主権は名義上は天皇に存在すれども、その実行は議会が行うという政治学説である。これは観念的な学説ではなく、明治維新以前からの歴史的な事実であり、「君臣共治」と呼ばれた伝統的な慣習を理論化し直しただけのものであった。歴史的事実として、日本には天皇に政治的実権が存在していた時間など殆どなく、天皇とは国家主権を象徴的に司る儀典的な役割であった。

一方で、天皇主権説というものは、国家の政治的主権が天皇に存在するといった中華の天帝史観のコピーであって、これはアジア的な儒教的世界観でしかない。いわゆる戦中的な空気とされるものの正体は天皇主権説であって、それは儒教の権威主義であり、つまりは明治の気風の対極である。

江戸時代の水戸学は、当時は儒教以外の思想は弾圧されたが故に、一定に儒教の理論を用いて幕府を批判した国学の一派である。「言論の自由」が存在しないが故の時代的限界もあって、維新志士の精神が完全に幕府による支配や儒教の「漢意」から自由で在れたわけではなかったが、彼等は本質的に天皇機関説を目指していた。固定された正解を求めることは諸行無常の「やまとこころ」から最も遠いものであって、維新志士の発言であっても我々がそれを文言通り守ることほどに愚かしいこともないだろう。

　明治時代の日本には、清と協働して近代化を目指す興亜論という理論が存在していた。だが、儒教に毒されていた中華と共闘するならば、天皇機関説を造ることなど不可能であって、残念ながら中世に停滞すること以外はできなかったはずだ。日本の歴史は君主制であっても「まず国ありき」であって、「まず君ありき」の中華とは異なっている。天皇と官軍が立憲君主制の政治を行うのが日本の伝統であって、皇帝と宦官が政教一致の政治を行うのが中華の蛮習である。立憲君主制の日本の官軍は一定には「お国のために」という公共意識は存在していただろうが、専制独裁の儒教の宦官は「お上のために」と私利私欲でしかなかったのだ。

帰って来たソクラテスは如何にして殺されるのか？　アメリカの不正義について

　太平洋戦争は、日本に大義名分が完全に無かったというわけではない。だが、根性論ばかりを唱え補給線も碌に維持出来ず、現地徴用という形での搾取を連発し、人道的にも軍事的にも擁護出来たものではない。

　艦隊決戦主義の帝国海軍は敵の艦隊を撃滅することに拘って、海運による補給を完全に軽視していたのだから、存在の前提そのものが陸軍との分断を志向していた。八八艦隊事件を見ても明らかであるが、帝国海軍とは国家の破綻を目的とした存在でしかなかった。国際法を無視した重慶爆撃も責任が多いのは帝国海軍の方であるし、帝国陸軍による国民党との和平を妨害したのも帝国海軍であった。

　宣戦布告に失敗するどころか戦略性が皆無であった真珠湾攻撃にしても、精神論に走って碌に敵を殺せない特攻にしても、帝国海軍とは上層部の保身だけを思考する組織である。ピラミッドのように巨大で無機能な大艦巨砲を好む彼等は、軍事権力から最も遠い宗教権威でしかなかったのだ。レーダーを軽視した彼等は、戦艦の艤装よりも戦果の偽装に熱心であったわけだが、敗戦後においてもプロパガンダによって保身することには巧みであった。彼等の惨状を見れば、部下を弾圧するための力には判断能力は必要がないが、敵を殺すためには判断能力に裏打ちされた力が必要であるということがよくわかるものだろう。

とはいえ、近衛文麿が国民党との講和を否定して、その隙をアメリカに付け込まれたことこそが、帝国海軍の失敗以上の究極の敗因である。日中戦争以前から中華では長らく内紛が継続していて、儒教による愚民化は数千年続いていたわけだが、斯様な泥沼に無計画で侵入することはアメリカのアフガニスタンでの戦いと同様に愚かなことだ。戦後賠償としての中国へのＯＤＡも、言論の自由との引き換えで無ければ、民主主義を破壊するという点において戦前からの進歩がない。

天皇機関説を放棄した戦時中の日本は民主主義であったとは言えないが、人種主義は成立せずに途中で首相が更迭される等といった点がドイツと異なっている。大東亜共栄圏は、勤労カルヴィニズム的な人種差別による帝国主義ではなかったし、ジェノサイドを前面に打ち立てた世界支配計画でもなかった。日独同盟とは、日本がヒトラーの人種主義を妄信して成立した民族主義同盟ではなく、同床異夢でしかなかった。

大東亜共栄圏というものも、白人至上主義によって日本が世界から締め出されたが故に、周囲に過度な拡張を求めて成立したものである。現代でもアメリカという国では、人間個々人が、白人であること、アジア人であること、黒人であることが徹底的に強制される。個人という実体ではなくて人種という観念であることを押し付けているのだから、これはイデオロギー的な民族主義そのものだ。

八十年前には、日本が日本という国家であることではなくて日本人がアジア人という民族であることを、白人至上主義のアメリカに強制されたわけだ。観念に実体を当て嵌めようとする認知では、先入観にとらわれるだけであって、永久に実体を捉えることが出来ない。定式に嵌めるだけの思考が蔓延するアメリカは、その実体においては自由から程遠い国でしかない。現在のトランプ前大統領による政治的混乱もアメリカの伝統に過ぎないものであるが、こうした様相はアメリカが権威主義国家であるということを示す一つの証拠だ。アメリカ人は身勝手な観念を他者と世界に押し付けることしか出来ないが、それは実体的な他者を認知して理解する能力がまるで存在していないということである。もっと言ってしまえば、この価値観は、「己というものは他人に定義される存在ではない」という個人主義の根本を否定するものであり、やはりアメリカに存在しているのは個人主義ではなくて個人利益主義だということだろう。

こうした歴史を考えれば、日本は間違っていたことは事実であるが、「勝てば選民」のアメリカは間違っているというどころではない。「白人無罪」の勤労カルヴィニズムを使えば日本が全て悪かったことにすることも可能であるが、そうすればナチスを肯定せざるを得なくなる。現代の日本人の中に白人至上主義者の肩を持つ者も存在するが、これは戦前を否定したことによる当然の帰結なのだ。日本以上にアメリカにこそ問題があることを認めなければ、日本を民主主義国家として繁栄させることは絶対に不可能である。

トランプ前大統領は、現代のロシアや中国と同じように世界の民主主義を破壊しようとしているだけに過ぎない。だが、彼を肯定する日本人が存在しているのは、戦後のアメリカの洗脳によるところだろう。彼等は、日本が悪でアメリカが善という、「米日二元論」という善悪二元論を妄信するカルト宗教の信者でしかない。日本が戦争に負けたことが正しかったと思考停止して信仰する者は何一つ省察を行うことも出来ず、権威主義と理念を区分することが不可能になる。日本人が民主主義と公平性の追求を否定してアメリカに隷従する権威主義を選ぶのであらば、白人至上主義と奴隷制の世界が安泰になるだけだろう。

東京裁判には多くの批判があるが、アメリカの裁判は強力な弁護士を雇って無罪を金で買うものであり、司法取引を駆使して如何に減刑するかというものであって、実体公平性が重視されるものではない。「公共の法律より個人が所有する金の方が上」という価値観が勤労カルヴィニズムの本質なのだから。

蓄財によって無罪を買うという神明裁判では観念論的な難癖を駆使すれば如何なる刑罰をも正当化しえるわけだが、アメリカにおける裁判とはセーラム魔女裁判の延長に過ぎない。そもそも、彼等は実体公平性を否定するために「勝てば選民」という観念的正当性を信仰し、妥当性を破壊するためにヴァーチャリズムを捏造することをこの上なく愛している。アメリカにおいては、有罪か無罪かは実体によって判断することではなくて、肌の色と権威の依怙贔屓によって決めることでしかないのだ。

フェイクニュースにも見られるように、共感しやすい嘘を用意することで事実の拒絶を正当化することが、アメリカの正義（American Justice）という言葉の意味である。これは、接頭語が付くことによって意味の逆転が起こってしまったわけだが、つまりはAmericanとはFakeと同じ意味の言葉である。そして、追記しておくが、正義とは平等ではなく公平を意味するものであって、平等が正義であると思い込むことほどに愚かなことはない。思考停止した平等教が公平を破壊する現象は、現代でも大変によく見られるものだ。

東京裁判がガサツな白人至上主義に基づいていたことは言うまでもないが、アメリカの戦後統治の出鱈目さが朝鮮半島を南北に分断したということも明記しておくべき事実だろう。朝鮮半島の分断は、イラクやアフガニスタンに先駆けるアメリカ統治の劣悪さを示す重要な例である。大局観とは無縁な彼等は、言い合いに勝つことだけを考えて、実体に即した選択を行う気をまるで持っていない。南北朝鮮の分断もマッカーサー司令官が北朝鮮を倒すことが出来なかったのが原因だ。パットン将軍は輪廻転生を信じるようなアメリカ人らしくない男であったが、マッカーサーはアメリカ人らしく「将の思考」を持たない将でしかなかった。

現代であっても、アメリカの裁判では、観念的な自己正当化の押し付けを如何に押し通せるかというソフィストの詭弁術が、実体公平性よりも重んじられている。魔女狩りのような難癖的な訴訟は今でも大量に存在していて、彼等は他人に謝らないことを信仰しているだけに過ぎない。トランプ前大統領を見ればわかるように、アメリカでは会話とは言論における暴力の応酬以上を意味するものではないのだ。

もしも、ソクラテスが蘇ってアメリカ南部に旅行したとすれば、キリスト教徒でないという理由によって裁判で処刑されるとしても不思議ではない。古代地中海人であるソクラテスの肌の色が白くなかったという理由で、裁判もなく射殺されてしまうという結末も有り得る。地球が丸いことを理解出来ないアメリカ人には、ローマ帝国には黒人の皇帝が居たという歴史を理解出来るわけもない。

現代のアメリカにおいては、「帰ってきたソクラテス」は殺されてしまうだけであって、「帰ってきたヒトラー」の方が支持されることだろう。だが、アテナイのために尽力した偉大なるソクラテスは、自らが愛するアテナイ以外で死ぬことを望むはずもない。民主制を非難した彼は、貴族身分ではなくとも国家と社会契約を守る義務に熱心であったが、誰よりも高貴なる精神を発揮した真の意味での貴族だと言えよう。

「満足した豚よりも不満足なソクラテスでいる方がマシだ」と述べたのは、イギリスのミルだ。だが、人間的な美意識や公共判断のための哲学をまるで持っていなくとも、権威から許されているという認識を持っていれば「満足した豚」で居ることも肯定出来る。「不満足なソクラテス」であることを放棄して出世したアイヒマンとなる自己権威化も、勤労カルヴィニズムは簡単に許してくれる。公正さがどれだけ欠如していようとも、選民思想と権威主義を用いれば正当化することは可能だ。自己批判なき責任回避は向上心抜きの保身であるが、他人に罪と罰を押し付けることがアメリカンマインドであると言っていい。アメリカンマインドとは、権威に従うための最低限の思考能力と政治に無関心でいるため最大限の快楽への欲望の組み合わせであって、公共心も誠意も一切に持たずにただただ働いて個人利益を目指す精神に過ぎない。

現代のアメリカは様々な違法薬物が蔓延している惨状であるが、麻薬と麻薬的煽動によって常に自他を騙し続けなければ、彼等彼女等は自らの醜い姿に気づいて発狂してしまうということなのだろう。そして、ドイツにおけるロマン主義も、こうした麻薬的自己欺瞞の一種である可能性が極めて高い。

なんであれ、自らが公平でいることを望まずに権威に許されたいだけのアメリカがどれだけ醜かろうとも、儒教的な権威主義によって戦禍を広げた日本の太平洋戦争を正当化することは難しい。そもそも、負けても正しかったなどという思考は単なるロマン主義でしかなく、「理念を追求するならば何があっても勝たなければならない」というものごとの基本を忘却している。

結局のところ、戦前の日本がナチスと同盟を組んだことは、明治維新以降の日本の国家的目標である近代的自由の成立と人種の平等に反する最大の問題であった。理念に基づいた国家を守ることは、民族主義的な群れを守ることとは完全に別次元の話だろう。日本は人種の平等である八紘一宇を唱えていたが、人種差別を取るナチスを勝利させるならばそれは矛盾というものだ。杉原千畝が助けたユダヤ人達もナチスが勝てば殺されてしまうことになる。非白人を皆殺しにすることを試みるナチスと日本が共存できるわけもなく、第三次世界大戦は日本とナチスの間で発生する絶滅戦争になったはずだ。しかしながら、日中戦争から十年近く戦い続けて核爆弾という戦争自体を崩壊させる手段に対して降伏することになった日本が、存外に大したことが無かったナチスに負ける姿は想像し難い。日本はアメリカに負けたのではなくて、アインシュタインの理論物理学に敗北したということが、歴史における事実であった。

非白人の民主主義国家である日本からすれば国際社会は本質的には全てが敵であることは、異国の立場から考えれば簡単にわかる。だが、そうであったとしても、国連から脱退して最大の敵と同盟を組むことにした松岡洋右の選択肢は、愚の骨頂以外の何物でもなかろう。満州国はソ連への対抗のためのものであったにもかかわらず、ソ連と不可侵条約を結んだこの男には外交センスが欠片程にも存在していない。彼の采配は必然的に世界を敵に回す選択肢でしかなかったが、日本の満州権益を認めておけば中国に共産党政権は誕生しなかった可能性が高く、一番に無能であったのは市場を失ったアメリカだったとも言える。

現代に生きる我々に必要なことは、国家の善悪といった宗教的二元論を妄信することではない。我々に必要なことは誰が政治を行っていたかを知ることだけではなく、どのような思想と判断によって政治が動き、国が動かされていたかを知ることだ。実はこのことを考えてみれば、昭和日本の精神は明治日本の精神とは完全に断絶されたものでしかなかったと簡単にわかる。明治に起きたことが「文明開化」であったならば、昭和に起きたことは「文明退化」でしかなかったのだ。

ナチズムとグローバリズム　プロテスタンティズムによる国家の否定

ドイツ史を見直せば自明なことだが、日本は「東洋のプロイセン」と呼ばれてもドイツには似ていない。ドイツが日本と似ている点は自動車の性能を追求する姿勢くらいであって、日産のスカイラインＧＴＲはポルシェ 911 Turbo をライバルとしてそこから多くを学び、走りの機能美を磨いてきた工学的芸術である。しかし、明治憲法はプロイセンに学んだものであってドイツに学んだものではない。

そもそも、日本では政治家が宗教を利用したことがあっても、ドイツのように神官が政治そのものを牛耳れた時期は殆ど存在していない。寺社勢力は朝廷や幕府に統制される側の立場であったことが多く、時の中央政府に政治権力として割り込めるほどには強くなかった。それが故に、神聖ローマ帝国の「カノッサの屈辱」のように、政府よりも宗教指導者が政治的な力を示す事件は日本に多くは存在しない。

更に言ってしまえば、仏教や神道はキリスト教のように観念的真理を求めることもなければ、政教一致を強硬に唱えるような宗教でもない。仏教はその開祖が王家からの家出を試みたのだから、政治から遠くてもそれは当然のことだ。とはいえ、戦国時代の本願寺や現代のミャンマーのような例外も存在してはいる。

古代日本においては政祭一致というものが存在していたとしても、それは一神教の政教一致社会と同一視する事は不可能だろう。国家神道というものも所詮は官製の神話であって、維新の元老が天皇制を政治的に利用するために作ったものでしかない。事実として、この官製の神話を作る際に古神道の伝統が破壊されてしまったと南方熊楠が批判している。結局のところ、日本では政治は常に宗教よりも優位な立場に存在していたのであって、日本の文化は近代文明に繋がる素質を有していたわけだ。

一方で、ドイツでは国家を成立させるための世俗的な感性と知的な文化が存在せず、妄想を愛する彼等は実体への認識を共有出来ないが故に、常に分断状態でしかなかった。人種や宗教への信仰、民族主義という疑似宗教、観念的なイデオロギーは跳梁跋扈する様であって、ヴァーチャリズムを使って国家擬きを作ろうとした結果として、ナチスドイツという全体主義社会が生まれた。現代のドイツも中露と友好的であるが、公平性や自省能力、法治意識が欠如したこのグループは、「上に倣え」と「下に理不尽を押し付ける」の権威主義を徹底的に好んでいる。「各人には各人のものを」がプロイセンの社会契約であったが、ヴィルヘルム二世のドイツ帝国は民族主義であり、ナチスが取った政策は「強制的同一化」という全体主義であった。

現代ＥＵの惨状について叙述した『ドイツ帝国が世界を滅ぼす』というエマニュエル・トッドの著書が日本で流行したことは記憶に新しい。だが、ウクライナに侵攻するロシアの肩を持つトッドは、権威と権力、平等と公平、野放図な無法と自由な法治の区別がつくのか疑わしいと鎗崎は考えている。彼はスウェーデンとドイツを同類と定義するが、ノルマン的権力主義とゲルマン的権威主義は誰がどう見ても別物なのだ。

過去も現在もドイツには国家主義など存在せず、法治と有形力を重んじる帝国という統治体系が彼等に存在するはずもない。それ故に、「ドイツ帝国が世界を滅ぼす」よりも「ドイツ宗教が世界を滅ぼす」という表現の方が適切だろう。神聖ローマ帝国は「宗教的であっても、ローマ的でなく、帝国ですらなかった」のだし、ドイツ帝国は「帝国であってもドイツではなかった」というのが歴史の実像である。通貨をマルクからユーロに切り替えた現在のドイツは、名でも実でもビスマルクの現実政治とは無縁であろう。

ドイツ宗教の一種であるナチズムは、National Socialism の略語であり、国家社会主義を示す言葉とされている。だが、ナチスにはローマ帝国のような国家主義は殆ど無く、その代わりに強烈な民族主義が存在していた。その上、本来の Nation とは国家制度というよりも民族を示す言葉なのだから、ナチズムは国家社会主義ではなくて、「民族社会主義」と訳すべきである。実は、ビスマルクの政策が State Socialism と呼ばれているが、こちらが国家社会主義と訳すべき言葉なのだ。死んだ文字ではなく生きた意味で考えないならば、言霊を見失うだけでしかない。

「飴と鞭」という言葉はビスマルク時代を示すものとして有名であるが、衆愚を扇動することに特化したナチスの統治は「阿保と無知」とでも呼ぶべきだろう。ビスマルクは社会主義政策を取りながらも在野の社会主義者達を抑圧したと評価されるが、彼が抑圧した社会主義運動家の末裔が民族社会主義のナチスである。ビスマルクの社会主義の大きな政府は国力の増大を目的とした産業的なものだが、ヒトラーの社会主義の大きな政府はゲルマン民族以外の弾圧を目的とした宗教的なものであって、この二つは完全に別物なのだ。

国家とは左右の政治思想や民族・人種を超えて統合と融和を果たす人間の世俗的な集合体であって、本質的には国家主義と民族主義とは全く別のものだ。国家主義においては「法の下の平等」が一定以上には存在するが、民族主義では「内か外か」が基本的なスタンスとなる。最初に融和という基盤が存在する国家主義においては、国家の外との融和である国際協調も成立しうるし、在留外国人の権利も保証し得るだろう。だが、スタート地点が内向きで排他的な民族主義においては、国際協調を成立させることは徹底的に難しい。「権威のみ、内輪のみ、個人のみ」といった宗教的な思考では、外と繋がることは極めて困難なことだ。

現代アメリカのグローバリズムも自分達の宗教だけを肯定する思想であって、これはモンロー主義以上に自分達以外の他者を無視する妄想観念でしかない。グローバリズムというイデオロギーは、市場原理主義によって世界中の国家を否定するものであって、これは国際協調主義の対極である。国家は国家の利益に貢献するだけではなく人類全体の利益に貢献すべきものであるが、国家を否定するグローバリズムは人類全体の利益も否定しているわけだ。政治意識の無さは国家を否定し、愚かさが宗教への依存を起こすが、その結果として起こるのは法治社会の破滅だろう。

市場原理主義の中核には「神の見えざる手」という観念が存在するが、これは政府の介入なく運命的に全てが上手くいくという信仰である。この「神の見えざる手」とはアダム・スミスが運命予定説から派生的に造り出したという説が存在するが、これが事実なら市場原理主義の起源は本当に宗教であったわけだ。カルヴァン派という個人的蓄財を重んじる独善的な選民思想と、市場原理主義という公共性なきイデオロギーは、他者への無関心という点において完全に一致しているため、この説には絶大な説得力が存在している。

この説が真実でなかったにせよ、アメリカの小さな政府への支持は世俗の国家権力を否定して宗教国家を造ろうとする勤労カルヴィニズムに由来していることは歴史的事実だ。アメリカの政教分離とは政府による宗教への介入を否定するものであり、これは政府権力の弱体化と宗教権威の強化のために生まれたものであって、ヨーロッパにおけるそれとは完全に別のものでしかない。かのキング牧師も、「アメリカにおいては政治家よりも牧師の方が社会的な影響力を持っている」と述べたくらいなのだ。アメリカという社会においては宗教を使えば世論操作も簡単であるという事実を、我々日本人は絶対に認識しておかねばならない。

日本の渡辺淳一だけではなくイギリスのジョン・ミルトンも「失楽園」の作者であるが、「カルヴァン派のような不正義が神の意志であるならば、キリスト教を棄教する」とミルトンは述べていた。また、アダム・スミスは「我々が食事を手に入れられるのは、肉屋や酒屋やパン屋の親切のおかげではなく、彼等が自分の利益を考えるからである」と訴えていた。現代の食品偽装問題を考える限り、アダム・スミスの正義なき発言は致命的な視野狭窄だと言わざるを得ない。文化相対主義によって、アダム・スミスの説いた観念的な個人利益主義とミルやベンサムが訴えた公共心の価値を平等にするならば、国家の破綻を招くだけだろう。

国家権力の実体を否定して政府を捨てろと唱えるグローバリズムは極めてアナーキズム的なイデオロギーであって、ピューリタンによる革命騒動と完全に同じだ。これは、人間は世俗的権力と無縁になるべきだという妄想であって、無政府共産主義と同じような左翼的妄想でしかない。現代では、イスラム過激派が国家や世俗法よりも宗教を重んじていると言われるが、少し前にはプロテスタントの過激派こそがそうした存在であって、市場原理主義という形で革命運動が継続しているわけだ。

　市場原理主義でよく唱えられる自己責任論というものも、他者のことを考えたくないというミーイズムの裏返しに過ぎず、公共政治を否定する中世的な宗教観念でしかない。これは国力が毀損されようとも自らの財産さえ確保できれば良しという自閉的な野蛮であるか、若しくはキレイゴトに自己陶酔したいだけの愚かさに過ぎない。

　イデオロギーや宗教によって実体的な法治を破壊することは、公共社会の否定以外の何物でもない。宗教やイデオロギーに走る人間はどこまでも現実を無視する行動を選ぶものだが、アメリカのブッシュ前大統領もイラク戦争が十字軍戦争であると発言していた。

　イラクはアメリカにとっては異教徒であったのかも知れないが、利害関係上の敵でもなんでもなく、十字軍らしく戦争は完璧に失敗に終わった。戦略なき意思決定を押し通し、目的も持たずに気分で国家の軍隊を動かすことにしたブッシュ大統領は、民主制権威主義を重んじる敬虔な信者であっても民主主義を守る意思を持っていなかった。ブッシュ大統領はその名の通りに藪をつついて蛇を出しただけであって、イラクに存在していたのは大量破壊兵器ではなくてフセイン大統領に抑圧されていたイスラム原理主義者達であった。といっても、非白人のイスラム原理主義達は人間扱いされず、あくまで兵器に分類されるのであれば、イラクに大量の破壊兵器が存在していたとも言えなくはない。

　昨今のヨーロッパの難民も、元を突き詰めればイラクの崩壊がその原因だろう。難民問題の根源はアメリカの十字軍に由来するが、問題の原因のアメリカも問題の結果となるドイツも、プロテスタントが主流である点は同じなのだ。教典至上主義と政教一致を唱えるプロテスタントは、現実実体よりも宗教観念を優先するために実体を無視して社会の破滅を引き起こす。ブッシュ大統領が大統領選挙に勝利したのは、彼のプロテスタントへの敬虔な信仰を理由にして宗教票を集めることが出来たことが大きかったと言われているが、彼には経済政策においても見るべき点がまるでなく、多くの問題を作るだけに終わった。

ドイツ人もアメリカ人も強迫観念に苛まれて、道徳的正当化と権威への迎合を繰り返し続け、自らが問題解決に挑みに行くことではなく、自らが救われたいということだけを考えている。「自らが正しい存在である」という潔白な思い込みは、構造を解析することも、実体に基づいた意見を構築することも、結果を反省することも、全てを不可能にしてしまう。彼等のように権威に承認されることを求める小心は、己に信を持つ英雄の心性から最も遠い。客観性、中立性、公平性、実体性、といった公共判断の軸を持たないプロテスタンティズムでは、観念と気分と印象と迎合で全てを決めることになる。彼等は、自らの動物的欲望と権威に怒られるかどうか以外の基準を持っておらず、まるで赤ん坊そっくりだ。

アメリカ人が抱いているのは揚々たる英雄願望ではなくて陰鬱なる選民願望でしかなく、ナチスに同調したドイツ人であっても本当の英雄とは最も遠いところにいる存在でしかない。愚かなアメリカ人も軟弱なドイツ人も、権威と権力を疑う独立自尊の英雄的精神をまるで持っておらず、蒙昧による統治と権威による支配以外を成立させることが出来ない。知性を尊ぶヴァイキングの王や気概を重んじるプロイセンの哲学者とは、彼等は同じ肌の色をしていても完全に別の存在だろう。

スウェーデンやイギリスとは異なって、勤労カルヴィニズムに基づいて成立したアメリカはソ連以上の政教一致のイデオロギー国家でしかない。トランプ前大統領は聖書を片手に「法と秩序」という言葉を述べていたが、現代でもアメリカでは政治とキリスト教は当然のように結びつけられる。彼はその任期の最後に選挙結果の破壊を試みたが、この「法と秩序」という言葉は世俗法を意味するものではなく、神権政治の「勝てば選民」を意味するものであったのだろう。こうした言動が故に、彼はアメリカのプロテスタント過激派から高い支持を得ていたのだ。

バイデン大統領であっても就任式のスピーチは宗教的なものであって、アメリカには政治と宗教が不可分という社会構造が存在している。とはいえ、バイデン大統領はカトリック教徒であって、彼はアメリカの白人としては主流派ではない。勿論、それは彼のことを無条件で肯定すべきという理由にはならないが。

トランプ前大統領の場合は、ドイツ系移民でカルヴァン派でもあって、アメリカ白人の主流派のグループに入る。トランプ前大統領は拝金主義者であって、自らが所属する宗教的なセクト集団以外は信用せず、その外とは協力しない内向性を持っていて、勤労カルヴィニズムの性質を完全に体現している。そして、彼の父親はＫＫＫのメンバーであったという背景を持っているが故に、前大統領がナチズムと無縁でなかったとしても何ら不思議なことはない。国会議事堂への攻撃事件も、一九二三年のヒトラーのミュンヘン一揆の模倣という可能性もある。鎗崎とは異なってチビであるナチス総統よりは、鎗崎とは異なって金髪であるトランプ前大統領の方が、ナチスが喧伝したゲルマン民族的な容姿であることもまた事実だ。

トランプ前大統領に巨額の融資を行っていたのは様々な不祥事で有名なドイツ銀行であるが、ドイツのメルケル前首相であっても大衆迎合とプロテスタンティズムを好んだ点においてはトランプ前大統領と同じ穴の貉でしかなかった。自分に都合が悪い事実を認知することが出来ない彼等彼女等の行動は、己のメンツ以外には無関心で理想主義を否定するというゲルマン的ニヒリズムの典型であった。とはいえ、社会を支える公共益を考えることもなく観念的道徳を押し付けるメルケル前首相の左翼的倒錯は、トランプ前大統領の手口よりも虚飾の手段としては高等なものであったことは確かだろう。

現代のドイツやアメリカのように、ルネサンス期のスウェーデンやイギリスにもプロテスタントの影響があったことは歴史的な事実である。だが、政府が政治的にプロテスタントを利用してバチカンの影響力を国家から排除しただけであって、スウェーデンやイギリスの宗教改革では宗教自体が目的とされなかった。

スウェーデンやイギリスでは、宗教の影響を排除することによって国家権力が強くなると、農奴解放等の法の下の平等を保障する動きが発生した。キリスト教の下では世俗の平等という価値は実現し得なかったが、国家権力の下の平等は段階的に成立していったのだ。ルネサンスの影響を強く受けたイギリスやスウェーデンが国教を変えようとも宗教的な価値観が大きく変化したということはなく、これらの国家の宗教改革は単なる政争以上の何物でもなかった。こうした歴史故に、イギリスやスウェーデンのプロテスタントの信者達はバチカンという権威の統制ではなく国家という権力に帰属することになったが、この動きは国家への義務意識を生みだして、近代民主主義へと繋がっていったわけだ。

我々は、ノルマン的権力主義とゲルマン的権威主義が、「やまとこころ」と「漢意」の対立構造であることを見抜かなければならない。イギリスとスウェーデンがヨーロッパ最初の近代国家であると言えるが、プロテスタントは看板に過ぎず中身はルネサンスの国家主義であった。明治日本も国家神道という官製の宗教擬きを作ったが、これはイギリスやスウェーデンと同じような政策であったと言えよう。

しかし、ヨーロッパには国家に統制されることを拒否したプロテスタントの熱心な過激派達も存在していた。アメリカとは、そうした過激派達がヨーロッパから追放され、そしてその過激派達がネイティブ・アメリカン達をこの世から追放することによって成立した社会である。

アメリカの歴史を考えると、日本の憲法が国家と民主主義の防衛ではなくて、アメリカの勤労カルヴィニズムの十字軍のために改正される可能性があるということを危惧しなければならない。といっても、単に護憲を訴えるだけというのも、法律を戒律と考えて神聖視するだけの信仰である。日米同盟というものも、勢力均衡を意識した政治的功利性のためのものなのか、政治家の保身のためのものであるのかを考える必要がある。資源輸入や海洋交易路の確保の観点からアメリカとの同盟には意義が有るが、それらを持たない中華との同盟にはその価値が存在しない。だが、前者が機能不全化する可能性も否定は出来ない。

トランプ前大統領のような政治家は同盟相手として当てにできるのか相当に怪しいが、ドイツはプロイセンではなく彼等はプロイセンと違って敗北しか知らないのだから、死神のアメリカと同盟を結ぶことがあったとしても疫病神のドイツと組むことは絶対に避けるべき所業だ。国家どころか人間個々人の関係においても群れるだけの友情には価値がなく、個々人が判断を持った上での協働にこそ意味が存在している。日本の政治家達が、日本を統治する国家意識よりもアメリカへの同化と迎合を重んじたり、それどころかアメリカへの恋慕によって日米同盟が成立しているならば、彼等は政治家というよりも宗教家でしかない。

この日米同盟というものは、日英同盟程に有益であったようには思えないが、そもそもトランプ政権時代のアメリカはQuadの集団安全保障にも興味を持っていなかった。功利主義に基づいた日米同盟を機能させ、世界の民主主義を守るというならば、日米豪印だけではなくて、イギリスの力も必要となるだろう。

冷戦における強者であったソ連に対して弱者のアメリカが勝てたのは、ソ連も世界を相手に戦えるほどには強くなかったことが原因である。レーガン大統領の「強いアメリカ」は、単純な国力ではなく外交における強かさであったことを忘れてはならない。多方面外交を否定してアメリカ単独主義に拘ったトランプ前大統領は、「弱いアメリカ」と呼ぶに相応しいだろう。トランプ前大統領は現在のウクライナへの支援にも熱心ではないが、彼はバイデン大統領よりもロシアの全体主義の方を好んでいるということなのかもしれない。

トランプ前大統領がどう考えていようとも、近代民主主義国家の間で国際協調を造らない限り、世界は全体主義が支配することになる。技術開発競争において、西側先進国の連帯を活かさない限り、アメリカは中華に屈服することになるだろう。米ソの冷戦は終わったが、世界が民主主義となったわけでもないし、権威主義国家は冷戦中よりも随分と増えてしまったのが世界の現実だ。ナチスは日本よりも中華国民党と同盟を結びたがっていた歴史を持っているが、ドイツと中華の同盟は現代に至って現実となってしまった。

民主主義と権威主義の戦いは米ソ冷戦の終結によって終わったわけではなく、フランシス・フクヤマの「歴史の終わり」などは単なる誤解でしかなかった。世界の全てに民主主義が普及したとしても、それは「歴史の終わり」などではなくて「中世の終焉」といった程度のものでしかない。コロナ以後はコロナ以前と比べて人間の生活が劣化したように、宗教以後は宗教以前よりも人間の思考が劣化してしまったが、最大の問題は宗教的な権威主義に対する基礎免疫力が未だに存在していないことである。

トランプ前大統領の外交政策は、他者と実体を認めずにアメリカの観念を押し付けるだけのものであって、アメリカは世界からの支持を失ってしまった。お互いに信用出来ない関係性においては裏切られるよりも先に裏切った方が得になるのは事実であるが、そうした価値観では世界戦略が上手くいくはずもないだろう。

だが何より、力がないところでは人間の自由が守られることはなく、そして国家主義がないところにまともな軍隊が存在出来るわけがない。民主主義ではなくて人種主義によって成立する軍隊は、交戦ではなくて略奪と虐殺を主要な仕事とするだけの賊徒の集団以上には成り得ない。日本が武装するのは、日本と世界の民主主義を目的とするべきであって、白人至上主義的な世界観に基づいた殺戮のためのものであってはならない。日本が見習うべきはアメリカの白人至上主義ではなくて、スウェーデンの独立精神とイギリスの外交戦略だ。「同盟においては、馬となるよりも騎手たるべし」とは、洗練された外交能力を発揮したビスマルクの格言であるが、日本はプロイセン王国の現実政治を見習って、同盟構築の主導権を握るべきであり、日英同盟を意識した民主主義の連帯を創り上げることで、日独伊三国同盟の汚名を返上するべきだろう。

シーパワーが単に軍艦を並べるだけの能力ではなく、実体情報の共有と知的リソースの相互作用にその本質があるということを、アメリカとは異なってイギリスは理解していた。同盟戦略を重んじたモンゴル帝国やプロイセン王国も、政策面に関してはイギリスと共通した部分が存在する。アメリカは歴史的には殆ど間違った外交能力しか発揮してこなかったのだから、彼等の世界戦略を当てにしていては、自ら手詰まりに追い込まれに行くようなものだ。日本の真の独立には、国家を守るための独自の有形力のみならず、近代民主主義国家の同盟を主導するための哲学が必要であることを忘れてはならない。

国際政治のリアリズムを放棄して、アメリカの十字軍的な戦争をアメリカ追従という権威主義によって肯定するのであれば、同時にアメリカの白人至上主義も肯定することになってしまう。アメリカには二次大戦中には敵国からの移民であっても白人は収容所に入れなかったという歴史的事実が存在するが、一方で国連に人種差別撤廃を最初に訴えたのは日本であった。ナチスのニュルンベルク法はアメリカの人種法を参考に施行されたものであったし、公民権運動が起きたのは二次大戦後のことだ。実体を無視した宗教的な罪悪感と自罰意識を疑わず、アメリカを善として妄信して日本を悪として信仰する戦後日本人は、選民思想を肯定する人種差別主義者でしかない。斯様な戦後日本人は白人でもない癖に「白人であれば神に選ばれていて全てが正しい」と考えて世界の民主主義を破壊しているだけでしかなかろう。

日本の劣化とアメリカの伝統　愚民はパンよりもサーカスを求めている

オバマ元大統領はChangeを訴えていたが、鎗崎はアメリカの変化には賛成している。そして、それに少なからず期待してもいるというのが本心である。最悪の伝統を持ったドイツや中華に比べれば、良くも悪くも歴史が浅いアメリカが変化を起こすことは難しいことではないはずだ。

だが、トランプ前大統領の言うようにアメリカの偉大さが復興されるなら、次の戦争では核兵器や枯葉剤ではなくどの様な兵器が実戦投入されるかという点において極めて興味が深い。おそらくはサイバー攻撃やコロナウィルスよりも、更に強力な新兵器が同時に併用されることになるだろう。

最新の遺伝子組み換え技術を使えば、特定の人種、特定の地域、特定の季節にだけ流行するように制御されたウィルス兵器を創ることも夢物語ではない。複数のウィルスが互いの殺傷力を高め合うように設計することも出来るし、そうしたウィルスに対してあらかじめワクチンを用意しておくことも可能なことだ。特定の人種にだけ免疫力を落とすタンパク質を製造する蚊を秘密裏にばら撒けば、ウィルス兵器の効力は更に高まることになる。だが、非致死性の細菌やウィルスでも、敵を無力化するには十分であることは確かだ。物理的な衝撃による即効性の攻撃、生物化学的な遅効性かつ継続性の攻撃、電子的な妨害を使ったインフラシステムへの攻撃、これらを複合的に併用する先制攻撃を成功させれば、どんな敵国が相手でも最初の攻撃で継戦能力のほぼ全てを壊滅させることが出来る。敵が残存兵力を掻き集めて戦闘システムを再構築する前に、構造と機能を完全に破壊し尽くすことも可能だろう。焼夷弾に枯葉剤、放射性廃棄物をまき散らす様々な銃弾爆弾砲弾の野放図な使用によって、息が出来ない世界を創り出すことがアメリカの伝統なのだ。

現在においては、ロシアがこれを模倣しようとしているが、残念ながら彼等はアメリカよりも弱体であって、ウクライナを敗北させることすら出来なかった。もっとも、それは賢さや正義を意味しているわけではなく、単にアメリカよりも無能であるということを示しているだけの話だ。だが、リアルを認識することよりバーチャルのプロパガンダを重んじることが、ロシアもアメリカも完全に共通している。

実体をただ恐れて拒絶して、妄想的に自己肯定を行うために観念世界に自閉するという点において、勤労カルヴィニズムはドイツロマン主義と同じようなピーターパン・シンドロームであり、これらは幼稚なだけの幻夢である。ウォルト・ディズニーは白人至上主義者であったとされるが、この点はヒトラーとの共通項であった。ウォルト・ディズニーは幻夢に基づいてディズニーランドを造ったが、ヒトラーのナチスドイツは悪夢そのものだ。前者は肯定されることがあったとしても、後者は断固として拒否すべきだろう。

実存に基づいた芸術家は科学技術者でもあると言えるが、ルターやカルヴァンの観念に取り憑かれた者は宗教家にしかなれない。現代日本のオタク達も、子供のままで居ることを信仰しているようにしか見えないが、この信仰の源流の一つは確実にアメリカやドイツに存在している。カート・アンダーセンの『ファンタジーランド』で指摘されていたが、金と嘘に基づいて国を構築するならば、ディズニーランド以上に夢想的な観念化社会にしか成り得ない。

アメリカンドリームと呼ばれている妄想の実体は、個人の経済的成功や地位の獲得、つまりは金と見栄だけを目指すだけのミーイズムに過ぎず、公共の繁栄を目的とする類のものではない。これは、カルヴァン派の蓄財選民思想の派生観念であって、大人が持つべき公共への義務といった価値観は含まれておらず、現代のあらゆる社会問題を創り出した元凶の一つである。アメリカの貧富の格差は政府の無策によるところが大きいが、その無策な政府を望んでいるのは個人利益以外を考えないアメリカ人であるのだから、これこそが自業自得というものだろう。アメリカンドリームもドイツロマン主義もルネサンス思想からは最も遠い妄想観念であって、これらは理想主義や実体的な美意識ではなく、正義なき動物的欲望であり、「裕福な奴隷」であることを求める政治的無関心であって、「自らが全てにおいて正しい」という狂信でしかなく、子供のままでいることへの執着に過ぎないものだ。

イギリスのロバート・オーウェルの労使協調はその成功を嫉妬されたが故に「空想的社会主義」と揶揄されたが、この個人的成功以外に関心を持たない自閉的な精神は勤労カルヴィニズムの選民思想の延長であるのだから「空想的選民思想」と呼ぶべきだろう。他人を救うことを考えず、自分だけが救われることを考え、選民思想を信じ、利権の独占と保身に全力を尽くす、拝金主義の冷血な富豪こそがアメリカンヒーローの実像である。アメリカの証券会社には、損失を埋めるために政府から受け取った補助金を幹部のボーナスの支給に使い込み、補助金を返還させられた会社までもが存在しているのだ。

トランプ前大統領やヒトラーは、国家を愚かにすることには興味を持っていても国家を豊かにすることには興味を持っておらず、彼等はそれが出来ると大衆に思い込ませる嘘を吹聴することによって支持率を獲得している。実体的な意見を伝えることが民主主義の根幹だが、意見など無くともとりあえず好かれておくことが商業主義の基本であることは間違いがない。嘘の愛情によって銭を儲ける彼等の手法は、まさに売春そのものであると言えよう。トランプ前大統領やヒトラーを見る限り、彼等のようなロマン主義者は他者を騙していることを自覚出来ない点において真の意味での騙しの天才である。だが、他人を騙していることを自覚出来ない彼等彼女等は、その誠意の欠如故に自らを騙していることも自覚出来ないだろう。

蓄財を重んじる扇動屋達は、仕事で取り扱うべき内容については無知であっても儲けを出すことには熱心であり、現代においては彼等のマーケティングが政治を乗っ取ってしまった。衆人の関心を集めてモノやサービスを売ることさえ出来ればいいという価値観は、権威に評価されることが人間の全てであって公平性や実体結果は取るに足らないという奴隷意思論に類似した観念である。マーケティング技術の濫用は、非営利の目的のための公領域をカスタマー向けの私領域に変化させ、それによって公領域を徹底的に破壊してしまった。営利主義とロマン主義を合成して作られる麻薬的娯楽は、文化というよりも単なるサブカルチャーに過ぎない。高度な芸術性を有した文化を咀嚼し理解することは、実体性や論理性が伴わない媚び売りのサブカルチャーを消費することとは完全に別の事柄でしかないのだ。

公共に貢献することもなく、一獲千金の金持ちになることだけを目指す人生は、社会的貧しさの反映に過ぎない。その貧しさの中で金持ちになることを目指さない者は妄想に逃げるだけであって、文明社会を築き上げることは中々に考えられない。現代のマーケティング技術が生んだものは、承認欲求の具現化であるオタクアニメと宗教的な自己啓発本という二つの野蛮である。だが、個人に肯定を提供するだけの斯様なものは科学技術や政治哲学とは程遠く、国家の繁栄のためには殆ど役に立たない。公共心を持たないマーケターと向上心を持たない客達によって、イノベーションが起きない市場が形成されたわけだ。

教育の本来の目的とは国力を増大させることであって、それは子供達を現実逃避的なアニメオタクに育てないことだ。何をも生み出さない快楽の追及にのみ熱心なオタクは、ものごとの表層しか認知することが出来ない。彼等が二次元を愛好するのは、三次元の構造的で実体的な美を認知出来ないことが原因だろう。事実に興味を持たず、快楽以外に無関心なオタク達は、誠意というものを全く持っていない。「名だけを見て、実を視れず」のオタク達が、権威の観念的な煽動に永久に騙され続けるのは必然のことでしかない。

オタク向けのアニメには人体の三次元的な機能美も無ければ物語のテーマも存在せず、そこから学べることは殆どない。だが、柔道からは身体における科学技術を学べるが故に、末端の力みを抜き取ることが出来る。力みとは、物理的な速さを否定して動きを止めるものであって、ただ固まって何もしないための力であり、精神にも影響を及ぼして判断能力を鈍足化させるものでもあって、これは拘束の具現化であると言える。学校の体育とは個人に力みを刷り込むための洗脳に過ぎないものだが、個人の出力を減衰させる斯様な愚民化は、国家全体に力みを与えて国力を棄損する呪詛でしかない。

脱力して立ち、尾てい骨と頭を繋ぎ、背と腰の連動力で歩くという身体工学の基本は、あらゆる場面で役に立つ。身体構造の機能美を認知する感性がなければ、「あらみたま」と判断能力の噛み合わせが分断される。単に己の動きを意識するのではなくて、己の判断と世界の動きの関係性を意識すれば、己の視野を広くすることが出来る。心と体を、意思と実存を繋ぐことが出来ないなら、困難に立ち向かい、危機において何かを為すことは不可能だ。

間違った力の入れ方に注力すれば、己の体を壊す結果に終わるだけではなく、余計なことだけを考えるような頭も生まれてしまう。無駄な力を叩きつけることではなく、勢いを噛み合わせてコントロールを突き込むことが理解出来れば、丹田で的を狙う「間合い感」が鋭敏になる。手元で力むのではなく、間合いの先に意識を合わせることによって、体幹の力を的確に伝達させることが可能となる。アーツを放棄した力みは入力を最大化するが、神経の繋がりと意思の伝達を意識する認知と制御こそが出力を最大化する。

人間の活動は己が動くこと以上に己の外を動かすことが目的であって、それが故に己の外を知る意識が無ければ己の身体を動かすことも不可能となる。自分のこと以外を考えられない精神では己の外の実存を動かすことなど出来るわけもなく、拒絶しかしない者は観察力を持ちえない。意識を研ぎ澄ますことが出来なければ構造を視ることも出来ず、あらゆる「認知と制御と出力」の繋がりは不全化する。

馬鹿の力任せでは制御を理解出来るわけもないが、正解の暗記によって全てを解決しようという発想は、完全にクリーンでノイズも外乱がない状態でしか機能し得ないか、或いはそれでも機能し得ない。これは解析の放棄である以上に、自己を猜疑する能力の否定であって、状況に対して有効な手を打つ意識の放棄であり、人間の成長を阻害するものでしかない。固定された不動の正解を求める心理は、流動的に動くことの否定であって、固定観念を疑う機能を殺すだけだ。変化を拒絶するために正解を求める心理は、思考停止するために思考を行うという倒錯であって、それは単なる現実逃避による実体の無視以外の何物でもない。手段の完全性を求めて結果を考えないのであれば、意思と未来が繋がることはなかろう。

「心身の全てにおいて、やり方を固定し、解を暗記させ、ものごとを分析させない」という科学的な意識の否定こそが、現代教育の特徴である。学校は人間個々人が自分で動くことを許さないが故に、自分で分析することをまるで教えない。学校の教育内容もその全てが必要ないとまでは言わないが、学校で学ばない方が是であることは確かだろう。形式主義とは観察を否定する暗記への信仰であって、判断と行動の分断を脳に刷り込むための洗脳でしかない。絶対の正解を求める心性は、「構造の視切り」の否定であり、正解以外では絶対に失敗すると考える悲観的な妄想であって、正解に従わない者を弾圧する野蛮さである。諸行無常の「もののあはれ」に幽玄の美を感じられる人間は権威にとって邪魔で仕方がないだろうが、我々は観念的な正解を求める思考から脱却しなければならない。「こうしなければならない」と思い込んで、「どうすれば上手くいくか」を考えないならば、問題解決が起こるはずがないのだ。

正攻法の強制とは、観念論と形式主義の混合物であって、新規性や向上心を否定する迷妄たる善意である。権威の言うことを聞くことだけを意識させ、自らの意思で構造の観察を行うことを忘却させるために、正解という名前の非合理が存在していることは自由を失うということであり、形式主義とは正解を一つに固定することで意思決定を否定するものであるが、学校が強制する正解は己で何も判断せずにただ権威に従うことであって、これは自分がどこにもいないという意味でしかない。これは、「己に適した上手くいくやり方」を許さない「こうしなければならない」という不寛容に過ぎない。

　行儀という姿勢は、力みを造るだけのものであって、身体の外の的に対して出力する意識を徹底的に不全化させる。行儀とは、強制される正解の典型であって、動きを止めるための身体的硬直であるが、これほどに合理性に反した形式も存在しない。行儀とは、体幹力の阻害であって、インナーマッスルを硬直させる拘束であり、己の意思と身体構造を的確に噛み合わるアーツの対極であって、自縄自縛のための力を入れる不合理であり、活動力の否定そのものであって、万人を無力化するための最低の形の平等への信仰だ。出来るだけ力を要さない動き方が洗練された動きであるが、学校の体育は行儀と同じように力むだけで効果的な動きを創らない「悪い癖」を刷り込んでいる。「悪い癖」は効率を否定して出力を失わせてしまう停滞であるどころか、自らの身体構造を破壊する制御不全である。行儀とは、体を痛めた高齢者を大量に作り出した最大の原因であるだろうが、精神における内発的駆動力を損失させる点において最低である。「権威の言うことを聞くこと以外は何もさせてはならない」という自由の否定こそが、儒教における本質的な信仰なのだ。

　単に動くだけのことには意思決定が存在しない。外に力を伝えることもなく、内に力を入れるだけの徒労は、望ましい結果を何も創らない。実体を無視して観念的な正解を求めることではなくて、構造と機能を制御することこそがアーツというものだ。脱力とは思考停止して力を抜くことではなく体幹を柔らかくすることを意味するものであって、上半身と下半身を繋ぐ軸を使いこなすことで爆発力を発揮する制御である。政府という最も巨大な権力の行使について考えるためにも、自らの身体という最も身近な権力の行使について考える意識が必要であって、有形力の否定とは文明の否定そのものだ。

　日本の伝統的なアーツは、「認知と制御と出力」の回転力を高めることであって、己で視て己の判断によって動く「構造の視切り」であり、「理合い」という技の本質を求める芸術的知性であって、近代的な射撃技術や自動車の操縦にも問題なく応用出来る人機一体である。これは、身体という最初の機械を使いこなすシステムの力であり、本質的に機能美を求める哲学的なマインドである。柔道も剣道も構造と機能の解析と制御であるが、分析をすっ飛ばして結論だけを欲する知能の否定は結果の制御から最も遠い。文明の源は理解して工夫する探究心であって、権威が定めた正解を守ることではない。己の身体の構造を認知することが出来ないならば、己の意思によって己の身体と関わることは不可能だ。何も観察せずにただ思い込むだけならば、何も学習しないだけであって、それは究極的なまでの向学心の否定に過ぎない。

　現代において、オタク向けの広告が日本のあらゆる場所に野放図に張られているのは、人々が身体性や合理性を忘れ、それによって実体性を失ったことが大きな原因であろう。公共社会を妄想のテーマパークにすることは、国家の幼稚化そのものだ。個人利益主義者達が望む観念によって実体構造の表層を書き換えることには、一切における生産性がない。分かりやすさだけで世界を埋めるならば、漫画すらも本屋から消えてヌード写真集以外が全て消滅する日が来るだろうが、おそらくその写真集は芸術性が一切に欠如していることだろう。これは比喩でもなんでもなく、現状のオタク向けの広告は既に似たような状態である。

　殆どの商品は顧客個人のためのものであって、社会全体のためのものではない。公共心を説くことや向学心を重んじることより、麻薬的自己肯定や動物的快楽欲求を満たすことの方が売れるのが現代社会である。顧客の欲求だけに合わせて社会が発達すれば、顧客という個人と売り手という法人以外の思考以外は消滅し、公共全体のための思考や実体的な産業力、伝統的な芸術性がオタク的な卑しさによって殺されてしまう。

　「パンとサーカス」はローマの堕落を示す風刺であって、「人民はパンを求めている」とはマルクスの言葉であるが、「愚民はパンよりもサーカスを求めている」のが現実である。それ故に、社会に何ら役に立たない商品と社会に何ら役に立たない思考だけがコロナウィルス以上に蔓延しているというわけだ。一億人のミーイズムを集合させたところでそれは公共性には成り得ないが、個人利益についてしか考えられない社会は確実に滅ぶ。出産や教育等の国家を支えるための消費はオタクアニメのような単なる個人的な消費とは完全に別物だが、現代においては後者を優先する資本主義が産業活動を壊しているようにすら見える。

　愚か者がどのような妄想を抱こうと、実体に基づいた社会的合理性と経済学における観念合理性は一致することはなく、それ故に市場原理主義とは虚構的な宗教でしかない。権威主義者に支配された政府であっても、宗教的な市場原理主義であっても、金を得ること自体を目的とした私人的な営利に走ることは同じであって、公共の福祉は徹底的に破壊される。だが、政治哲学や科学技術を理解することと違って、金と宗教を信じ込むことには努力が必要ないのも確かだ。近代国家が欲している者は公共を考える主体的で勇敢な国民であるが、自由市場が欲している者は権威と金に従うだけの臆病で不自由な奴隷労働力であって、市場原理主義が進めば民主主義社会は絶対に破壊される運命にある。そして、自由市場は営利を追求する存在なのだから、営利と直結し得ない科学技術は弾圧され、それによって人類の歴史は衰退することだろう。

　公平性を否定する勤労カルヴィニズムにおいては一身上の成功以上のことを目的とすることが出来ず、国家公共を重んじる人間は侮蔑されるが、それは市場原理主義には適うことだ。出世して金持ちになって貧乏人を差別と搾取の対象にすることを目指すアメリカンドリームが存在するうちは、汚れ仕事をやらされるジョン・ランボーに敬意が払われる日は永遠に来ることがない。ランボーが戦ったベトナム・アフガニスタン・ミャンマーの全てにおいて、アメリカの政策は失敗したが、「勝てば選民」に基づいて十字軍を繰り返す彼等も負け続けであるのだから、そろそろ自らが選民ではない可能性を考えた方がいいだろう。

　商業主義においては英雄とリアルが尊重される事はなく、客寄せのためのアイドルと傍観するためのヴァーチャルが求められて、政治的なリーダーを押し退ける自閉的な個人利益主義者が大統領となってしまった。人間は主観的な生き物であるが故に、主観に客観性を並立させる意識を持って己の意見と実体的な根拠を照らし合わせることが議論においては必要となる。だが、それが出来ないトランプ前大統領は、「己の非を認めないことが強さである」という倒錯を信仰する有様であった。

アメリカンドリームとは、社会全体の向上を目的として政治を考えることではなくて、椅子取り競争で勝つという自己優越化願望でしかない。これは、黒人奴隷農場の主かアウシュヴィッツの所長に出世する程度のことを目指す個人利益主義であって、人間関係を搾取と略奪として捉えるだけのものに過ぎない。勝つか負けるかしか考えられないなら、他者を潰すべき相手としてしか認識出来ず、他者の心を理解することは絶対に不可能だ。であるが故に、政治が放棄された競争社会では、甘えるだけの幼児、世間体を偽るだけの表層的な大人、権威主義的で冷血な長老、この三つで構成されることになる。

勤労カルヴィニズムのアメリカは、チャップリンが「モダン・タイムス」で批判したフォード社のような管理労働を生み出した。恐ろしいことに、フォードは労働者の私生活にまで逐一干渉するという有様で、彼にはデモ隊を射殺した経歴が存在している上に、ナチスのシンパでもあったという事実までもある始末だ。アメリカでもドイツでも運命予定説と奴隷意思論が人間を労働する歯車に変えるのだろうが、これらは人間の精神を徹底的に否定するという意味において唯物論そのものでしかない。

二十世紀前半までの世界には、国際法を守ることが一応の意識として存在していたが、それは覇権国家のイギリスが法律を伴った国家であったが故にだ。だが、アメリカとは勤労カルヴィニズムで統合されたカラーギャング的な「白の群れ」であるが故に、法治意識よりも人種主義が重んじられる。現代のアメリカにおいては、「黒の群れ」も存在しているが、これはアメリカが国民の統合に失敗した結果に過ぎない。全権委任法を作って法治を否定したヒトラーも、イギリスのマグナ・カルタのような社会契約を否定して人治主義を重んじていたが、ここには文明と野蛮の究極的な差が存在している。彼等は、自らと少しでも異なる者を全て排除しなければ気が済まないほどに臆病で不合理で不寛容で、単に心が狭いだけなのだ。

このような志向を持つアメリカが一九七一年の文化大革命の最中の中華と国交を結んだのは、国の西部で異民族の虐殺を行うことに関して宗教的な同志関係を見出したように見えるものだ。中華共産党によるチベットへの侵略をアメリカ的な運命論であるマニュフェストディスティニーと捉えたとしても、そうは違和感を覚えるところはない。現代においてそれが一定に批判されているのは異民族の虐殺は白人の特権であると悔い改めたのかも知れないが、人類史を鑑みればこれは白人の特権ではなかったこともまた事実だ。

ナチスもアメリカも勤労カルヴィニズムの狂信者であったが、前者は「東方生存圏」を主張し、後者は「西方生存圏」であったという差が存在する。アメリカとナチスの最大の違いは、思想の方向性ではなくて侵略の方向性であって、国家的目標を持つこともなく、民族主義的運命論によって、人種差別的な侵略に勤しむという点が彼等の最大の共通点であった。大日本帝国の八紘一宇は人種差別的であったとまでは言えないため、アメリカとは侵略の方向性が一致していたとしても、思想の方向性は異なっている。

中華もアメリカも社会基盤が宗教に立脚していて、そしてそれぞれの宗教は選民思想を帯びた低福祉国家という共通点を持っている。文化大革命の最中にはお茶が贅沢品として弾圧を受けたが、これを見たアメリカがボストン茶会事件を想起して熱狂的に支持した可能性は、イラクに大量破壊兵器が存在していた可能性よりは高いように思えるものだ。

自分に同調しない者は完全に排除すればいい。気に食わない者は一切全て殺してしまえばいい。こうした不寛容は、実体性と公平性に反するだけではなく、功利性にも反することが殆どだ。だが、観察と思考を停止して、妄信の元に銃を発砲すれば全てが解決するという迷夢もアメリカンドリームであって、こうした迷夢が高校での銃撃事件という悪夢を引き起こす。現状の国会議事堂への襲撃事件を見る限り、そのうちに現在のミャンマーのようなやり方でアメリカの大統領を決める日が来ることだろう。

妄想の中で生活していれば、北朝鮮のミサイルの実体は認知できなくなろうとも、頭の中のイラクのミサイルの観念だけを認識することが必然であるのかも知れない。無いことを証明することは不可能であるが、大量破壊兵器が存在するというのならば、大量破壊兵器の存在に繋がる痕跡の構造が存在しているはずだ。なんらかの機能や効果があるならば、そこに構造が存在していることが必然であって、人間はものごとの「機能的な繋がり」を追跡することによって、未知を追求することが出来る。単一の組成で存在するものであっても、周囲との繋がりが存在しているのだから、そこには構造が存在していないわけではないのだ。

　しかし、アメリカの政権は実体構造を広く調べることもなく、悪の枢軸のイラクは大量破壊兵器を絶対に持っているはずだという善悪二元論を信じることにしたのだ。善悪二元論を妄信して「全肯定か全否定か」しかないならば、あらゆる議論も交渉も批判も成立するわけがない。実体構造を観察せずに自らにとって都合のいい観念を妄信する反知性は、どんな大量破壊兵器よりも甚大な被害をもたらす。

　そして、ミサイルの有無以上に大きな幻夢がイラク戦争には存在した。フセイン政権を倒したはいいが、民主主義国家が簡単に成立するということこそがまさに最大のアメリカンドリームであったのだ。開戦の決定以上にその後の占領政策においてこそ、アメリカの愚かさがこれでもかと言うほどに発揮され、イラクはアメリカの傭兵企業による虐殺とテロリストによる反撃が繰り返される泥沼状態となった。「金のみ、暴力のみ、宗教のみ」といった「排除の論理」でしか纏まれないならば、政治的創造などは絶対に不可能だ。

　そういえば、中華が豊かになれば民主化するというアメリカの予測も存在していたが、これも幻想に過ぎなかった。だが、中華のような言論の自由なき自由市場は、勤労カルヴィニズムからすれば最も理想とされる社会であって、それこそが人の言わざる口の奴隷意思論と「神の見えざる手」の運命予定説が同時に具現化された社会である。実際にアメリカには、中華のような体制を是として民主主義を否定する新反動主義者と呼ばれるリバタリアンも存在している。野放図な彼等は、産業主義と政治的自由の組み合わせよりも、資本主義と権威主義の婚姻を愛しているのだから、香港国家安全維持法のような法律を望んでいるのだろう。

民主主義が無くなった資本主義の世界では民放も刑法もなくなって奴隷制が跋扈することが必然であるが、勤労カルヴィニズムを妄信する彼等は奴隷制を何よりも欲しているということだ。

　こうした伝統を考えれば、アメリカにとっての自由とは、やはり権威主義的ミーイズムを意味する言葉なのだろう。彼等は、権威に許されることだけを考えていて、人間らしく己で世界を変えることなど最初から求めていない。市場原理主義が強まれば強まるほど民主主義は破壊され、アメリカの権威主義国家としての性質が激化して、最後には白人至上主義者が支配する全体主義社会へと変貌するだろうが、これは現在のロシアに近い社会である。自由市場による国際貿易ネットワークが戦争を抑止するという考えも存在していたが、これが妄想に過ぎなかったことも現在のロシアが証明したことだ。

　アメリカも中華も、公共理念や実体産業には無関心で、蓄財と選民思想にしか興味を持っていない点が完全に同じである。創造を行うことには教育が必要だが、裕福な消費者であるためにはそれが必要ない。ものを造らずに何でも買えばいいという発想は、国民の思考と地球環境を徹底的に破壊する。斯様なる資本による不自由こそが、徹底した権威主義を目指す勤労カルヴィニズムの本質であろう。

　カトリックでは、寄付は自らの財産の割合に応じてという価値観が存在し、「金持ちが天国に入るよりも、ラクダが針の穴を通る方がまだ簡単である」と言われている。だが、勤労カルヴィニズムでは蓄財こそ選民の証なのだから、逮捕されなければ節税も脱税も道徳であって、現状の格差社会こそが理想の状態なのだ。むしろ、貧富の格差が小さくなれば選民と非選民を分断する証が無くなるのだから、それは信仰に反する。

　偽善的な結論を観念的な出鱈目によって正当化しようとする点において、アメリカの言論は現代の神学と呼ぶに相応しいが、この神学はイギリス経験論という近代科学技術の基を創り上げたイギリスからすれば、物笑いの種でしかないだろう。構造を無視した思考停止の行動がアメリカの信仰であって、プラグマティズムと呼ばれるアメリカンマインドはイギリス経験論の功利主義とは完全に異なるものであるが、アメリカの白人至上主義者達による進化論の否定と地球平面説の肯定というホワイトジョークは、イギリス人のブラックジョークよりも遥かに笑えることだけは確かだろう。

現実政治を行う日本　特攻は士道の外道　日の本一のつわもの

日本の明治維新は、薩長土肥が尊王攘夷を訴えて討幕したことによって成立したものだ。この運動には幕府の儒教的身分支配体制の破壊という現実的な目的が存在し、宗教的な信仰による革命ではなかった。明治日本とは江戸時代やそれ以前からの歴史の流れと断絶されたものではなく、オランダやアメリカの革命のように宗教を基盤として突発的に起きたものではない。この明治維新が無ければ儒教的身分制度を打ち破れず、日本の近代化もトルコやエジプトと同じように失敗したはずだ。

明治維新は国学を基盤とするものであって、ヨーロッパのルネサンス運動と同じ性格を持っていたが故に、日本は紆余曲折を経ながらも表現の自由や参政権等の近代理念を実現化させることが出来た。明治政府はイギリス型の立憲君主国家を作ろうとしたが、信長や秀吉の国家主義を引き継いだ側面も存在している。「和魂洋才」という言葉が明治では流行したが、どちらも本質的には同じものだろう。

明治維新が宗教的な運動であったならば、薩摩が公武合体論を唱えることはなかっただろう。明治維新とは尊王攘夷をイデオロギーとしてそれ以外を排他的に弾圧する運動ではなかったが故に、維新後は攘夷ではなく開国に切り替えられるだけの政治的なバランス感覚が存在していた。

「勝てば官軍負ければ賊軍」に見られる現実性と政治的バランス感覚が日本の伝統であって、忠孝と言った儒教的な妄念は輸入品でしかないことは北条政子の「御恩と奉公」からも明らかだ。「官軍こそが善で賊軍は全てが悪」という観念的な二元論は日本には存在していない。「君君たらずといえども臣臣たらざるべからず」という権威の都合を訴える儒教的な妄言は、戦国以前の武士からすれば笑い話でしかないだろう。
日本の武士が伝統的に重んじたものは、信仰ではなくて実体的利益であり、つまりは功利主義であった。一切の利己主義を否定して滅私奉公を強制することは契約価値の否定であって、不公平の強制に過ぎない。「御恩と奉公」の鎌倉幕府も元寇に対する防御への恩賞を払えなかった故に崩壊してしまったわけであって、鎌倉武士は不公平に折れることを我慢として信仰することはなかった。実は、忠義の人とされることが多い楠木正成であっても、後醍醐天皇から大都会の畿内の所領という莫大極まる恩賞を受け取っている。

日本にはリアリズムの伝統が存在し、実体情勢を考えた上で意思決定を行う文化を持つが故に、明治政府は現実政治を行うことが出来た。維新志士がテロリストではあったことは事実だが、尊王攘夷を宗教的に妄信するカルト宗教集団ではなかった。必要とあらば武断的な手段も用いることが政治であって、それは観念的な信仰のために有形力を用いる宗教テロとは異なっている。だがそもそも、民主主義と無縁な江戸幕府は戦国時代の法律からしても合法政権ではなかったのだから、武力で倒されることは必然であった。

維新志士が宗教的な尊王論者でなかったということは、維新後の伊藤博文が明治天皇の意見に反した行動も多かったという事実からも裏付けられる。実は、伊藤博文を暗殺した犯人も、伊藤が主君への不忠者であると儒教的な価値観によって批判している。

明治天皇も「建武の新政」を目指さずに、近代的な立憲君主であろうと務め、一個人として極めて優れた政治感覚を持っていた。立憲君主の明治天皇と専制君主ヴィルヘルム二世の差は、明治日本の躍進とドイツ帝国の没落という歴史の明暗を造り出すことになったわけだ。

明治維新の立役者の吉田松陰は国学だけではなく軍学も研究し、『西洋歩兵論』という兵術書を叙述したが、太平の江戸の世で武士は堕落したと彼は訴えている。儒教的な精神論に走るだけの武士は戦国武士でもなければ維新志士でもなく、幕府に飼われた文官に過ぎない。精神論とは知性を捨てればうまくいくという発想であり、現代でも横行しているものであるが、これは神官を利するだけの愚民化でしかない。

切腹して死ぬことが武士らしいことであるとされたのは戦争がない江戸時代以降に強まった風習であって、古来においては敵と刺し違えて最期を迎えることが名誉であるとされていた。真田幸村という日本で最も武名を轟かせた戦国武士は切腹ではなく討ち死にを遂げているし、「島津の退き口」も有名な故事であろう。源平の戦いまで遡るならば、平教経の最期も有名な逸話である。

さて、どういうわけか戦後社会では特攻が賛美されて陶酔されることすらある。だが、迎撃されることが多過ぎた特攻は敵と刺し違える武士の死に様とは言い難く、自爆攻撃としては完璧に失敗した自殺行為でしかなかった。この作戦は岩本徹三中尉をはじめとしたエースパイロット達に、当時から猛烈に批判されていた。特攻作戦を立案した上層部すらもが、特攻作戦を「統帥の外道」と称していたのだから、まさか自分達の作戦が敗戦後に崇められるといった事態を生むとは誰も考えて居なかったことだろう。特攻とはその戦果ではなくて、往々にして忠孝といった精神面が評価されているが、それは現代という時代が科学的合理性ではなくて道徳的精神が重んじられるというヴァーチャリズムの時代であるが故にだろう。本当に敵を倒したいと思っているのであれば、特攻のような愚かな方法を取るわけはないのだから。

戦国時代以前では、「武士の死は戦果を伴ったものであるべし」という現実的な考え方が強く、特攻のような死に方は褒められる類のものではなかった。科学的な解析意識を否定して唯心論に走ることは、戦争を宗教儀式であると誤認しているだけでしかない。実体的武勇を軽視して観念的忠孝を重んじる精神は、日本古来のものではなく大陸由来の儒教的な文治思想に過ぎない。儒教的な精神を重んじて果てることに信仰を見出したのが白虎隊の逸話であるが、領民から苛烈な搾取を行った会津藩は儒教的な教育に熱心であった。

西郷隆盛のような上級指揮官でもなければ、敵と刺し違えて死ぬことが武士の責務であって、切腹することは義務でも何でもない。勇気と蒙昧を取り違えてはならないし、儒教への殉教精神などは堕落そのものである。見栄を張ることだけを求める者は武士の本質を失っているに過ぎず、手段と感傷を重んじて結果と道理を軽視する蒙昧野蛮な価値観では近代を成立させることは絶対に不可能だ。

　この白虎隊の説話にヒトラーは大変ご執心していたようで、ヒトラー・ユーゲントが来日した際には、わざわざ会津の白虎隊の墓参りに行かせたという事実がある。ヒトラーはこの御涙頂戴にドイツロマン主義的なセンチメンタリズムを感じ取ったのかも知れないが、その十年後にはヒトラー自身が自殺を遂げることになり、ある意味においては彼の本願は叶ったと言えた。

　ロマン主義的で迷妄な煽動を好んだヒトラーの心性は横に置いておくとして、一つだけ確実に言えることがある。それは、太平洋戦争中の「日本一のつわもの」の称号は特攻作戦を立案した大西瀧治郎や源田実などの将ではなく、硫黄島で奮戦した栗林中将にこそ相応しいということだ。楠正成の千早赤阪の戦いに見られるように、地形を活用して効率的な防御戦闘を行うことは、日本古来の戦術伝統であって、硫黄島の戦いこそが日本人の歴史精神そのものだろう。

　武士とは、武勇と機能美に基づく己の名誉を目指す存在である。武士とは、知恵と技巧によって戦勝を目指す文明的な戦士である。忠孝によって権威に与えられる観念的名声は、虚構的な自己顕示欲か宗教的なプロパガンダかでしかない。他人からどう見られるかを気にする小心は、実体を観察する意識から最も遠いものだろう。虚飾と妄想以外を認知出来ないロマン主義者は、武士から最も遠い存在なのだ。

　武士の持つべきものは、科学技術を重んじる探究心と最期は刺し違えて死ぬという執念であって、技も策もなく単に自暴自棄になればよいという話はどこにも存在していない。特攻のように己を守ることを考えないというのならば、敵を打ち倒すことは出来ないどころか友軍を守ることも不可能となる。文化相対主義によって実体判断と観念妄想を同等に扱うようでは、何度戦っても勝てるわけがないのだ。

「もののあはれ」を知ることは己の理性と感性によって主体的に実体と向き合うことであるが、これは科学技術を生み出す感性である。科学技術の本質とは「認知と制御と出力」であって、それは「心技体の調和」や「気剣体の一致」と呼ばれるものと同じものだ。権威が強制する非合理な習慣は己の内面に精神的な力みを形成させるためのものであって、精神の力みを取り除かなければ身体を力まずに制御することも難しい。

　己の意思と己の身体と己の外部を噛み合わせ、それによって結果を創造する術が日本の武の伝統である。体幹の力を間合いの先に合理的に噛み合わせる感覚をして「槍の理合い」とでも呼ぶべきだろうが、この感覚は己の意思決定で空間的かつ時間的な先の結果を創造する工学に似ている部分があるかも知れない。勢いに任せてコントロールを放棄するならアーツから遠ざかるだけであって、「知性が力を創り出す」という真実について我々は良く知っておく必要がある。「気剣体の一致」とは「己の外を動かすための力と己が動く力を一致させること」であるが、己の意思によって己の外部の実存を動かすものがアーツであると言えよう。

　実際に戦果を挙げていた戦国武士とは対照的に、特攻の大部分は標的に辿り着く前に迎撃される様相であって、特攻隊員の死は有効な戦果を伴ったものではなかった。レーダーの軽視は認知能力の否定であって、当てる力の欠如そのものであり、観察力抜きの突破力は役に立つはずもない。敵の構造と機能の繋がりを破壊する意思をまるで示すことが無かった帝国海軍が、武士と呼べるはずもなかろう。

　帝国海軍は、航空作戦も酷かったが、それ以上に戦艦の運用も劣悪であった。彼等の大艦巨砲主義というものは火器管制を無視したものであって、意思決定を伴わないスペックの高さであり、単なる粗雑な乱暴であって、コントロールの否定そのものでしかなかった。斯様な蛮習が具現化した戦艦は、意地の張り合い以外の何物でもなく、性能を活かすことも出来ずに沈没していくことが必然であったのだ。

　無思慮な命令によって無意味に命を消耗することは、国家への謀反と部下に対する不敬であって、兵を奴隷的所有物として扱う権威主義の具現である。兵士個々人に権力の主体であることを自覚させず、上官の奴隷という権威への従属物であることを強制するならば、士気も判断能力も壊滅して略奪が横行することが歴史の経験則だ。実体を無視した権威の恣意的な決定に思考停止して隷属することは、自由意思の否定であると同時に結果の否定でもある。

日本の伝統である山岳森林海洋の複雑な地形の中で機先を取る戦術は、兵の命を最大限に活用するものである。これは、兵員個々人の判断力と敢闘精神が無ければ絶対に成立することが無い。高杉晋作の奇兵隊もゲリラ・コマンド集団であったが、忍者の如き戦い方を完璧に遂行していた。

しかし、我慢のための我慢や忍耐のための忍耐といった非合理への信仰は、用心の放棄であり、狡知の否定であって、それらは海軍精神であったとしても忍術からは程遠い。彼等の惨状を観察すれば、粗暴さと強さというものは完全に別物であるということがよくわかる。勇気なき野蛮を崇めることほどに憶病なことは、他に存在しないだろう。恐れによって人を動かそうとする権威主義は、敵の脅しによって簡単に陽動される軍隊しか作れず、それは的確な指揮系統というものから最も遠い儒教的権威序列に過ぎない。斯様な軍隊は敵の突貫攻撃によって命を失うよりも先に、敵の攪乱攻撃によって指揮系統と戦闘機能を喪失するだけだ。

権威主義による同調圧力と機能的な指揮系統は、完全に対極的な形態である。前者は皆が己の意思決定に何ら責を負わずにただ群れに癒着的に同化することで、後者は「個の意識」を持った上で他者と機能的に協働することだ。権威に従うための思考と権威に従わせるための有形力は、非権威を弾圧することや組織に思考停止して順応することに向いていたとしても、戦勝を得るための能力からは最も遠い。

二次大戦の最後には長崎の浦上天主堂が核爆弾によって破壊されたが、当時は日本よりもアメリカの方が信仰心が薄かった可能性もある。原子爆弾を設計したのはナチスに迫害されてヨーロッパから避難したユダヤ人の科学者集団であった。濃縮プルトニウムの爆弾を使用する権利はアメリカの白人が握ったわけであって、この結果に地獄のヒトラーは狂喜乱舞したことであろう。なんであれども、核爆弾による都市爆撃によってそれまでの戦争の在り方が融解してしまったことは確かなことだ。日本はアメリカに戦争で負けたというより、アインシュタインの科学技術の前に降伏せざるを得なくなったということが歴史の本質である。

現代の我々は死者の死を意味のあるものにするために、特攻を盲目的に信仰するのではなく、陸軍の栗林中将のように有効な作戦を計画しなかった海軍の組織体制を批判しなければならない。実体を無視して美談に仕立て上げるのは御涙頂戴の扇動であって、戦争という権力的な事象を権威として崇める政教一致に過ぎない。そもそも、泣いて誤魔化すことは赤ん坊の態度そのものであって、政治がすべきことではなかろう。

感傷・共感・承認によって実体的な問題が無視されることは、宗教的な思考停止でしかない。斯様なる唯心論的な我慢は、士道に反する悲観的なだけの観念妄想である。論理を否定すれば全ての交渉に勝てると考える愚か者は知性を否定しているのだから、その後に起こる有形力を使った交渉において勝てるはずがない。武勇という「力への意志」を、忠孝という奴隷意思論に摩り替えることは、日本の伝統ではなかった。

帝国海軍の敬虔な精神は問題を隠蔽するための虚飾的なプロパガンダの役には立つが、敵を倒すためにはとてもではないが使えたものではない。憲法九条が改正されたところで国民を騙す根性論と観念論が信仰されるならば、日本の軍隊は十字軍以上のものには成り得るはずもないだろう。我々は日本の敗戦を終えるために、天皇主権説の根源である儒教を殺さなければならないのだ。

儒教は日本の非伝統　近代国民国家と高貴なる義務

古来から、日本は有益とみなしたものを海外から積極的に受け入れる風習があった。だが、それは有益であると見做された場合にのみ取り入れるということの裏返しである。伝統的にリアリズムを重んじる日本が仏教を取り入れたのは、仏教が政教一致を主張するイデオロギーではなかったが故にだろう。

事実として、政治権力よりも宗教権威の優越を説く一向宗は苛烈な宗教一揆を起こしかねないため、時の政治権力から徹底的に取り締まられていた。宗教に基づいた暴動ばかりを起こしていた一向宗は、ヨーロッパのプロテスタント過激派と同類であったと言えるだろう。現代ヨーロッパのイスラム過激派は俗世の法律よりも神の法律である戒律を優先しているが、国連の決議を無視して十字軍を敢行したり、選挙の結果を否定するために暴動を扇動するアメリカの大統領達も、イスラム過激派と同じ性質を持っている。アメリカが現代のローマ帝国を自称することは多いが、その実態は神聖ローマ帝国に過ぎない。

我々日本人が儒教と呼ぶ観念論は、江戸時代に朱子学が官学認定されてから広まったものだ。実は儒教の伝来は江戸よりもはるかに早く、既に鎌倉時代には儒教の学校である足利学校なども存在していた。とはいえ、戦乱の多かった日本では儒教は見向きもされず、足利学校では易学や医学や兵学に人気があったようだ。朱子学以前の儒教は宗教と分類されることも多いが、儒教とは一体何なのだろうか？

儒教とは中華の思想の中で、孔子の徳治主義の系譜を示す言葉である。この徳治主義とは人心を教化して体制維持を図ろうとする政教一致であって、覇道と王道の内の王道のことだ。この王道においては有形的な武力や法律を用いない文治主義が理想とされるが、それは無形的なリンチと脅迫が多用されるということの裏返しに過ぎない。人間の有形力が存在しない世界は、洗脳が基軸となった社会であることは自明だろう。

現代の中華共産党の統治もリンチと脅迫を多用する政教一致の支配であるが、儒教的な王道の徳治政治の伝統は現代まで続いているわけだ。徳と言えば言葉の聞こえは良いが、何を徳とするかは権威による恣意的な決めつけ、つまりは観念の押し付けでしかない。徳という言葉が愚民化を表すにしても、それは宗教権威にとって「得」であり、それが故に「徳」とされるということであっても全くにおいて不思議はない。

権威にとって都合のいい虚構を妄信することが道徳とされるのは、古今東西において普遍的な事実である。有害で非効率で辛いことを我慢することが尊ばれるのは、己の利益を放棄する者が増えれば権威が得をするからだ。西洋にもこの徳治主義と類似した思想と社会構造は存在していたが、人心を徳化することに熱心であったキリスト教会はバチカンの税収を高めることが目的であった。それ故に、人民を教化することがあっても、それが直接的には統治そのものに繋がるということは多くはなかった。

一方で、皇帝がただ一人の天の代理人として神格化され、政治体制そのものが宗教権威でもあったのが中華の儒教体制である。儒教における人民への教化とは、中央集権体制自体を信仰させて皇帝を絶対善として個人崇拝させることであるのだから、政教一致はこの上なく上命下服の専制支配に寄与していた。このような儒教的な政教一致による集権体制は、ヨーロッパの歴史学においては「アジア的専制」と呼ばれている。

「啓蒙専制君主」の典型とされたフリードリヒ大王は、「余は国家第一の貢献者」と述べていた。彼の政治は、権威主義的な独裁支配であることよりも社会契約と啓蒙による国家主義を目指した統治であったのだから、啓蒙専制君主はアジア的専制から最も遠い存在であろう。

中世ヨーロッパの大半の国家は、特権身分が連帯してそれぞれの利権を守る社会状態であって、これは社団国家と呼ばれている。この状態は特権身分の「上級国民」である社団が、民衆を専制的に支配する人治主義社会である。大部分の社団は国力の増強を考えることもなく、政争のための政争と中抜きによる搾取を繰り返す様であったことは説明不要だ。この社団による国家の支配を解体したのが、フリードリヒ大王のような啓蒙専制君主であった。啓蒙専制君主とはその文字とは裏腹に専制を志向した王ではなく、手段としての専制であったとしても目的は民主主義に存在していたのであって、これは民主制権威主義の対極である。

啓蒙専制君主達であっても集権的な政府を作ることには失敗していたが、神官やギルドなどの特権身分の力を一定に削減して、その代わりに平民にある程度の政治参加を保障するという権力の再配置には成功した。ヨーロッパにおいてはこうして権力に双方向性が発生したため、中央集権化された政府が国民に上命下服を強制する形にはならずに民主主義の基盤が形成されていったわけだ。

歴史的には、近代国民国家とは平民が貴族化しただけの国家であって、平民は徴兵の義務を負うと同時に表裏一体の参政権を獲得したということでしかない。近代国民国家とは平民に貴族的な思考を体得させるものであって、これは単に無条件で参政権を保障する類のものではなかった。

こうした民主主義とは対極的に、全体主義とは社会のほぼ全ての者を奴隷化しようとする試みである。教育によって下を引き上げることが近代民主主義だが、社会を下に合わすことを目指した共産主義やナチズムは、単に権威に追従する奴隷以外を弾圧するだけのものであった。現在でも立憲君主制の国家の方が民主主義国家として安定しているのは、奴隷の平等を志向する運動に耐性を持つが故にだろう。

大陸ヨーロッパでは平民の文化と貴族の文化は完全に別物であって、平民の文化には「高貴なる義務」がないが故に平民は政治意識を持ち得ない。アメリカンドリームであっても、公平性を求める高貴さではなく、個人利益を求める浅ましさであって、これも政治意識の欠如に過ぎない。だが、日本の文化には社会的階級差も少なく、広義の意味では日本人は全員が貴族であるのだから、明治維新という近代化が成功するのは必然であった。日本の文化は高度な文明性を内包したものであって、日本人は騙しによって統治されるべき存在ではないが、我々がそれを忘れて愚民に堕落するなら江戸時代よりも更に愚劣な時代が成立するだろう。

自由とは己の意思によって制御を行うことであって、単に拘束から解放されるだけのことではない。「高貴なる義務」を放棄する野放図は、「自由からの逃走」以外の何物でもない。野放図とは快楽と保身だけを求める個人利益主義者を増やし続けるものであって、本質的な反正義に過ぎない。己の意思で実存を制御するには激情の「あらみたま」が必要であって、斯様な堕落は爆発力の否定から起こっている。無気力な精神では、権威の奴隷で居ることを崇めてナチスのような全体主義社会を造るという結末にしか成り得ない。

ドイツ観念論とイギリス経験論、スコラ学と近代科学技術、妄想と理想、権威主義と功利主義、人治主義と法治社会、ミーイズムと自由、野蛮なる破壊と文明的創造、浅ましさと正義、蒙昧と知性、臆病と勇気、自由からの逃走と自発的向上心、言論弾圧と自己省察、オタクと芸術家、独善と公共性、劣と優、自己保身と理念、卑しさと貴きこと、ドイツロマン主義とルネサンス思想、現実逃避と探究心、嘘と事実、そしてヒトラーとフリードリヒ大王。この対比構造が見えてくれば、ヨーロッパの歴史を理解することなど容易いのだ。この二項対立は「漢意」と「やまとこころ」の対立そのものであるが、あまりに単純過ぎて面白みがないため、鎗崎はここにフランスの芸術を加えて三項鼎立にすることを望んでいる。

　ヨーロッパの近代の在り方とは対照的に、儒教による政教一致が中華における皇帝の専制を支え続け、近代という時代は中華には未だに現れていない。毛沢東政権も共産教という「赤い儒教」を使った政教一致であったのかも知れないが、鄧小平以降の中華は共産教どころか本当に儒教によって中央集権化されたアジア的専制であった。ちなみに、中華共産党は現行の体制を民主集中制と述べているが、民主制と権威主義は簡単に合致するという典型例だ。

　儒教と定義されるものは日本人が認識する儒教の概念よりも幅が広く、実際に孔子と孟子では説いた内容に歴然たる差がある。儒教と日本人が呼んでいる風習を論じる際には、儒教という名称よりも陽明学なり朱子学なりと言ったそれぞれの流派の名称を用いる方が適切だろう。しかし、江戸時代以降に広まった朱子学は、孔子を正当に受け継ぐ本流なので、これを儒教と呼ぶことは間違っているわけではない。

　一方で、吉田松陰が重んじた陽明学は亜流の孟子よりも更なる異端であって、墨家の説いた内容に似通ったものであったのだから、本来はこれは儒教と呼ぶべきものではないのだ。そもそも、本質的に吉田松陰は国学者兼軍学者であって、中華的な流れを汲む陽明学者であったと評することも適切ではないだろう。

　また、宗教や思想を論じる際には、それらの教典の在り方よりも実体の在り方を考慮すべきではあると鎗崎は考えている。「地上の楽園」と喧伝していても、実際には「飢餓の地獄」となり、核開発や麻薬の密貿易などの「地下の経済」ばかりが発達してしまった儒教の国が、日本のすぐ近くに存在していることを常に肝に銘じておかなければいけない。

とはいえ、儒教の聖典の一つであって日本でも一時期ブームとなった論語の中には、何がどのように書かれているかを覗いてみる必要はある。ここから次はそれを確認することにしよう。

全体主義の起源と権威主義の系譜　アジア的専制と近代諸制度

儒教の聖典である論語とは孔子の言行を纏めたものとされている。だが、論語には論理の体系や骨格構造が無く、これはどうにでも取れてしまう矛盾した文言の箇条書きである。

とはいえ、全体を俯瞰すれば、礼と親孝行に要点が置かれていることが辛うじて見て取れなくもない。そして、論語の正体を先に言ってしまえば、これはキレイゴトの中に権威主義を混ぜた洗脳そのものである。論語では親孝行者で目上に従順なものは、内乱を起こさないと冒頭から述べられている。これは儒教的な道徳観であって、親子の間で平然と殺し合いになる日本では絶対に成立し得ない観念に過ぎない。

儒教は易姓革命という革命的な要素を肯定しているという説もあるが、易姓革命を肯定したのは亜流の孟子だ。そして、易姓革命において下剋上を起こす相手は生身の人間であって、儒教的な価値観自体に挑戦してこれを破壊することは想定していない。それ故に、易姓革命とは本質的な意味で革命と呼べるものではなく、これは猿山の椅子取り競争でしかない。儒教の世界観は人間の社会ではなく畜生道による群れの抗争に過ぎないわけだが、易姓革命が根本的な権威主義を変革し得ない点はドイツ宗教革命に似ていると言えよう。

祖先の徹底的な権威化に基づいた一族信仰が強かった中華圏では、親孝行とは親という神に逆らうなという権威主義そのものである。権力を取ることで権威として個人崇拝される中華的天帝思想は、勤労カルヴィニズムの「勝てば選民」と同じ価値観でしかない。

論語はこの後も善を「親に従順であること」と定義し、古の形式と権威的身分制度に従うことが天意でその天意が人の道であるといった記述が多い。論語では天意に従うことが道徳とされているが、これは奴隷意思論と運命予定説と同じようなものだ。これらの実体に基づかない空論は、観念の順守の強制を刷り込む洗脳に過ぎず、実体的な判断能力をどこまでも破壊する。儒教とは、受動的で権威に従属的なことが善であると定義して、人間個々人に己の判断を持たせないものであって、人間を能動的な「認知への意思」を破壊して「観念への応答」と「権威への反応」に凝り固めるものに過ぎない。

論語では人意というものを否定するために、古の形式を天意として、ただそれを順守させるだけのことを持て囃している。だが、論語で述べられている古の形式が本当に存在したという証拠は、実はどこにも存在しない。とはいえ、過去に停滞することを是とする儒教は社会の発展を放棄しているわけであって、我慢を刷り込んで向上心を抹殺していることは確かだ。儒教とは、過去だけを重んじて、未来を放棄するものでしかない。儒教とは、社会を変化させる人間の力を否定して、人間と社会を野蛮状態に拘束し続けるためのものに過ぎない。過去をいくらなぞろうとも、未来を創るための前進加速力を得ることには繋がるはずもない。儒教とは、社会を変革する力を否定する諦念であって、高貴さの否定そのものでしかないのだ。

集権体制を目指す者が権威付けのために古い伝統を捏造することは、歴史的にありふれた現象であって、これは儒教に限ったものではない。その典型例であるナチスは、自分達の制度を「古き伝統と若い血の結合」と喧伝して似非伝統を捏造していた。儒教もナチズムも、教祖の利益のために人を騙し社会を破壊する点が完全に一致している。既存のものを構成要素にして更に発展した構造を創ること、受け継いだ上で向上させることが人間の文明であるが、過去を否認・捏造することや未来を目指さないことは野蛮そのものだ。

また、論語には異常なまでに儀礼や音楽を重要視する記述が多い。これは現代の中華や北朝鮮のマスゲームに通じるものであるが、ナチスのニュルンベルグ党大会の虚栄心とも同じようなものだろう。見栄張りというものは機能美の否定であるが、虚飾に取り憑かれた精神では科学技術を追求することなど出来ず、自由に動き結果を創造することは絶対に不可能だ。

マスゲームとは、人間個々人を権威に従わせる宗教儀式であって、自分で動くことを許さないという呪詛であり、個人の精神を放棄させる脅迫である。この集団行動は屈従と拘束の具現化そのものであって、人間個々人から自由を剥奪するための洗脳に過ぎない。マスゲームとは、人間個々人の意思と判断が介入せずにプログラム通りにだけ動くという集団催眠の状態であって、権威主義の観念を実体として具現化させるイデオロギー的な儀式であり、自由と能動性の否定そのものでしかない。

論語には孫子のような実践的な政治感覚はまるで述べられておらず、どうにでも取れるような美辞麗句が複雑かつ不明瞭に述べられている。具体的な指針や己の意思を反映した言葉を簡潔に述べることが人間の会話であるが、実体性のない観念によって表層を取り繕う誤魔化しは騙し合い以上のものではない。こうした記述は、機能美というリアリズムを放棄した虚飾的なニヒリズムでしかないだろう。

ここで、論語の形式主義の一例をあげよう。論語には形式ではなく心が大切だという記述があるにも関わらず、儀式を簡略化することは許されないという矛盾が記述されている。そして、その後の記述を読むと、弟子が死んだときには弟子の身分を越えない粗末な葬式が良いとまで言っている。つまりは、論語が説く心性とは身分形式を守ることのみを意味しているわけで、これは奴隷の分を謙虚に弁えて権威的な身分制度に従属することであると言える。

論語が帝王学の実用書であるはずもないが、「弓を撃つ際に重要なのは的を射抜く結果ではなく形式に従うこと」という記述はその最たる証拠だ。敵の鎧と盾を撃ち抜くためにより強力な合成弓が開発され続けたのが人類史であって、和弓はその一つである。古の形式に固執する論語には歴史的な発展を予測する能力がまるでなく、実体的な結果より権威主義的な手段、成果より形式を重んじる愚かな態度しか存在していない。

未来を目指す勇気は、儒教的な道徳から最も遠い精神であることは言うまでもなかろう。

失敗することがわかっていようとも形式通りにやることを優先する価値観は、実戦能力の否定でしかない。実体的必要性に基づいた創意工夫で結果を創ることは弾圧され、自分で何も決めずに権威が定義した非実用的で無力な正解に沿うことが儒教では評価されるのだ。儒教における道徳とは、権威を喜ばせるための媚び売りだけに熱心で、国家公共に無関心な奴隷精神に過ぎない。

斯様な思考が現代の企業に蔓延しているが故に、決められたことしか何も出来ない硬直性や、仕事の成果よりも残業の量が多い無能性が評価されているわけだ。儒教的な形式主義と権威主義が蔓延すれば、設計も製造も無くなり、人間の序列を明示するパワハラが職場の目的となって、無駄と虚飾にマンパワーが費やされ、意思決定なき奴隷労働が無限に繰り返されて、ものごとを効率的にテキパキと解決する人間は追放されることになる。こうした非効率を止めるには透明化の徹底だけではなく、外部からの査察によって民主主義のコンプライアンスを法的に強制する圧力が必要だろう。

労働することを好んでも生産することを完全に唾棄し、状況に対する柔軟性を持たずに、正解の手順があること以外が何も出来ない社畜達は、儒教的な価値観から生まれている。形式主義とは、判断の放棄であり、手順主義そのものであって、結果の創造について柔軟な思考を発揮するものではなく、実体を何も観察せずに拒絶する不寛容そのものである。「規則に縛られなくてはならない」という強迫観念に苛まれる日本人は、現代社会に残存する江戸時代的な因習から生まれるわけだ。

論語はマニュアル主義と唯心論を述べる愚民化教育でしかない。ここには表層を取り繕う精神のみが存在し、結果を考える心は完全に否定されている。思考停止したロボットのような硬直性は人間の意思決定能力を破壊するだけだろう。論語はただ只管に守旧的に形式やら礼儀作法やらを重んじろと唱えているが、これは何があってもマニュアルから外れられないか、若しくは別のマニュアルを求めて自ら試行探求しないかの受動的精神である。この心性は、無駄ばかりに熱心で問題解決のための科学技術を否定するものであって、効果の発揮ではなく形式の順守に拘る強迫観念に過ぎない。

儒教における形式主義は、民主主義によって決められたルールの順守というよりも、権威が指定したマニュアルから外れないという隷属精神である。儒教で求められているものは権威のメンツであって、つまりは権威が下を支配しているという状況を成立させることであり、それは公平性の否定そのものでしかない。こうした価値観は、実体的な結果を問わずに権威の顔色を伺うだけの忖度に励む者を量産する。

人為的創造と実体的成果を重んじる工学の精神によって、産業革命と近代国家が成立したヨーロッパの近代は、儒教からは最も遠い。土地の広さや人間の頭数ではなくて、社会インフラと産業力こそが国家の強さであるが、それを理解し得ないのが中世人の限界である。権威による人間と社会の支配のために中世人は国家の繁栄を犠牲にするが、科学的合理性と功利主義の否定こそが彼等が唱える善というものなのだ。

大体のものごとは形式通りに動くから上手く行くのではなく、自らの意思によって当意即妙の判断で動くが故に成功する。全てを予定通り運ばなければならないと信じ込む神経症は、実体的な問題に対処する能力を完全に破壊する。人間の意思が構造と機能に繋がることがアーツであって、人間の意思が観念や形式としか繋がらないことがコピーであることは説明不要のことだろう。

コピーをいくら繰り返したところで、文明的創造が起こるはずもない。己で構造を解析して検証する研究能力を持たなければ、新規創造は絶対に不可能だ。観念と形式の枠に閉じこもり同じことだけを繰り返せばいいという思考は、向学心の否定であって、進歩と工夫への蔑視であり、未来の放棄でもあって、人間の自由の破壊そのものだ。こうした自閉的な精神は、実体の何をも観察しないものでしかなく、危険を判断する能力の喪失でもある。

形式の外の未知、観念の枠の外の実体の全てを恐れて遠ざける人間は、部屋に閉じこもる引きこもりと精神的には何ら変わるところがない。権威に支配されること以外を拒絶する精神は、親のＤＶによって精神を壊された子供のそれと殆ど同じものだろう。斯様な心性を尊んでいる儒教は、権威に管理されるだけの人間を作る洗脳であって、儒教を正当に継承した中華共産党もそのような人間を量産することに大変に熱心である。だが、意思と目的を共有できる民主主義は、権威の恣意性と独善によってすべてが動く全体主義よりも絶対的なまでに強いことは明白であって、権威主義者とは無能の別名に過ぎないのだ。

実は、洗脳による人間の奴隷化こそが全体主義の根幹であって、集権体制やイデオロギーが全体主義社会を成立させる根源ではない。イデオロギー社会であっても意思決定能力を持った人間が存在していれば、権力が適切に制御される「自由」が発動して現実への対処が一定には行われる。イデオロギーがあまりに実体に基づいていないならば、「自由」によってイデオロギーが修正されるか、若しくは体制の変革が起こる。

完全なる全体主義社会を安定させるには、支配下の人間を「ハイル・ヒトラー」と同じ内容以外を言えないようにしない限り不可能であって、人間個々人の政治意識や公共判断を完全に破壊する奴隷意思論に基づいた洗脳が必要となる。ソ連の思想の自由を潰したのは貴族出身のレーニンではなく、神学校上がりのスターリンであり、フルシチョフのスターリン批判以降はソ連内部の全体主義が薄まったことは一応の事実だ。

党首を権威化して崇拝する蛮習は、人民の連帯を重んじる思想と相容れるものではなく、レーニンはこれを否定していた。ＮＥＰ企業等でバランシング政策を行ったレーニンは、マルクス原理主義者のことを「左翼小児病」と呼んでいたが、現代にもこうした者は大勢居る。宗教家のスターリンは革命家のレーニンとは異なって政教一致による中央集権を選んだが、それはヒトラーの騙しによる支配と殆ど同じものだ。

マルクスの「資本論」もドイツ観念論のヘーゲルに影響を受けたものであるが、ヘーゲルの観念論はプロテスタント神学に由来している。共産主義が共産教に変化した際に、勤労カルヴィニズムの性質を発揮するのはある種の必然なのだろう。なんであれ、神官達にとっては会話能力とは他者を騙し脅すために存在しているものであって、他者とは奴隷にするために存在しているものであることは確かなことだ。

現代のロシアであっても政教一致が進んでいて、ロシア正教のキリル総主教は、ロシアによるウクライナへの侵略を応援していた。これはレーニン的な政治的中央集権というよりもスターリン的な宗教的中央集権であって、権威主義と扇動と暴力しか持たずに近代理念とは無縁だった末期のロマノフ朝と似たようなものだ。公平性もへったくれもなく、全てをコントロールしようとして、事実を認識する者を皆殺しにする神官の下では、社会は絶対に繁栄しない。レーニンは信仰を弾圧してスターリンは弾圧を信仰していたというのが歴史的事実であるが、教会を焼き討ちにしたレーニンの選択は適切なものであったのかも知れない。

全体主義社会とは、社会システムの全体主義性よりも人間のマインドの全体主義性によって成立する。それが故に、ヨーロッパの中世の宗教権威主義社会は全体主義社会に類似していたとしても直接的な祖先ではない。奴隷意思論を唱えた勤労カルヴィニズムこそが、完全なる全体主義社会であるナチスの基盤となり得るものであった。カトリックはプロテスタントのような奴隷意思論を持っておらず、完全なる全体主義社会を構築することは出来ない。ただ、儒教はそれを有しているが故にそれを構築することが出来る。

結局のところ、勤労カルヴィニズムや儒教が広まった社会で民主制が採択されることがあったとしても、その社会に民主主義が沸き起こることは有り得ない。中華共産教の「赤い儒教」は、近代諸制度が接ぎ木されただけのアジア的専制であって、儒教的なマインドに近代のシステムを折衷した「工業化されただけの中世」に過ぎない。中華においては毛沢東が共産主義によって全体主義社会を作ったというわけではなく、それ以前から儒教による全体主義社会が存在していた。儒教がある限りは民主主義ではなく民族主義しか採択することが出来ず、そしてその民族主義は全体主義以外に成り得ることはない。蒋介石の国民党の腐敗であっても原因は儒教に起因する部分が大きく、中華は自らが生み出した毒によって自らを一番に苦しめているということであろう。蒋介石はプロテスタント教徒であったが、儒教と勤労カルヴィニズムという最悪の組み合わせであって、彼が圧政を行ったのは必然的な帰結でしかなかった。

共産主義というものも、政策としての社会主義や実体的な結果としての貧富の格差の縮小ではなく、一党独裁を目指す点に全体主義性が存在している。多数政党制を取るのならば、権威主義社会になることはあっても、党が結託しない限りにおいては全体主義社会と成り得ない。

とはいえ、共産主義者達は「同化と権威主義」を求めていて、国力や科学技術を否定する腐敗した平等を造り、一党独裁によって異端を弾圧して堕落を崇拝して搾取をも尊重し、我慢と順応と屈従と憂さ晴らしを繰り返すことで社会的発展を放棄したいだけであるのかも知れない。全員を思考停止させて、全員を奴隷にして、全員を平等にすれば、不満が減ることは事実だ。平等以外の全否定はそうした社会しか造ることはなく、問題解決は放棄されて平等に問題が造り出されることになる。公平な判断や公共への貢献や国家への献身は、平等とは別物であることを忘れてはならない。高貴さを一切に持たず、知性を否定し公平性を放棄して自分達と異なる者を虐殺すれば完全に平等な社会を創ることが出来るが、その社会は一切の進歩と無縁に崩壊する。全ての意思決定は失われ、人間と社会がどこまでも堕落し、あらゆるものが崩壊するだけに終わるだろう。差別を禁止すればこそ、無差別殺人を行うことも出来るのだ。

安全装置として多数政党が社会に存在していることは極めて重要であって、社会に異なる意見が存在しないことは言論の自由が存在しないことでしかない。権威への同化を求めるような一党独裁制は、人間の思考能力を壊して国家の科学技術力を崩壊させるだけだ。極限までに中央集権化された権力が公共判断に基づいた政治を行うと信じることは、理想主義というよりも単なるロマン主義だろう。完全にクリーンでノイズがない状態でしか機能し得ない理論などは、実験室の中ですら使えない。

三権分立が存在しているアメリカも金権独裁体制というのが実体であるだろうが、金が社会の支配者であるという点においては中華よりも北朝鮮に似ていると言えよう。とはいえ、権力の分散と連携が機能しないが故に、人間個々人が分断されて集権体制に同化されることになるのは世界の何処であっても共通の現象であって、これは大きな政府でも小さな政府でも同じように発生する現象である。ハンナ・アーレントが述べたように、分権化と透明化こそが、社会の公平性と民主主義を確保するということを忘れてはならない。

共産主義の一党独裁は、政策的な意思決定の効率化よりも、排他的で不寛容な支配として機能する。共産党独裁と儒教的中央集権の天帝思想が融合したものが、「赤い儒教」という共産教である。モンゴル帝国は分権制であって、儒教の政教一致による中央集権制度が、モンゴルと中華の最大の違いである。

毛沢東は敵を打倒する戦争には勝利出来ても、古い精神を打ち破る革命には失敗し、易姓革命しか成し得なかった。「権力は銃口から生まれる」とは彼の格言だが、彼は儒教の怨霊を殺すための銀の弾丸を創り上げることには失敗したのだ。しかし、毛沢東を憎むあまりに孔子を愛してしまうであらば、それはどこまでも本末転倒なことでしかないだろう。

タイガーマザーとタガメ女　マリアからカルヴァンへ

論語では親孝行が大切とばかり述べられているが、それは単なる経典上の観念ではなくて中華の実態であった。現に親に肉を食べさせた娘を孝行者だと讃えた新聞記事が存在しており、魯迅はこれに憤慨して『狂人日記』というノンフィクション文学を創り上げた。論語に書かれている親孝行とは、二十世紀でも食人の人身御供という形で実行されていたわけだ。

中華では子は親に物理的に食べられてしまうことが善行なのだから、子育てとは子供の家畜化のための技術であると言える。儒教での親子関係とは、血縁上の関係というよりは身分上の関係であって、それも極めて権威主義的な身分関係であり、親とは人間というよりも子供を支配する現人神である。食人の風習は世界中に存在してはいるが、子供を家畜化することを目的とする点において、儒教的な食人は他のものとの顕著な差がある。これは、レクター博士の食人とも性質が異なると言っていい。

　こうした儒教的な精神は、中華大陸の中華人だけではなく、アメリカに住む中華系移民にも見られるものだ。昨今のアメリカでは、とある中華系移民の母親が子供の自己決定権の全てを剥奪して、親が絶対者として子供を徹底的に専制管理することで有名大学に合格させた逸話が有名になった。この母親はタイガーマザーと呼ばれていたが、受験のための管理教育は科挙が生まれた頃からの単なる中華的な伝統でしかない。彼女は氷山の一角に過ぎず、斯様な子育ては中華圏では現代でもよく見られる現象だ。

　タイガーマザーの管理教育は、子供に注文を数多くつけるというよりも、子供の全てを母親が管理するというレベルの過干渉の支配であった。全てを母親の思い通りにしなければ気が済まないという家庭内独裁者の恐怖政治は、現代日本では「教育虐待」と呼ばれる事案である。有形力に劣る者に対して暴力に訴えればどんな嘘をも承認させることが可能であるが、「権威である親は全て正しく、子供である自分は絶対的に間違っている」という観念を子供に狂信させる教育は、全体主義社会における洗脳の本質であろう。

　日本でもこのタイガーマザー的な支配構造は至る所に存在していて、彼女ほど受験教育に熱心でなくとも子供に対する圧政支配に熱心な毒親は多く、「大学受験には恋愛は不要」などと言った親も記憶に新しい。斯様な親達は自己保身と権威主義以外にまるで関心がなく、受験や宗教や金儲けについては詳しくとも、科学技術や政治哲学や友人付き合いを子供に一切教えられないこともしばしばである。

　深尾葉子氏は『日本の男を食い尽くすタガメ女の正体』で、子供を思い通りに動かすための駒に変える権威主義的な母親の攻撃意識は、アメリカの消費主義的なフェミニズムに由来すると指摘していた。アメリカンマインドという自分のことだけしか考えない信仰に汚染された人間は、子供に対して毒親としてしか振る舞えないのは必然自明のことだろう。アメリカ的な競争社会においては、他者を攻撃しないことが出来ない人間が経済的成功を獲得し、彼等彼女等が子孫を拡大再生産し続けることによって、「万人の万人に対する闘争」も拡大再生産され続ける。彼等彼女等は与えることとは完全に無縁であって、与えられることと奪うことと蓄えることとしか何も考えることが出来ないでしかないのだ。

実は、フェミニズムの攻撃意識は戦前の日本でも批判されていて、かの与謝野晶子は婦人矯風会というプロテスタント団体の運動を権威的で異性に対して不寛容なだけのものと非難していたが、戦前から日本はアメリカンマインドに汚染されていたということなのかも知れない。見栄張りを繰り返し、喚いて自己正当化し続け、他人を攻撃し続けるだけのメデューサに育てられる子供は、自分で動くことが出来ない石像になることしか不可能である。こうした運動の動機は社会改革ではなく勤労カルヴィニズムの個人利益主義であって、「女のみ」という女性至上主義がその実態なのだ。斯様な宗教は、女性という立場が一切の責任を問われることが無い神聖無謬の善であると定義する宗教的な世界観を造り出すのが関の山だろう。

この観念から生まれた「女カルヴァン」達は、自ら以外の女性を含む全ての他者に、自らを個人崇拝させることにしか興味を持っていない。彼女達は批評も考察も自省もなく権威主義を妄信し、公共判断を破壊する恣意的な懲罰によって社会を支配すること以外を全く求めていない。

男は女よりも確定的に正しく、女は男よりも絶対的に偉いという観念は、間違いなく破壊する必要があるものだ。だが、女性運動のような本来は社会の改善を目指す運動ですらも、権威主義と排他的単一性を求める勤労カルヴィニズムに影響されると、「女である自分だけが絶対無謬の正しい立場であって、脅すだけで全てが解決する」と妄想する陶酔的なヒステリーに落ちぶれる。客観性も懐疑精神も備わっていない勤労カルヴィニズムに基づけば、全てが破綻するだけの結果に終わり、社会の向上を為すことは絶対に不可能だ。

こうした運動は、女性至上主義を目指す「男性否定」の宗教的テロリズムでしかないが、勤労カルヴィニズムの影響があるのだから白人至上主義の亜種でもある。実際に、アメリカのフェミニズム運動には男性どころか非白人の女性も蔑ろにしているという批判も多く、やはりこれは法的な平等や男女間の公平を目指すものではなく、「白人至上主義」が「白人女性至上主義」に転化したものでしかないのだろう。

　プロテスタントにおいては、全てのものごとが神の恩寵であり、何もかも神だけに感謝すべきであるという価値観念が存在している。それ故に、自らと権威以外の全てを否定することも道徳であり、自らに都合がいい意見以外は全て弾圧する結果となる。プロテスタントの選民思想においては、黒人であるだけで人間扱いされなくなるのだから、男であるだけで犯罪者となることも必然でしかない。隣人愛という価値観はカトリックのものであって、プロテスタントにはそれは存在しておらず、その代わりに「選民であれば全てが許される」という価値観が信仰されている。それが故に、プロテスタントフェミニズムは、「どんなことをしても自らが正しい」や「何をしても私は被害者である」や「女性であれば全てが許される」などと信じ込み、異性や肌の色が異なる者や自分と何かが異なる者を全て否定することになる。

　斯様な思考は他人を攻撃し続けることに取り憑かれている病気であるが、トランプ前大統領に見られるようなアメリカンマインドによる敵対的交渉と同じものであって、自らと権威を無条件で肯定し、「個の意識」を否定する個人利益主義でしかない。プロテスタントフェミニズムを信奉する女性は、男性との法的な平等を求めているのではなく、個人利益を求めているだけか、もしくはトランプ前大統領のように他者の幸せを許すことが出来ないだけに過ぎない。

　念のために付け加えておくが、鎗崎は女性運動自体を否定しているのではなく、男性の拒絶を布教する宗教であるプロテスタントフェミニズムを批判しているだけでしかない。そもそも、日本の女性がアメリカのプロテスタントフェミニズムを信奉したところで、「上級女性」である白人女性ではないのだから、奴隷である「下級女性」としてしか承認されることが無いか、若しくは非白人として排除されるだけの結末に終わる。その後にも、「女が絶対に無謬であり何をしようとも正当化される」という女性一神教は何らかの別の不信が引き起こすだろうが、それが何になるかまでは定かではない。

実は、プロテスタントではカトリックと異なって聖母マリアは信仰されてはいない。それが故に、女性の「たおやめぶり」を解体して、権威主義的な攻撃意識に取り換えることがプロテスタントフェミニズムの狙いであったのかも知れない。これは、「マリアからカルヴァンへ」ということであって、プロテスタントにおいては「許しから脅し」という形で価値観が変化したのだ。実際に日本では、プロテスタントによって他者を慮る感性は破壊され、それが他者への脅迫と拝金教と権威主義支配というガサツな個人利益主義にすり替えられ、母とは拷問官を意味する言葉に転化し、否定と懲罰こそが子育てとなっている。

孔子の母親も孟子の母親も教育虐待を行っていた節があり、家母長制とでも呼ぶべき母親の押し付けによって、儒教の家父長制が成立した歴史がある。それが故に、男尊女卑を唱える儒教であっても、その中に母親への偏愛の強制や母親の絶対化という権威主義が内包されている。父親が居ない孔子や孟子が唱えた親孝行は実質的には父孝行ではなくて母孝行だった可能性が高く、親孝行とは父親への思考停止した崇拝というよりも母親の決めつけに無条件で従わなければならないという奴隷精神であったのだろう。

「孟母三遷」や「孟母断機」と言われる孟子の母親の教育の過烈さを考慮すれば、儒教では家庭内権威として母親が子供の全てを独裁的に管理することが当然自明のことであった。そして、タイガーマザーはアメリカの中華系移民であるため、彼女は儒教的「孟母」であり、勤労カルヴィニズムにも影響を受けた「女カルヴァン」でもあった。アジア的専制の儒教とアメリカのプロテスタントフェミニズムが融合することで生まれたのが、母親への信仰を子供に洗脳するタイガーマザーであるわけだ。なんであれ、子供を抑圧する母親の無慈悲は「たおやめぶり」の対極だろう。

儒教とは、権威が子供を操るための洗脳でしかないのだから、双方向的な対話など成立せずに観念への迎合が強制される。誠意を一切に持たない相手との交渉を期待することは、反知性以外の何物でもない。問題解決の基本は迂回戦術を取ることであるが、一方的な押し付けを好む権威は、結果の是非ではなくて序列の優位を確保することしか最初から考えていない。儒教的な母親達の暴政は子供から一切の自主裁量権を剥奪するための洗脳であるが、これこそがアジア的専制の根底であることは間違いがなく、これをして「アジア的教育」と呼ぶべきだろう。

親孝行とは、母親の言いつけを無条件に守り続け、母親の支配から卒業しないことを意味する。母親の虚飾的な自己顕示欲と専制的独裁支配から生まれた呪いが儒教であって、嘘と権威主義と承認欲求の怨霊が延々と子供達に取り憑いて、子供達を親の期待通りにだけ動くマザコン人形に変え続けている。斯様な儒教的な母親達は、子供を操ることを通して社会を支配することを試みるもので、「偉い人の母親」になることを欲する彼女は、「偉い人にならなければいけない」という強迫観念を子供に植え付けるが、「偉い人」とは位階が高い人のことであって公共に貢献する者を意味していない。

日本の首相の中にも母親にコントロールされているような男性が存在していたが、彼の母親も教育熱心であったようで、彼は東京大学の卒業者であった。人を騙すことにしか興味を持たなかったこのマザコンは、キレイゴトを吐くことが自己目的化していた神官そのものであって、公共政治ではなくて一身上の保身に激烈な熱意を発揮していた。彼は自分以外の政治家に対して徹底的に不寛容であり、「排除の論理」を唱えて旧社会党勢力を壊滅させる暴挙を起こしたが、日本の二大政党制の崩壊は間違いなく彼の言動に最大の原因が存在している。彼の祖父も統帥権干犯問題によって日本の議会政治を破壊した張本人であったが、公共精神が完全に欠如した人間を取り締まるためのシステムを考え、他者を疑うマインドを機能させなければ、彼等のような嘘と抑圧を繰り返す権威主義者達が社会を支配することになるだけだろう。

彼の党やその後継政党の議員は、党の上層部を個人崇拝しているようにも見えた。母親から肯定されること以外に、彼には自らの人生に求めているものが何ら存在しないのならば、民主主義を実現させて国家公共を繁栄させることより、それを壊すための「否定のための否定」を繰り返すことにも納得がいく。
斯様に不寛容な教育ママとその子供達は、権威の横柄を他者に押し付けるだけの教育を望んでいる。彼女達は儒教の価値観に基づいて、実体的な学習を軽視する一方で学校の成績さえよければいいという観念的な蒙昧を妄信している。他者を恣意的で理不尽かつ非合理な命令に従わせる野蛮さを彼女達は強さと呼んでいるが、それこそが社会を破綻させる究極の弱さでしかない。実体を観察して的確な判断を下すことからは程遠い彼女達は、本質的には科学や技術とは無縁な精神をしていることは間違いがない。

　彼女等の教育では有形無形の暴力が濫用されるが、「やりたいことをやれば命に関わる」という拘束を十歳までに子供の脳に刷り込むことが支配の要石となる。己の願いも望みも何も持たずに、公共を重んじる精神も実体的な意思決定も否定して、ただ権威の独裁に思考停止して従うことしか出来ない子供以外を彼女等は許さない。彼女等は、ものごとの是と非や公平と不義の違いを認知することが出来ず、己の損と得以外で思考を行うことが一切において不可能であるが、それは他者を尊重することが出来ないということだ。

　狂言と出任せと難癖と責任転嫁、それに有形無形のリンチを付け加えれば、子供に自罰的な罪悪感を刷り込むことも容易いことであって、子供を簡単に支配することが出来る。母親に許されることが全てという価値観が植え付けられ、思考停止して独裁に服従する子供が社会に増え続けることになる。斯様な母親たちの嗜好を考えれば、向上心や公共性を説く教育ではなく蓄財や出世だけを教える教育が蔓延するのは、自由市場における必然だろう。

　自らが権威になること以外を何も考えられず、子供の自由を攻撃しなければ気が済まないのが教育ママである。タイガーマザーの教育は、子供のためを思っての厳しい教育というよりも、子供の心身の全てを奪い取るための支配の洗脳術に過ぎない。子供を見栄張りのためのブランド品のハンドバッグとして扱い、そして時には憂さ晴らしのために八つ当たりするサンドバッグとしても扱うだけのものでしかない。彼女の教育は、子供の精神に母親のミーイズムをどれだけ多く詰め込めるかに挑戦したものであったが、子供の頭蓋骨にどれだけ多くのミーイズムを物理的に叩き込めるかに挑戦する毒親も日本にはかなり多い。

公平性もへったくれもない彼女は、子供をコントロールすること以外を何も考えない。彼女は、自分の子供を愛しているわけではなく、保身と自己実現とストレスのはけ口のための生贄として、子供を圧迫し続けただけだろう。彼女が子供にも他者にもマウンティングを行うのは、自分が威張ること以外を考えることが出来ないほどの権威主義者であるが故にであって、彼女にとっては子供という存在は他者よりも上になるための道具に過ぎず、それが故にまず彼女は子供よりも上になることを考えるというわけだ。彼女の脳味噌には偉さ比べによって他者を威圧すること以外は何も入っておらず、ミーイズムしか持てない彼女は己以外の全てを拒絶することしか出来ない。自らを絶対に正しいと思い込む「無知の知」と無縁な者は、反省するわけもなく議論が出来るわけもない。野蛮なる誇大化欲求に取り憑かれ、「自分が凄い」と言いたいだけの彼女には、文明も正義も存在していない。

儒教において重んじられるものは、実体機能性や問題解決ではなくて、虚飾のためのメンツである。形式主義の儒教には見栄しか基軸がなく、自らを飾り立てることが道徳であって、自らを引き立てるためのアクセサリーとして子供を使うことは推奨される行為だ。斯様な道徳が故に、彼女は子供の高学歴を望んでいても、子供の自立した知性は何よりも拒否すべきものだと考えている。学歴の肯定への狂信と知性の否定への信仰の並列はこの世で最も倒錯的なものであるだろう。彼女を権威主義と自己保身の擬人化であると言い切っても問題はないだろうが、腐敗した社会を変革しようと思わない者こそが儒教における道徳者なのだ。

彼女の子供は、母親の見栄張りのための道具以外であることが一切許されるわけもなく、「何も権利を持たない奴隷であること」から逃げられないわけだが、これは近代社会の否定そのものである。儒教における親子関係とは、カルト宗教における教祖と信者の関係でしかない。見栄こそ全てと説く儒教では子供とは親の道具以上のものではなく、親は気に食わない子供のものを全て破壊することを試みる。「自分が気に食わないことは全部が罪であり、子供を絶対に許さない」という実体合理性や功利主義を伴わない妄想に取り憑かれた親達は「罪の捏造」を繰り返すが、権威主義への信仰は専制支配をも正当化するというわけだ。

斯様な教育は、子供にとっては究極の絶望であるだろうが、愚かな親は賢い子供に嫉妬して、理不尽な恨みを抱いているのかも知れない。知性の否定に取り憑かれた親達は、子供を褒めたら死んでしまう病気に罹患している。浅ましいナルシシズム以外に一切の興味を持っていない毒親達は、あらゆる理不尽に子供を従わせることで子供を完全に支配し、それによって被害妄想的な狂信と権威主義的な自己愛を満足させることしか求めていない。権威である己が絶対的に正しいという信仰がタイガーマザー的な狂信であって、理不尽・不公平・不正義を押し付けて、子供の意思と才能と思考と自由を破壊し尽くし、子供を親の個人利益的な欲望を代行するだけ人形に変え、子供に不幸を押し付けることが教育だと彼女達は認識している。そして、儒教は上のミーイズムと下の自己放棄で成立しているのだから、子供は孫に対して母親と同じ行為を繰り返すことが道徳とされることは言うまでもない。下で居れば自己放棄し、上で居ればミーイズムに走ることが儒教の本質であって、親のために自己放棄する子供がワガママな親に育つというわけだ。

子供を親のために生きる奴隷に変えるためのマインドコントロールが儒教であって、親達は子供に対して親への個人崇拝を強制しなければ気が済まない。タイガーマザーの子供は、タイガーマザーの自己顕示欲を満たすための存在であって、常に他の親の子供と比べられることにしかならず、親のためにその比較競争の中で勝ち抜くことにのみ人生の価値があると洗脳され続ける。斯様な親達には自発的向学心は存在しないが、競争意識や自己顕示欲は異常なまでに肥大化している。これは子供が親に依存しているというよりも親が子供に寄生している構図であるが、それこそが儒教の本質であろう。親達は、有形無形の暴力をどれだけ振るっても反撃せず、権威である親に徹底的に従順な対象に対して、依存することを止められないのだ。

実体公平性を持たず、個人利益以外を何も認識出来ない儒教徒は、服従と保身と弾圧以外について何も考えることが出来ない。とはいえ、それが短期的な個人利益のために最も合理的な選択であることは、確かな事実だ。彼等彼女等は自らの個人利益以外の全てに否定的であるが故に、子供の自由意思を否定するために「反対のための反対」を繰り返して、子供に「我慢のための我慢」を刷り込む。近年よく言われるブラック校則も、己の意思によって動くことを一切禁止するという内容の言い換えの羅列であろうが、不合理と不寛容の校則は毒親の拘束と全く同じ性質のものであって、奴隷でいることの強制そのものである。これらは、何をも制御させないという呪詛であり、権威に縛られていないことの禁止であって、自発的な公共性よりも受動的な隷属精神を尊ぶ不正義でしかない。

外でボランティア活動に熱心な親が、自らの子供を虐待することにそれ以上に熱心である話もよく聞く。こうした親達は、非情なまでに合理的であるタイガーマザーと同じように、見栄張りにしか興味を持たず、人助けではなく自己権威化が目指すところであって、他人からどう見られるか、自分がどう着飾るか以外には無関心であるのだろう。自己顕示欲の擬人化である彼等彼女等は、権威の指図に従うこととそれによって出世することにしか興味を持っていないのだから、表層的に人間関係に振舞っているだけで本質的な人間関係を成立させることは出来ない。とはいえ、自分を正しそうに見せかけることを得意とする親達は、実体としての行動はどれだけ碌でもないことを行っても、咎められないようにする方法は幾らでも熟知している。

群れの中で自己権威化するために人助けを行う彼等彼女等は、他者から助けられることを大体は拒絶するが、それはまさに人間関係の否定であって人助けから最も遠い行為だろう。彼等彼女等は人の目すら騙せればそれでよいという思考しか持っておらず、科学技術よりも甘言詐術を好んでいる。知的好奇心・実体的向上心・人間的探究精神は、出世意欲とは完全に非なるものであることを我々は認識しなければならないのだ。世間によく見られるカルト宗教の教祖というものも、他者に自らを個人崇拝させることにしか興味を持っていない。一般的に見栄やら権威やらと呼ばれているものも、突き詰めれば他者に自らを信仰させることである。こうした教祖達は、神の権威や選民性という神の権威に準ずる権威を用いることで、他者を否定し尽くして自らを絶対化する。権威主義を説く儒教においては、親は権威主義的な圧政を家庭で敷いて子供を親の言いなり状態に変えることが理想とされることであって、子供と意思疎通するのではなくて単に子供を服従させることが親の道徳とされることなのだ。昨今ではイスラム過激派が近代法を無視しているとよく言われるが、儒教でもこの点に関しては全く変わるところがないだろう。

『狂人日記』に見られるように自己の存在を親に差し出すカニバリズムが、子供が親の身代わりになるという人身御供が、儒教における親孝行というものである。現代において、毒親による子供の私物化が訴えられて久しいものだが、そもそも儒教においては子供とは親のための食材でしかない。こうした親達はどんなことをしようとも、「宗教権威の言う通りにする親である自らが一番に正しい」という、アイヒマンの如き妄想的な選民思想以外の認識を持つことは出来ず、実体を観察することも自省することも絶対に不可能だ。「権威と己は絶対に正しく非権威と他者が絶対に間違っている」という認知は、実体を無視した押し付けを繰り返せども自省を起こすことはなく、野蛮それそのものだと言えよう。

　子供達は、タイガーマザーが求めること以外の一切を行うことが禁じられる監禁生活を送ることになる。親の期待通りにだけ動くことが儒教的な道徳であって、子供はタイガーマザーに忖度することしか出来ない。彼女は、子供の意思を自らの意思によって上書きすることを当然のように繰り返し、子供達は権威である親への妄信と無警戒が強制され、他者への徹底した否定と不寛容を貫徹する道具に成り下がる。権威主義的な上下関係に基づいた脅迫こそが、儒教における教育であることは説明不要だろう。「親の言うことを聞くこと以外を何もさせない」という強制こそが儒教的な信仰の本質なのだ。

　そして、子は親が死んでも親から離れないことが親孝行であって、家の外に出られない子供や権威が決めた範囲の外に出ない信者こそが、つまりは引き籠もりこそが道徳者である。儒教では道徳の牢獄から脱出することは神学的な罪とされ、毒親は子供の生活を独占支配することで子供の精神を毒染支配しているわけだが、親との間に一切の境界を作らせずに親に同化させる手法は、強制的同一化という「ナチスの手口」と同じものだ。

　他者との人間関係を拒絶させて、親の管理下に留め置き、権威が人間を支配することが「分断」の本質と言っても何ら問題はない。家庭という監獄の中の囚人である子供達は、親の見栄のために人生を費やすことを幼いころから強制され、他者との交流を徹底的なまでに親に管理・制限されて成長する。これは北朝鮮の情報統制と同じものに過ぎないが、人の目を基準する見栄というものも、人の目を気にして生きなければ魔女狩りに合うという全体主義的な不寛容の裏返しなのかも知れない。

　タイガーマザーの娘は、母親の子宮に閉じ込められ、臍の緒から体内に母親の怨念が送り込まれ続けるような状態で育つわけだ。彼女の母親が造った彼女の心臓は、彼女の細胞に酸素を運ぶよりも彼女の細胞に母親の呪詛を運ぶために使われることになる。母親は娘を他者と仲良くさせないためにあらゆる管理と監禁を行う。斯様にして子供を手放さない母親は、大岡裁きの子争いにおける本当の母親の心性とは対極的なものだろう。彼女は娘に対して親は偉大であるという観念を洗脳しているが、娘以上にその観念を彼女自身が信じ込んでいる。「子供から自由を取り上げること」と「子供を絶対に許さないこと」を信仰する彼女は、子供を完全に支配して子供が何をするか何を言うかを彼女が全て決定しなければ気が済まないのだ。

　この子宮の中の羊水に含まれる主な電解質は、徹底した権威主義と近視眼的な一族主義とそして母親の洗脳であることは間違いがない。だが、副成分としてオタクアニメのような現代的なヴァーチャリズムの麻薬が一定には含まれている可能性がある。この監獄の羊水は、子宮の外部から侵入してくる実体公平性や法治意識といった価値観を、徹底的なまでに遮断する性質を持つことは言うまでもない。権威の迷宮に閉じ込められた子供は、親に精神を侵食され、母親の呪縛から外れてはならないという強迫観念を脳に電子的に刷り込まれ、この拘束によって親に同化させられることになる。タイガーマザーの娘は母親へ絶対の忠誠を誓うような存在に成長していたが、絶滅収容所の中ではヒトラーと親衛隊以外の者は生きて存在することが出来ないということだ。彼女の教育よりも虎の子育ての方が、子供を大切にしている可能性が高いものだろう。

言うことを聞かなければ放り出すだなり殺すだなりと訴える親達は、追放刑と死刑を恣意的に行使しようとしているだけに過ぎない。だが、騙しと脅しと支配にしか関心を持たず、子供を思い通りに動かすことを追求し、権威主義と個人利益主義のみを生きる価値とする毒親達は、時折本当にそれを実行することまでもある。彼等彼女等は支配と被支配の関係性を明示するために子供達に暴行を働くわけであるが、殺害を含むあらゆる恣意的な弾圧によって権威に対する批判を停止させ、精神の中に権威に対する無条件の従属を刷り込み、内面の自由を完全に叩き潰すことは、古今東西のカルト宗教がよく使う手口だ。観念論と弾圧を組み合わせてそれを繰り返せば、権威を絶対肯定するように洗脳することも容易なことでしかない。

親に支配されるために生かされているだけの彼女は、自らの行動を自らの意思で行うことが出来ない。母親の不当な言い掛かりから解放されることがない彼女は、終わることのない母親の逆恨みに許されることだけを考えて人生を送ることになる。彼女は、自分で何も判断してはならないということを学び、母親に拒絶されないために母親以外の全てのものを拒絶することを余儀なくされる。親の怨霊に取り憑かれた彼女は、「漢意」によって本来の人格を徹底的に歪めてしまうことになる。

親が決めたどんなことにも従わなければならない彼女ほどに、親孝行に熱心な存在もないだろう。子どもの心を親が上書きするための斯様な儒教的な拘束は、勤労カルヴィニズムによって道徳的正当化出来たとしても、近代価値によって肯定することは絶対に不可能だ。己の意思で何かを決定することが親や神への謀反という宗教的な罪であると定義して、人間の精神を完全に支配するのがこれらの宗教の本質である。

儒教とは、正義を拒絶する惰弱性であって、上が下から全てを奪い取るための野蛮性である。親孝行と呼ばれるものは、親に怒られるかどうか以外を何も考えず、親に殺されないかどうか以外に行動の基準を一切に持たず、実体を無視して結果を放棄することに過ぎない。権威から評価されること以外を何も求めず、親に全てをコントロールされることしか何もわからない子供だけが、「良い子」と呼ばれる存在であろう。「良い子」の彼等彼女等は、将来何をするかを考えることも出来ず、ただ親の暴力から生き残るためだけに子供時代の全てを費やす羽目になる。毒親が子供の判断能力を徹底的に破壊するが故に、彼等彼女等はやりたいことを何も持たず、レールから外れることも出来ずに学校の序列競争で勝ち続けることしか人生において何も存在していない。タイガーマザーの世界観には人間の自由意思など存在せず、個人が何をするかは権威が決めることであって、彼女は子供に対して奴隷意思論と運命予定説への信仰を強制しているわけだ。言うまでもないことだが、こうした世界観は本質的向学心を完全に否定するだけのものだ。儒教徒は未来を造る向学心は理解出来ず、地位、見栄、身分、権威といった中世的観念のみを認識しているということだろう。

斯様にして、大部分の「良い子」達は自分が自分であるという認知を持てずに、自らが親の一部であり続けることしか出来なくなる。自分の意思を出すこともなく、承認・肯定されるために嘘を付き続ける人形だけが、親に望まれる存在なのだ。「良い子」という自らを親に支配させる奴隷は、近代民主主義国家の構成員としてはどこまでも不適な存在である。権威に迎合する以外の生き方を知らない人形は、主体性のない従属者以外にはなれようがない。文化と隔離された「良い子」達は積極的な趣味を持つこともなく、学校に強制される序列競争にどこまでも執着し続けたままであって、自らの理性と感性によって主体的に実体と向き合う機会は存在しておらず、「もののあはれ」を認知することなど出来るわけもない。

他者の話を聞くことは他者の意見に関心を持つという能動性に基づいた行為であるが、権威主義者に出来るのは話を聞いた振りだけである。子供の意思を破壊して、権威に従うことだけの被支配物を求める親達は、ロリコンのオタクとまるで変わるところがない。「良い子」がオタクアニメという人形遊びを好むのは、親達が「良い子」を使って人形遊びに励むからだろう。

　斯様な親達は他者を支配することに取り憑かれていて、交渉や対話を放棄することを信仰しているが故に、教育とは子供を圧迫し尽くして隷属させることだと考えているわけだ。ミーイズム以外をまるで持たない彼等彼女等の認知する世界には、おそらく自ら以外の人格が一切において存在していないのだろう。彼等彼女等の失敗した子育ては、社会全体を破綻させるということを、我々は心得ておかねばならないのだ。

ドイツにおける毒親伝統　注文の多い料理人

「牧師の子はグレる」とはアメリカの諺だが、勤労カルヴィニズムの親子構造も儒教と何も変わることが無い。子供の存在は親のための食材であるという宗教が儒教カニバリズムであり、子供の人生は神に対する贖罪であるという宗教が勤労カルヴィニズムであって、本質的にこれらは同じ「不自由への信仰」なのだ。

　タイガーマザーはアメリカの中華系移民の母親であったが、ドイツ系移民の父親にも似たような価値観を持った親が存在していた。ＫＫＫに所属していたと言われるトランプ前大統領の父親はカルヴァン派であるが、彼はタイガーマザーと同じような子育てを行っていたと、前大統領の姪の告発本に記されている。

　幼少期のトランプ前大統領は自分の父親が神の代理人たるカルヴァンであって、彼はカルヴァンに認められること以外に行動の軸が無かった。であるが故に、彼は全てにおいて外発的で中身が何もない大人に成長したのかも知れない。彼は、その空虚さ故に威張り散らしたいだけであって、実体的な問題解決には興味もなく、売名に熱意を上げても意思表明をすることはないのだ。

　実は、ルターも父親からこれと同じような洗脳教育を受けていて、そうしたリンチと脅迫から彼は新しい宗教を造り出したようだ。こうした教育は他者への弾圧と支配しか考えないだけの狂信であるが、勤労カルヴィニズムの奴隷意思論とは権威に対する絶対服従の教育を理論化しただけのものに過ぎない。

ちなみに、ヒトラーの父親も斯様なる毒親であった。ドイツの神官達は、実体的な結果を目指したのではなく、権威への恐怖によって突き動かされていただけであったと考えれば、彼等の行動の不合理さにも辻褄が合う。斯様な歴史から考えるに、他者を愛することが出来ない彼等が伝統的に唱えてきた愛とは、理不尽な恣意性や不寛容な懲罰、見栄張りのマウンティングを正当化するための言葉なのだろう。

斯様な宗教的な洗脳教育を受けているが故に、トランプ前大統領は他者を迎合させる対象としてしか見ていないし、彼に迎合しない者を否定することしか出来ないのだ。内面に存在する徹底した他者への不信故に、この可哀想な男はどこまでも他者を攻撃し続けないと気が済まない。この世にプロテスタントが存在しなかったのならば彼も幼少期や青春時代を失わずに済み、今のような醜い権威主義者に育っていなかったはずだ。

おそらくはトランプ前大統領の父親も彼の両親にこのような扱いを受けていただろうが、こうして権威の奴隷を作り続けることがドイツの伝統であったのかも知れない。親がしたい放題にするために子供を無力化するための宗教的洗脳を刷り込み、宗教権威と経典と金と親を絶対的に信用して、他者を絶対に信頼するなと教えるのだろう。言論の自由を否定し、自分で何も決めさせず、政治を拒絶し、観念に怯え、不適格な懲罰を愛情として有難がり、権威に絶対服従し、非権威に暴行して憂さ晴らしをして生きることが、普遍的理念を否定する彼等の人生であって、宗教権威と親の言いつけを守ること以外は彼等の人生には軸が何も存在しない。彼等は近代国家を理解することもなく、権威主義によって民主主義を破壊することを道徳的善として考えている。斯様な教育こそが、世間でよく聞く「謝ることが出来ないアメリカ人とドイツ人」を、ナチスの生産ラインのように効率的に量産しているわけだ。

議論が出来ず、実体を視れず、不条理な暴力と理不尽な妄念の押し付けしか毒親達は出来ないが、脅しと騙しと恐れと物欲で全てを回すのがヒトラーの世界観である。そして、権威に無抵抗であることを信仰し、自らと異なる者を許さないというのが勤労カルヴィニズムの価値観である。「己がしたいことをすれば死ぬ」と「他者を弾圧しマウンティングを行う」と「神学に励んで地位を獲得する」という権威主義観念の三位一体は、実体のあり方に関わらずに自らが絶対に正しいと信じ込むロマン主義以外の何物でもない。

実体を無視する力には技としての洗練が伴わず、戦いにおける強さからは最も遠い。だが、家庭のような密室では有形力に劣る者に対する抑圧に使うことは可能であって、どんな嘘を承認させることも簡単なことだ。こうした問題の解決のためには、国家が育児支援を拡充させると同時に家庭に対して監視と管理を徹底する必要があるわけだが、大体の宗教権威は子供を思うがままに洗脳するために、家庭に対する国家の介入を否定するという性格を持っている。

「権威である親は全て正しく、子供である自分は絶対的に間違っている」という観念を子供に狂信させることがゲルマン的不寛容であって、親子関係を神と人間の関係に変えたものがルターが説いた信仰であった。神と親に殺されないかだけを意識して生きるという強迫観念がプロテスタントの本質であるが、こうした野蛮からナチスが生まれ、「権威であるナチスはすべて正しく、非権威であるユダヤ人は絶対に間違っている」という観念がアウシュヴィッツを造ったわけだ。だが、神道における神とは人間の友人であって、儒教やキリスト教のような権威主義的な親子関係は存在せず、本来の日本は権威を崇拝する価値観から最も遠かった。斯様に自閉的な観念的狂い達は、近代的な向学心と無縁であることは説明不要だ。

ルターやトランプ前大統領の親達も、実体と自らに軸を持たずにどこまでも権威に従順であるが故に、権威の下僕の看守のアイヒマンとして囚人である子供を虐待しているに過ぎない。騙しと脅しに服従するだけの子供以外を許さない彼等は、権威の騙しと脅しに従うこと以外が一切において不可能なのだ。朝は甘えるだけの四本足、昼は世間体を偽るだけの表層的な二本足、夜は権威主義的で冷血な三本足、この畜生道の正体はドイツ宗教の信者である。勤労カルヴィニズムがこのまま世界に広まり続ければ、この世の全ての人間がナチス親衛隊の思考しか持てなくなる。「権威とそれに従う自ら以外にはどこまでも不寛容であれ」という病的な不寛容を有耶無耶にするために、ドイツロマン主義という観念的な麻薬が発達したのだろうか？

　弱い者虐めを信仰し、人間の精神の独立を否定し尽くす親達からすれば、人間関係とは上下関係や思考停止した迎合を意味するものでしかない。個人利益主義者の彼等の間には意思疎通が存在しない代わりに、騙しと脅しと恣意的な指図が存在している。実体的な意見を否定して自己正当性を主張する保身が彼女等に出来る唯一のコミュニケーションであるが、つまりそれは有形無形を問わずとした暴行のことだ。競争社会に生きる彼等彼女等は結果を創ることを求めておらず、単に他者を叩き殺したいだけでしかないのだろう。

　日本人からすれば意外なことであるが、厳格なカルヴァン派の教育を受けたトランプ前大統領は酒もタバコもコーヒーも美食も忌避していて、ああ見えて意外に禁欲的な男なのだ。彼が己の非をまるで認められないのは、どんな些細な過ちをも絶対に許さないという勤労カルヴィニズムの潔癖症的な不寛容にその根源があって、実際に彼は他者と握手することを嫌がるほどの潔癖症でもある。実は、ブッシュ大統領も禁酒していたが、過去のアメリカには禁酒法というものも存在しており、勤労カルヴィニズムは娯楽に関しては極限的なまでに否定的だ。これは、酒やタバコやコーヒーや美食を禁止することによって、宗教というアヘンへの依存度を高めることが目的なのだろう。

　だが、集団同化と弱い者虐め以外に喜びが無い者は、浅ましく醜いだけである。公共を幸福にすることを目指すべきであって、己が不幸になることが人間の目的ではないが、現世におけるあらゆる幸福を放棄する勤労カルヴィニズムは社会全体を不幸にすることしかまるで出来ない。なんら理念を持たずにあらゆる怨念に取りつかれて子供に八つ当たりを繰り返すという慣習が、ユダヤ人に向けられた結果がアウシュヴィッツ収容所であったに過ぎない。子供を自由にしないことを信仰する宗教は、不自由で他者を虐待する大人を造り、そうした大人達が社会をナチス化させるわけだ。

欲を否定する禁欲主義は、欲を能動的にコントロールすることから遠ざかることであって、これは日本的な仏教から最も遠い価値観である。現代アメリカの野放図な贅沢は、勤労カルヴィニズムの厳格な禁欲が反転して生まれたのだろうが、どちらにしても意思決定が存在しないことは明らかであって、中庸という仏教における判断の自由からは程遠い。人間の楽しみと自由を禁止することへの信仰は、意味も機能もない規制を造るが、これは我慢への信仰に過ぎないものだ。

勤労カルヴィニズムの禁止のための禁止は、現世のものは全てが汚れているという信仰でしかない。勤労カルヴィニズムとは、権威に己の全てを管理させなければならないという狂信であることは疑いようがないが、その結果として生まれたのが金と見栄にしか興味を持たないトランプ前大統領だったのは、喜劇としてはそれなりには面白い。実は歴史的にはタバコはアメリカ先住民の文化であったということもあり、禁煙の裏には白人至上主義が隠れている。和食もフランス料理も、食べることという生きることに裏打ちされたアーツであると言えるが、こうした芸術を禁欲カルヴィニズムは目の敵にしているのだ。

快楽だけの追及が禁欲だけの追及に変わったところで、実体を無視した自己満足であることは何も変わらない。「欲しがりません、勝つまでは」という根性論はヴァーチャリズムであって、「腹が減っては戦は出来ぬ」が合理性に適うリアリズムである。動物的快楽欲求を根絶することを目指すが故に人間的探究精神を破壊してしまうならば本末転倒というものだろう。禁欲とは、有害か否かを考えることもなく、「してはならない」と思い込むことであって、有益なことを行うことも無くなる諦念であり、「力への意志」の対極である。成果ではなくて苦しみを信仰するが故に権威に隷属することになるのであって、こうした奴隷的マゾヒズムは公共性を否定する権威主義に過ぎない。遊びを削ることが仕事であるという信仰は、権威に許されるために生きて金のために死ななければならないという義務でしかない。己で何もせずに言われたようにだけ動く奴隷を作ることが禁欲という洗脳の本質であるが、無駄なことを全て守る奴隷は余りに無能過ぎて実務においては完全に有害である。

芸術家は傲慢さによって作品を創造するが、宗教家は敬虔さによって全体主義社会を作り出す。信者達は自己否定を善として妄信しているが故に自己否定していない他者を弾圧するが、自己批判することが出来ないが故にそれを辞めることが出来ない。批判すべき自己を単に放棄して、全てを思考停止した権威への狂信に置き換えているのだから、公平な自省は絶対に不可能なのだ。

ヒトラーもトランプ前大統領のように酒、タバコ、コーヒーは全て忌避していた一方で、フリードリヒ大王はこの全てを好き放題に嗜んでいた。胸に入れていたタバコケースが敵の放った銃弾を食い止めて、フリードリヒ大王は間一髪で命を保つことが出来たという逸話もあるが、これは喫煙が人の命を救うこともあるという良い例だろう。ヒトラーはフリードリヒ大王を神輿に担ぐ広報戦略を取っていたが、世界に禁煙を強制しようとする禁欲的なヒトラーに対して、あの世の大王は烈火のごとく怒り狂っていたに違いない。

権威主義の観念は、親が子供を権威主義のために生産し、そして生まれた子供を権威主義に洗脳することでウィルスのように社会に増殖していく。親が子供に観念を押し付けることに執心し、そして子供が孫に観念を押し付けることに専心して、「観念の拡大再生産」が起こる。親達はマウンティングにしか興味を持っていないが故に、社会には権威主義者だけが増え続ける。権威主義的な人間がコピーされ続けることで空間的にも時間的にも儒教の権威主義が世界に広まり続ける結果となり、ウィルスの増殖よりも恐ろしい負の文化再生産が続き、奴隷制度の拡大再生産がどこまでも繰り返される。

儒教や勤労カルヴィニズムが蔓延した社会では、子供達は権威主義的に強い立場の親に支配されることが忠孝と刷り込まれ、抑圧を下に押し付けることが美徳として洗脳され、親の都合と権威の利益だけを考えて下からの搾取を繰り返すことを妄信する大人だらけになる。上への恨みを下にぶつけること、被害を下に投げ続けること、公共のための問題解決を放棄して自らの出世のための責任転嫁に心血を捧げることによって、「虐め」というものが社会に蔓延し続け、それが道徳として崇められることになる。上から下に理不尽・不公平・不正義を押し付ける連鎖が拡散する様は、まさに丸山真男が指摘した「抑圧の委譲」であるが、権威以外を攻撃し続ける八つ当たりを徹底的に洗脳すれば、権威の保身は徹底的に安泰することは事実だ。

現代の中華においても、ウィグル自治区や上海・香港という北京に対する辺境で搾取と弾圧が繰り返されているが、これこそがまさに儒教精神の反映である。言うまでもなく、彼等のその次の獲物は台湾であり、我々日本であるのだから、「明日は我が身」を自覚しなければならない。

本来は、共産主義では辺境民族は保護されなければならないとされ、ソ連では辺境民族に対して中央の言語の強制などはそう多くは行われていなかった。現代の中華共産党は、三国志の黄巾の乱を民衆の政治的意識の目覚めなどと口では説いているが、彼等の足はそれを弾圧する側に立っている。啓蒙よりも抑圧を選ぶ彼等は、社会契約を守ることではなく、属人的権威を決めることにしか興味が無い。貧富の格差の大きさを考えれば、修正共産主義ではなく、儒教こそが現代中華を成立させている価値観であると考えるべきだ。

論語には親に対するように主君に接しろといった記述もあるが、子が親に隷属する社会では、これは人間が君主に隷属することとしか意味しないだろうし、場合によっては家臣が主君に食べられてしまうのかも知れない。三国志では妻子の肉を玄徳に献上した男の話が存在していて、これが実話であるのかは定かではないが、創作であってもこれが美談として受け入れられる風潮ではあったのだろう。

魯迅は儒教のことを、親が子を食う思想と述べたが、実際に親が子供を食い物にする話は中華には多い。劉邦は項羽から逃げる最中に、馬車に乗っていた息子二人を突き落とし、馬車を軽くして自分だけが逃げようとしたのは有名だ。この説話からは、論語で唱えられる権威主義は事実を反映しない空論ではなく、実際に親が子を食い物にすることが中華の実情であったことがわかる。情けない劉邦は中華に儒教支配を確立させた張本人であるが、項羽は名馬の騅と共に先陣を駆け抜ける勇猛な武人であったことも追記しておく。

　儒教における人間観は人間を身分的存在どころか権威の所有物としてしか認識できず、それは人間個々人の実体と精神を認識しえないヴァーチャリズムに過ぎない。そして、実際に中華では親＝上位者は子＝下位者を文字通りどころか、物理的に食い殺すことこそが道徳であった。この親という「注文の多い料理人」に対しては、宮沢賢治も草葉の陰で驚いていることに違いない。

　論語には政治について民衆に知らせるな、と記述されてもいる。これは国民の知る権利を否定して盲目的に従属させる発想であるが、民という漢字はもともと盲目の奴隷を意味する言葉であった。このことを考えても、儒教では人間個々人の意思や命は、親や権威の所有物か食糧かであると認識されていたわけだ。

　儒教には中央専制と権威への服従以外の価値観はないことは言うまでもないが、勤労カルヴィニズムもそれは同じことだ。儒教カニバリズムと勤労カルヴィニズムは同類であって、どちらも権威が全てを支配するという世界観が貫徹されている。これらの世界観においては、個々人の協働による権力行使も公共社会も想定されておらず、それ故に権威となった人間が非権威の人間を支配することにしかならない。

　我々はアジアの近隣国であってもアメリカであってもドイツであっても、無条件で信用することは危険そのものであるということに気付かなければならない。彼等から輸入された考えの中には、恐ろしいまでの毒性が秘められている。中華製の粉ミルクにメラミンが混入していたことは記憶に新しいが、中華においては食事よりもむしろ教育によって子供に強烈な毒を飲ませていた。『狂人日記』の狂人とは、儒教的な意味では正気の常識人を指すだけのものでしかないのだ。中華においては毒の入った食材のことを毒菜と呼んでいるが、このような毒親による独裁をして毒裁と呼んでも何ら問題はないだろう。

吉田松陰は「狂い給え」と言った　ニーチェの超人と維新志士

論語では、「不言実行の推奨や控えめでなければ嫌われる」やら「奴隷盲民の分を越えずに守り主君を立てよ」というような謙虚の概念が再三述べられている。これはともすれば上司に媚び諂うだけの姿勢になりかねないものだが、権威への忖度を道徳とするのは全体主義社会の特徴だ。事実として、ナチスの人材抜擢は能力ではなくてヒトラーに如何に忖度するかによって決定されていた。

現代ではともかく、過去の日本ではこうした道徳を名目にした自己委縮の強制というものはそれほどは推奨されてはいなかった。維新の元勲の山県有朋は、大言壮語を吐き続けて気を大きくしておかないと偉大な業績は残せないと吉田松陰に説教された結果、自らに山県狂介といった仇名をつけた。戦国時代には織田信長は自らを第六天魔王と自称していたことも有名であるが、この第六天魔王とは欲望を肯定する功利主義の神であって、つまりは近代精神の象徴であるとも言える。禁欲から生まれるものは不寛容とリスク回避だけであって、それらはリターンやリスク管理から最も遠いものであろう。

信長や秀吉は功利主義に基づいて天下を統治することを望んで近代的な政治への礎を築くことに成功したが、家康は保身のために人間を支配することを目指し儒教を政治に用いた。信長や秀吉は当時の世界で最も先進的な社会組織を創ることに成功していたが、江戸時代の日本は世界の進歩から取り残されていた。信長や秀吉のような英雄は理念を持ちながらも同時に残忍かつ狡猾であったと言われるが、売国奴の家康は単に冷血で臆病で非人間的であった。合理主義の政治家は公共を幸福に出来るが、宗教家は公共判断を無視して自己満足のために全てを思い通りにすることしか考えない。

その実において、傲慢さと直向きさと自負と熱意は全て同じようなものであって、「個の意識」があるが故に人間は大事を成し遂げられる。実は、日本人が不言実行やら控えめであった試しなど歴史的には少ないものので、戦国の世では広報戦略も重要であるのだから大部分の戦国大名達は雄弁家であった。

戦国時代とは、選挙で国民を騙せばそれで勝てるという時代ではない。それ故に、戦国大名の雄弁にはアメリカンマインドのような自己顕示欲の個人利益主義ではなく、政治的な問題解決意識が伴っていた。支払いが悪ければ謀反が起きる時代では、殖産興業が出来ない者は下剋上によって代わられるだけだ。公平性を持つことが名誉であるとされて、それを持つ者が称賛されるべき者と認識されるのは、それが無い者が社会の要所に就けば社会が崩壊するが故にであって、不名誉な者を排除する本質的な機構である。現代の不名誉な愚か者は、目で見て頭で構造的な問題解決をすることではなく、ただ働けばいいと思い込み、失敗は勤労力の不足に由来する自己責任であると考えるが、斯様に弱い認知能力では戦国時代では真っ先に淘汰される。

日本の伝統とは対照的に、論語で述べられた徳とは規定されているだけのマニュアル的な行動を振舞う反知性であって、結果を求めないキレイゴトの類でしかない。これは、唯心論を何よりも優先するプロテスタントの態度とも共通するものであって、一切の実体的な判断よりも観念的な正当性を重んじるものだ。これらが唱える善というものは、単に親なり上位者なりの言いつけを守る権威主義であって、知性を放棄して、何も観察せず、何も分析せず、ただ権威に煽動されて動かされるだけのことに過ぎない。

こうした奴隷意思によって権威秩序の奴隷的安定を保つことが、儒教で正気とされていることの正体だ。変革を起こさないこと、ただ只管に守旧的なこと、規格から外れないこと、単に権威に従順なこと、カルト宗教団体を壊さないことが儒教的な正気とされるものである。アメリカでよく見られる宗教カルトの閉鎖的な村は、ドイツ系アメリカ人の集団であることが多いが、彼等の価値観は儒教と殆ど同じだ。

斯様な偽善の下においては、織田信長や豊臣秀吉や武田信玄と言った戦国大名達が英雄視されることはない。実際に、中華では徳川家康の小説がブームとなったこともあるが、これには儒教的価値観が関係しているのだろう。儒教を批判した曹孟徳は日本では蒼天航路の主人公となった一方で、中華では天下の罪人扱いという有り様である。

論語の中ですら孔子は君主にご機嫌取りをしていると他人から批判をされているが、彼はそれこそが礼儀であると開き直っている。形式主義とご機嫌取りのおべっかを家臣の分として正当化する儒教への批判は、古の中華にもそれなりには存在していたらしい。ゴマすりと媚び売りを繰り返す無能が出世した挙句に権威主義的な権力行使によって言論の自由を弾圧する現象は、現代でも失敗した組織によく見られるものだ。

神官の誑かしが社会に蔓延すれば、社会契約に基づいて有形力を運用する意思決定は不全化するが、これは人間社会における物理法則のようなものだろう。現代の選挙は神官を選ぶだけの人気投票に堕落しているが、神官の動機は権威主義的ミーイズムであり、目的は自らの出世であって、公共社会の向上には興味を持っていない。だが、地位に就きたいだけで結果を求めていない彼等彼女等も、「勝てば選民」においては全肯定される存在なのだ。

現実に基づいて討論することや己の本音を発言することではなくて、権威への迎合と作り笑いを尊ぶ価値観が儒教であり、これは自他を騙すこと自体への信仰である。斯様な蛮習は織田信長や吉田松陰の直言に反するだけの非日本的な価値観であって、全ての実体を忘却して判断を一切において否定して何もかも曖昧に濁して逃げる保身でしかない。

儒教で勧められているような謙虚さのアピールはぶりっ子を主張し演出する印象操作でしかなく、これほどに差し出がましく浅ましい自己顕示もない。儒教の形式主義は他人にどう見られるかを気にして表層だけを整えるルッキズムであり、思考停止して着飾るだけの軽薄な精神そのものだ。ガワに拘って中身をまるで理解し得ないが故に、実体的なものを生産しない現代のアニメオタクは、儒教から生まれる存在なのだろう。

他者の眼を騙すことさえ出来ればそれでいいという価値観は、他者からの評価によって自己の本性を騙し、他人の目を気にして実体を無視して風評に流されているだけに過ぎない。これは、自分が自分で在れないアイヒマンがナチスに親衛隊中佐であることを与えられることを望んだのと同じことだ。こうした価値観は、世間やら他者の評価やらは全て正しいという「他威確立」そのものであろう。権威に許されることしか考えられず、実体合理性に基づいて判断する近代的自由と無縁であるのが中世人である。人の目だけを気にする「群れ意識」は判断の基軸を実体ではなく群れからの評価に置くという「同化と権威主義」であるが故に、民主主義なき民主制を成立させることを忘れてはならない。

儒教とは権威の歓心を買って依怙贔屓されるための手段に過ぎず、本質的に権威による分断統治のための支配の道具に過ぎない。儒教の形式主義は人間関係を権威主義の束縛に落伍させるものでしかないが、自己正当化と個人利益を重んじる者は人間社会そのものをコミュニケーション障害に陥れる。指示通りに動く礼儀正しい人形しか求めないタイガーマザーと同じように、儒教社会は事実も個人の意見も一切において弾圧する不寛容なアジア的専制であるのだから、承認欲求しか持たない奴隷が量産される。過剰な気遣いは人間関係を却って破壊するが、他者に対して自分の意見を出さないことは気遣いというよりも他者を信用していないだけであって、それは他者を怯えているだけに過ぎないのだ。

実際に儒教としては異端でしかなかった陽明学を除外すれば、儒教思想による政治は散々なものであった。儒教では先祖の遺言を重んじるが、「貨幣改鋳を行うな」という家康の遺言を新井白石が忠実に守った結果として、通貨供給量が足りなくなったという事態が発生している。経済の分野にまで宗教が介入する点において、儒教は勤労カルヴィニズムの市場原理主義と同じ性質を発揮したわけだ。

医者でもあり国学者でもあった本居宣長は江戸時代における儒教批判の急先鋒であったが、身体を破壊するヤブ医者の診療に疑問を持たない愚民には、国家を破壊する政治家に疑いの目を向けることも不可能なことだろう。現代日本においてはマスメディアがヴァーチャリズムを蔓延させ、政治に無関心な者が増えて選挙が機能しなくなり、政治家が劣化した結果として官僚支配が成立している。科挙と儒教と官僚の関係を考えれば、官僚支配も一種の政教一致であると言えるが、政府最強の省は財務省なのだから官僚支配が緊縮財政となるのは当然のことでしかない。江戸時代でも儒教は人間の政治意識を破壊して、緊縮財政政策を重んじていたのだから、歴史は繰り返すということなのだろう。社会の進歩を否定する儒教では、通貨管理や変動相場制を認められるわけもなく、時代遅れの金本位制に固執することも必然であるのかも知れない。

　元文の改鋳によって通貨供給量を増やし、産業育成によって幕府の財政を立て直した徳川吉宗は、朱子学を徹底的に批判していた。貴金属の蓄積ではなく有効需要と実体産業が経済の本質であることを見抜いていたが故に、彼は流通の活性化手段としての適格な通貨管理政策と国家を豊かにするための殖産興業を行うことが出来た。朱子学を嫌った彼は洋学を解禁したが、この政策は「漢意」を否定して「やまとこころ」を重んじるものであって、明治維新に繋がる道であった。

　テレビの時代劇の吉宗は武断の「暴れん坊将軍」として描かれて、悪代官や汚職商人といった自分達の一族だけが繁栄すればよいという儒教的精神を持った個人利益主義者達を成敗している。家紋と権威を重んじる儒教は、悪代官や汚職商人を増やすものであって、法治意識や科学技術を破壊して公共社会を破綻させる。彼が儒教を成敗したという歴史を鑑みれば、この描写は史実に即した比喩であるわけだ。

　現実実体を否定して形式主義に閉じこもる儒教の正気は、実体としては認知症でしかない。こうした正気は危機感の欠如であって、観念上の安全への幻想的な信仰であり、平和ボケそのものだろう。正気という破滅願望は白虎隊精神であるだろうが、それは何よりもヒトラーが好むところであった。前近代的な白虎隊は、武士という文明的な戦士から最も遠い存在だろう。知性を放棄すれば強くなれるという精神論は、単なる世迷いごとでしかない。観察と分析を否定して同情と思考停止に走ることは、結果の放棄であって工学の否定でもある。迷妄な観念を功利主義よりも優先するロマン主義は、「自由からの逃走」しか起こせない。現代に見られる「勇ましいことを言うならば今すぐにウクライナに行って戦え」などという言説は、戦争における言語認知と通信指揮を無視するロマン主義の典型であるだろう。

学校の体育における兎跳びやピラミッドは、機能的構造を否定する形式的虚飾であり、己の意思で動くことを許さないという呪詛であって、無意識状態を強制して徒労を強制する制御不全でもあり、苦しみを信仰するヴァーチャリズムでもあって、つまりは破滅願望そのものでしかない。思考停止してぐちゃぐちゃな動きを繰り返し、間違った型を疑問視しないという反知性は、情熱と向学心の否定以外の何物でもない。実体合理性を否定する野蛮極まる根性論は、構造の無視という反知性であって、システムの力を放棄するマインドではアーツを創ることは不可能であり、見栄のために効率を放棄する愚行は脳の速力を毀損する。コントロールを放棄して突っ走るだけの精神論では、何事もうまくいくわけがない。権威に全てを委ねることは、己で何をも決めず、己で何をも制御しないだけのことであって、それは政治意識の否定であり、敢闘精神の放棄であって、知的好奇心の消失であり、指揮系統の崩壊である。いつの時代でも、権威は理不尽に従う「あらみたま」を持たない奴隷を造り出すために、人間に対して自傷自虐を強制して己を防衛する意識を忘却させるものだ。己を安売りさせるための卑賤なる洗脳術は市場原理主義には適うことなのかもしれないが、自己破壊が刷り込まれることで自罰意識に取り憑かれて国家を破壊しようとする者まで生まれる。儒教とは、不正義の強制によって人間から理念を取り除こうとする試みに過ぎない。

敵と刺し違えることを選択するよりも、儒教的な信仰によって自らの体面を保つための自殺を選ぶ正気の無能者は、一身における偽善的な保身や見栄のミーイズム以外のものには興味を持てない。観念だけを見て実体を視ない斯様な正気の本質は、単なる権威への恐れそのものだ。儒教的な正気とは実体を放棄して嘘をつき続けることでしかないが、正気とされる者が単なる狂人であるという事実に魯迅は気づいていた。

世間における大体の言葉は単に権威が定義するだけのものであって、往々にして言葉の意味と実体のすり替えが起きている。こうした事実を鑑みて、我々日本人こそは吉田松陰の狂気を肯定しなければならない。

吉田松陰が言ったように、「諸君、狂い給え」である。

第二章　「漢意」による人間支配とそれを打ち壊す「やまとこころ」について

宗教とは何か？　法律と戒律の相違　ルールとレール

鎗崎は儒教を思想ではなくて宗教であると考えているが、朱子学として整理される前の儒教は宗教であったという学説も実際に存在している。そして、事実として儒教は宗教の要件を満たしてもいる。ここからは儒教が宗教であることを証明するために、宗教の本質について確かめることにしよう。

まずは、多くの宗教に見られる戒律について考えることにする。戒律とは宗教的な規制であるが、世俗社会においても法律という形の規制が存在している。この二つはどちらも規制の形態であることには違いはないが、その目的は全く以て異なるものだ。

法律とは、国家公共との社会契約であって、人間の自由と社会的利益を守るために設けられた統制である。これは、公共社会と構成員との間に成立する双方向的なルールであって、実体的な不利益を抑止するための「行動の規制」であり、人間の合意によって成立する横のルールである。つまり、法律とは人間による統治であり、実体的な必要性に基づいた規律であって、人間社会を成立させるために必要な社会装置である。

法律とは、条文を絶対視せずに運用の幅と条文の変化を想定するものであって、法の根拠となる実体的効果を重んじるシステムである。近代国家の法律は、「他者や公共に迷惑をかけない限りにおいては基本的にしたいようにするべきである」という自由の理念に裏打ちされたものであるとされている。それ故に、法律は逸脱することが絶対に許されないものではなく、結果が是となるならば法律を破る行動を選ぶことを想定したものであって、条文を法の理念（リーガルマインド）よりも優先するものではない。

法の目的は公益を守ること、正義を守ること、社会理念を守ることであって、それらを守らないものや守ることを妨害する法は、本質的に法であるとは言えない。ソクラテスは「悪法も法なり」と述べたが、弟子のプラトンが自らに冤罪の危機が迫った際には、「アテナイに無辜の者を殺させる業を負わさせない」と訴えて一時的にアテナイを離れた。この故事を見る限りは、プラトンは師匠よりも法の理念を理解していたわけであって、弟子を自らよりも向上させたソクラテスは教育者として超一流であったということだろう。

斯様な法律とは対照的に、戒律とは権威に基づいた上意下達の縦のルールである。戒律とは、これを絶対にやらなければならないか、若しくは絶対にやってはいけないかといった強制である。

戒律には、無駄に条文が増えやすいという性質が存在している。戒律とは、それだけが正当とされる行為の羅列であって、戒律を守ることが人生における最大の目的であるとされるものだ。それ故に、戒律に書かれていない行動は殆ど全て禁止されることまでも存在している。

端的に言ってしまえば、戒律は権威が人間に押し付けるルールである。戒律とは、人間の能動的判断を破壊して権威の言う通りにさせるための物理的な規制でしかない。権威の観念的正当性を盲信するだけで実体合理性を何も考えない人間は、戒律から生まれている。特に、娯楽を一切全て禁止するような勤労カルヴィニズムの戒律は、奴隷意思論という宗教観念を強制するためのレールであることは言うまでもない。「親が決めたことから外れてはならない」という儒教的な観念も、戒律的な意識そのものでしかない。だが、思考停止して親の言うことを聞き、権威の真似事を繰り返すだけの子供は、ソクラテスとは異なる選択を取ったプラトンになることは不可能だ。

鎗崎は戒律が完全に無価値であるとまでは主張しない。ルールを強制的に押し付けることにメリットが存在している場合もあるだろう。しかし、戒律はその成立根拠が人間の間の社会的合意ではないということに最大の問題が存在している。戒律を保障するものは、実体世界の功利性や公平性ではなくて神や宗教権威である。戒律とはあくまでも絶対的な権威とそれに隷属する人間の関係性に基づいたものであって、人間に自主権が置かれたものではない。

人間がルールを決めた上で自由に活動するためのものが法律であるが、権威が恣意的にルールを決めて人間に強制することが戒律の目的である。これは、公共判断に基づいた契約の順守ではなく、上が許し下が許されるという関係であって、支配と被支配の二元論に過ぎない。

無駄だけを強制して必要なことを何も教えない学校の教育は、戒律の構造そのものだと言えるだろう。「良い子」とはただ我慢して権威の言うことを聞くだけの生徒であって、実験精神を否定してマニュアルを順守する存在であり、学校が管理しやすいだけの奴隷でしかない。向上には大体の場合において愚鈍な忍耐ではなく知性の活用が絶対に不可欠であって、我慢だけの奴隷が社会に役に立つかというとそうではないのだ。学校の儒教的な洗脳によって公平性が破壊され、ルールを守ろうともその理念は無視され、そうして生産力が低下した現代社会の惨状を見れば、宗教が国家を破壊することはわかりやすい。

戒律というものはその根拠が人間の合意ではなく権威であるが故に、民主主義的な合議によって変更することは想定されていない。宗教が説く戒律は、無警戒・無批判・無条件に強制的に順守させるものであって、お上の押し付けによって社会や人間が動かされるという権威主義がその前提である。彼等はこれを破ることで人間は死後に地獄に行くと喧伝しているのだから、戒律とは脅迫や恫喝の一種でしかない。

脅迫と恫喝の戒律は、思考の自由や言論の自由を保障する近代理念の対極であろう。実体功利性に基づかない規則、到底に守り切れるわけもない形式、権威による実体根拠なき懲罰によって、宗教権威は支配下の人間を徹底的に委縮させる。恣意的な指図と終わらない監視を精神に内面化させて観念的不安を形作り、難癖に苛まれ続けるだけの臆病な小心者を増やし続ける。観念的罪悪の捏造によって被支配者を脅し尽くすことで、権威が神聖無謬で人間が汚らわしく、主体的な行動は全て罪悪であるという妄想が蔓延する。戒律とは、制約のための制約、規制のための規制、禁止のための禁止であって、人間個々人に己の行動を取らせないために実体的に出来ることを観念的に不可能なように思い込ませる拘束に過ぎない。実害なき失敗への過剰な恐怖は、不寛容な信仰から生まれるものだが、斯様な洗脳によって機能性も実体構造もまるで気にせずに不自由非合理を守るためだけに生きる奴隷が生まれるわけだ。

　カルト宗教の教祖が信徒達を支配するために、戒律を守るためだけに人生を費やすことを刷り込むのは、古今東西においてよく見られる。個々人の時間の全てを宗教に費やさせるために無意味な戒律を無限に増やし続けるのは、実体合理性を無視してでも権威に従属することを信仰させるための洗脳に過ぎない。マックス・ウェーバーも勤労カルヴィニズムにはこの構造が存在していると批判していたが、市場原理主義は勤労カルヴィニズムから派生したイデオロギーでしかない。この洗脳の構造は、宗教権威と信徒の間に距離が一切見られない全体主義的な癒着を造り出しているが、不要なことを決めればそれに縛られることは自明であって、宗教権威は人を支配するために不自由な徒労を強いているわけだ。

　無論、全ての宗教の戒律が世俗性を持たない原理主義であるとまでは言わない。しかし、教義と戒律のみが正しく自分達の宗教が世界の全てであると、宗教権威の絶対性を説く教祖は少なくない。彼等彼女等が唱える経典原理主義は、教科書を暗記して実体的な向上を放棄する学校教育の知的怠惰と同じものだ。権威を崇拝するだけのカルト教祖と信者達には、過去と今を超えて自らによってものごとを進歩させる意思はない。

　勤労カルヴィニズムでは絶対無謬の権威に対して罪人である人間は贖罪的隷属を行うべきとされるが、儒教における親孝行も親や皇帝の絶対的正当性を前提にした権威に対する食材的隷属でしかない。勤労カルヴィニズムも儒教カニバリズムも本質的に同一であり、権威が人間の生殺与奪の全て握らなければならないという全体主義であって、親による子供の私物化というものは現代社会特有の現象ではないのだ。

親孝行や神孝行という信仰観念は、権威のための労働を意味している。それは権威に裏打ちされるが故に社会契約を無視した奴隷労働に容易に陥るが、宗教権威はそうした無償奉仕を欲している。社会契約とは親孝行の対極であって、公共権力とは宗教権威の対義語であろう。

労働を実体的必要性に基づかせるのではなく、権威への信仰に基づかせることによって、思考停止した無制限の勤労の強制が可能となるが、その思考停止故に効率の悪さを伴うことも多い。だが、キリスト教においては労働とは神が人間に下した罰であるとされているのだから、労働効率の悪さを苦行として尊ぶことも必然である。休まずに遊ばずにただただ働くことこそが奴隷意思論の実現というものであろうが、信仰に篤い宗教的勤労者が公共のために働く工学的近代人になることは絶対に不可能だろう。

ただ、カトリックでは生きた人間に関わるものに権威の根源が直接的には存在しないが故に、宗教権威が人間を従わせる構造はまだ弱い方だ。一方で、儒教では生きた人間の身分や立場自体を絶対の権威そのものとするが故に、権威による人間の支配の強度が桁違いに強くなる。そして、勤労カルヴィニズムでは白人は選民であるとして生きた人間に権威を置いているのだから、その権威主義の強度は儒教と変わることがない。

生きた人間に対して権威を属人的に発生させてそれが政治権力化した例としてはカルヴァンが存在しているが、最も有名なものはナチスドイツであろう。ヒトラーは、「服従することを自明に思うことが優秀であるということだ」と独裁そのものを表現する台詞を吐いていたが、結果を考えて己で判断する意思を持たないことが優秀であるという観念はロマン主義的な倒錯そのものでしかない。

彼が全権委任法によって憲法を無力化したことも、世俗的な法律よりも権威による戒律が優先されるべきという宗教的な価値観に基づいたものであったのだろう。功利主義よりも権威主義、成果よりも苦しみを好む奴隷的マゾヒズムは、全体主義社会を生み出すこと以外は何も出来ない。ナチス親衛隊は権威から承認されたいだけであって、自らの主体的な意思を持っていないのだ。

このナチス政権は、ワイマール共和国の民主制から生まれた。貴族制によって民主主義の理念に基づいた政治が行われていたプロイセン時代の方が、民主制によって権威主義が跋扈した「自由からの逃走」のナチスの時代よりも実体的な民主主義が存在していた。

ナチスとは民主制から生まれたものではあれども徹底的に民主主義とは対極的な民族主義であって、民主制が必ずしも民主主義を担保するわけではないことを示す典型的な例である。社会の大部分が観念的な決めつけによる煽動で動くことになりがちな民主制は、むしろ民主主義に反する性質を強く持っているとはトクヴィルも指摘したことだ。

昨今に流行した『西洋の自死』というダグラス・マレーの著書は、「現代のヨーロッパでは寛容によって不寛容の宗教が蔓延して、その結果として寛容が破壊された」と訴えたが、この現象は実はずいぶんと昔からの伝統でしかなかった。体罰反対を信仰する愚者のように、自らのルールを押し付けることを目的として社会的な結果を破壊する観念左翼は、日本にも数多く居る。彼等は褒めることと甘やかすことを峻別する能力も無く、キレイゴトによる洗脳支配によって人間を堕落させようと試みている。９５０＄以下の窃盗が軽犯罪化された結果としてカルフォルニアでは商店が破壊されているが、恣意性を愛して公正を嫌い自己満足だけを追求する彼女等には、犯罪への寛容の方が法律を遵守した労働の保護よりも重要なのだろう。現代日本でも法が法として機能していないが、愚か者が法の目的を社会的な正義の達成から権威主義の観念や個人利益にすり替えたことが最大の原因である。彼等彼女等には公共性が絶無であるため、社会的結果を想像することが一切において不可能であるのだ。

観念左翼が訴える寛容の観念は、人間的な感性からは程遠いものだ。これは、民主主義と社会契約に対して不寛容なイデオロギーでしかなく、権威主義や犯罪に対して寛容になるために人間と社会に対して不寛容になるべしという宗教的な倒錯の類である。適切な寛容と適切な不寛容が破壊されるならば、社会の崩壊以外の結末を迎えることは有り得ない。人間は基本的には寛容に振舞うべきだが、不寛容に対しては不寛容に振舞うことを覚えなければ、単に個人が命を失うだけではなく社会と理念が崩壊することになる。だがそれ以前の問題として、公平とは公平性を守らない不公平な者に対して不公平に振舞うことである、という事実を我々は認識しなければならないのだ。

宗教の本質とは非権威に対する否定と不寛容であるが、寛容を否定する者に対しては不寛容であるという公平さこそが、本質的な意味での寛容というものである。両目の視力を損失するよりは左目を抉り抜くことの方が遥かにマシであるし、制御された有形力の行使は権威主義的で恣意的な暴力の濫用よりも公共判断に適うことだ。権威主義的ミーイズムによって他者の自由を破壊する者に対しては自由を認めないという選択を取ることが、本質的な意味での自由というものだろう。

ところで、戒律は一般的には不変のものであるかのように思われているが、実は戒律は変化することがある。実際にカトリックでは戒律の変更が行われ、禁止されていたことが許可されることも存在している。宗教権威が戒律を時代に応じて変えることは全く有り得ないというわけではない。

しかしながら、法律は国民の合意によって変化させることが出来ても戒律は権威のみが恣意的な決定権を有している。カトリックでは戒律を決めるのはバチカンであって、バチカンの決定に異を挟む権利は信者達には存在しない。しかも、昔はカトリックの信者には棄教する権利がなく、入信も強制であった。

強権的な力によって実体的な不都合を起こす何らかの行動を抑制すること自体は、適切に運用される限りにおいては否定されるわけではない。殺人や強盗を何らかの刑罰によって抑止している法律は、適切に統制された有形力を運用しているだけであると言える。だが、社会契約に基づいた民主主義社会のための法律とは異なって、戒律とは権威の都合によって成立するものでしかないのだ。

法律と戒律の違いを簡略に纏めることにしよう。法律とは人間の福祉と社会の公益を求める統治のためのルールであって、戒律とは権威が人間を支配するためのレールである。前者の目的は人間と社会を守ることであって、後者の目的は権威による人間と社会の私物化である。戒律とは、「権威に押し付けられた義務を放棄するな」という抑圧的な拘束であって、これは人間の判断能力を停止させるだけのものでしかない。戒律とは、「親が決めたことに逆らうな」や「親が決めた通りにだけ動け」といった独裁的観念であって、実体結果を是とするための能動性を殺すものであり、斯様な権威主義の延長線に運命予定説があるわけだ。

果たして、現代日本人が意識しているルールとは、法律であるのだろうか？　それとも戒律であるのだろうか？　法的制約とは、あくまで社会功利の公共益のために存在する規律であるということを忘れてはならない。法律とは、「不自由への信仰」のために存在する戒律ではないのだ。社会の公平性を目的とする法律が、権威の支配を目的とする戒律に化けているのであらば、問題解決ではなく責任回避を目指す畜生道が国家に溢れかえることも必然でしか無かろう。

教義と教理とイデオロギー　権威主義的世界観

宗教の定義の一つとして、宗教は教義を持つという理論が存在している。この説においては、神を想定していたとしても教義がなければ宗教ではなくて神話とされることになる。

世間一般で言われている多神教というものの大半は宗教ではなく神話であって、本来は多神「文化」とでも呼ぶ方が適切だ。神道は国家共同体と日本のあらゆる存在への感謝を素朴に示すだけの儀典であって、教義らしきものは見当たらない。もっと言えば、多神教では神々は疎なものではないとされているが、これは権威を盲信してはならないという古代の人間の警告であるのだろう。

明治の国家神道も、本来は天皇への信仰を強制するというよりは立憲君主制を重んじて他の宗教過激派を抑圧するための装置であって、フランスのライシテの機能を狙ったものであった。ルイ十六世が毒妻を持つことが無く死刑を免れて、独裁も恐怖政治もなく立憲君主制が採択されたフランス革命が明治維新である。

明治維新は儒教による統治を否定して立憲君主制の近代社会を目指したものであって、これはピューリタンの政教一致を否定して立憲君主制の近代社会を目指したイギリス名誉革命とも類似したものである。しかしながら、護国神話や尊王思想が過度に喧伝されてそれらが観念的な教義となってしまえば、神道も神話から宗教に転化してしまう。国家神道にはそういったイデオロギー的な側面が全く無かったとは言えない。

とはいえ、立憲君主制を守ることや国家の国事行為を尊重することは民主主義的な社会通念であって、過激化しない限りは宗教権威の問題というよりも国家権力の法制度上の事柄に過ぎない。太平洋戦争中の天皇主権説はアジア的な儒教理論に過ぎず、当時の国家神道は神道というより儒教でしかなかった。

天皇主権説は、江戸時代の将軍教が天皇教に転化しただけの儒教であるが、戦後はアメリカ教に姿を変えることとなった。仮に日本から神道が無くなったとしても、この寄生虫は新たな宿主を見つけるだけだろう。国民が儒教に毒されているのであれば国家は民主制権威主義社会にしか成り得ず、戦前と同じ破局を繰り返すだけにしかならない。

奈良時代の天皇達は巨大な大仏を建立して、鎮護国家として仏教を国家の安定に用いようとしていたが、一方で仏教を排撃してまで神道を特別に重んじた節は見受けられなかった。おそらく、教義がない神道を用いて人間の内面を規定・拘束することは難しいと古代の日本人も理解していたのだろう。

神話と宗教の差異を比較すれば、教義の有無こそが宗教の根底であるように思える。だが、実は教義ではなく、教理の有無が神話と宗教を分かつものとされている。宗教の根源的な観念は教理と呼ばれ、そしてその教理を宗派ごとに解釈し直した観念が教義である。宗教には様々な宗派が存在するが、教義の差異によって新宗派が成立する場合が多く、信者達が信じることを強制されるのは、教理ではなくて教義である。

教義とは、それを絶対に疑ってはならないとされる観念であるが、これは権威による非実体的かつ非実用的な認識の押し付けであって、それは権威が作った価値観によって世界の解釈を固定させることである。教義とは、「上が言っているからその通りだ」という認識であって、意思と実存を分断する観念の壁でしかない。教義とは、自由な観察と思考を制限して、権威の色眼鏡に懐疑を抱くことを許さない権威主義に過ぎない。教義とは、人間が権威と異なる思考を持つことを禁止する拘束であって、これは思い込みを子供に押し付ける毒親の所業と全く同じものだ。

戒律は教義に基づいて設定されるが、基本的に教義が異なるならば戒律も違う。それ故に、仏教においては妻帯を許可している宗派もあればそうでない宗派も存在している。信者達は教義から設定された戒律を守ることによって、教義を生活において実践するというのが宗教のシステムである。

さて、宗教は何故教義を指定するのだろうか？　あらゆる宗教は人を導くものとされている。多くの宗教は人間の内面を規定する観念を、例えば善悪という判断基準を上から押し付けている。宗教は戒律によって行動を制限するだけではなく、教義によって人間の認識を規定し、固定化させているわけだ。これは、固定観念を人間に植え付けることで、認識を操作して行動をも支配するというシステムである。

教義とはその宗教における中核的な世界観であり、「覚えるべき模範解答」とされるものだ。例えば、キリスト教の教義とは「まず絶対の神ありき」だと言って問題はないだろう。とはいえ、カトリックは基本的に政教一致ではないため、この世界観によって社会を構築することを試みているとまでは言えない。勿論、検証し得ないことへの妄信を強要した点において、バチカンが多くの問題を起こしたことは事実だ。

教義とは、暗記の強制であって、権威に対する受動性の強制でもあり、実際に多くの宗教は教義を声に出して唱えることを要求している。「信じる者は救われる」という文言は典型的な教義であって、これは権威が作り出す観念への妄信の強制である。

だが、信じるか信じないかではなくて、実体を視た上で変化を創ることこそが、人間の活動であることは言うまでもない。皆で実体を議論することが民主主義の基本であるが、妄信と拒絶と排除で観察を否認するのが宗教的権威主義であり、ただ一つの権威の指図に服従することが全体主義である。

大体の宗教の教義とは、「権威が絶対的な善であり、人間はそれに追従すべき」という屁理屈である。教義とは、実体を確認することもなく完全に信じ込まなければならないとされる観念であって、科学的な仮説とは性質が違う。これは、前提情報を疑わず、実存を何も確認しないことを刷り込む洗脳に過ぎない。

実は、ナチズムにも教義のような世界観は存在している。ゲルマン人の優越という選民思想とヒトラーへの絶対服従の強制という指導者原理は、殆ど宗教教義のような観念である。ナチスは斯様な世界観に基づいた世界を構築しようとした時点で、厳密にはこれらの観念は教義というよりもイデオロギーであった。教義は人間の精神にしか踏み込まないとされているが、イデオロギーはそれを突き抜けて社会の規定を行うのだ。

宗教改革を超えて宗教革命を目指したプロテスタントの過激派達も、宗教観念に基づいた社会を作り上げようとした時点で、彼等の世界観は教義というよりもイデオロギーに近い。ドイツ農民戦争、オランダ独立戦争、清教徒革命といった彼等の革命騒動は、アメリカ独立戦争とドイツの一八四八年の革命へと繋がることになった。トランプ前大統領による国会議事堂へのテロリズムも、ミュンスターの反乱のようなプロテスタントの宗教革命の延長であったと考えればわかりやすい。現代のＥＵへのイスラム系の難民は民主主義よりもイスラム原理主義を信仰して反ユダヤ主義への温床となっているという説があるが、オランダとアメリカは宗教原理主義で人種差別主義の難民達が進行するイデオロギーによって成立した革命国家であるのだ。

バイデン大統領は真珠湾攻撃と九一一事件とトランプ前大統領による国会議事堂の攻撃を並べていたが、全てがプロテスタント的な人種差別に起因する事件であることは確かだろう。アメリカの民主主義を攻撃している最たるものはアメリカにおけるドイツ宗教であって、トランプ前大統領はアメリカにおける歴史的暗部の象徴的人物であった。アメリカにはオバマ元大統領が述べた通りにChangeが必要であって、バイデン大統領は新冷戦のための大胆な外交政策を打ち出すことが出来るのかどうかが気になるところだ。

教義とは観念であるが故に、実体的に確かめられることもない。教義とは実体によって肯定されるものではないが故に、実体によって否定することも出来ない。だからこそ、宗教というものは論破されることもなく人類の歴史に長らく存在してきた。存在しない恐怖を煽れば、それは実体によって否定出来ないのだから、論理に対しては一見は無敵に見える。とはいえ、論理を持ち出す側に証明する責任がなく、それに反論する側に証明する責任を要求する教義は、根拠なき妄想であって屁理屈以上のものではない。

そして、この教義という観念は布教によって拡大再生産が起こり、迎合を強制する権威主義の同調圧力によってウィルスのようにとめどなく増殖する。実体性なき観念を殺すことはとにかく困難だが、それが広まる様は留まるところを知らない。

教義とは先入観を植え付ける洗脳であって、人間の認識感覚への侵略に過ぎない。判断の基準が実体ではなくて権威の恣意性となるのならば、人間の思考能力が不全化して公共社会は崩壊する。教義とは権威が人間を奴隷化するに都合がいい妄想であって、人間の精神的防衛力を無力化するためのハッキングに過ぎない。この教義というもの対して疑問を持つならば異端として抹殺される場合が多かったが、現代においても追い出し部屋に放り込むどころか実際に殺人を行っている地域も広く存在している。

キリスト教では教義として原罪を設定しているが、実体的に確認し得ない観念に対して罪を設定する決めつけは、社会契約を否定して権威に謝罪平伏することを刷り込む難癖だろう。罪悪感の捏造によって観念的な不安を形成させ脅迫し、立場的な困窮者に被害を押し付け、責任を擦り付け、泣き寝入りを強制することは、支配の方便としては最高に都合がいい。事実と関係なく有罪を決めつけて一方的かつ恣意的に非権威を懲罰することは、毒親なりパワハラ上司なりが使う「根拠なき否定」と同じものだ。

魔女狩りというものも観念的な煽動から生まれてしまった事件であって、観念を理由にして人を殺せるならばそれはあらゆる殺人への許可証となる。教義という観念に対して妄信を強制する権威主義は、罪刑法定主義や思想の自由という近代価値に対して真っ向から衝突している。罪刑法定主義を否定したヒトラーは全権委任法を造って憲法を無効化したが、これこそが世界史における近代的自由に対する攻撃の典型例だ。『ベニスの商人』のシャイロックというユダヤ人が契約を重んじていたことは確かであるが、権威が咎めるかどうかで全てが決まるのが「ナチスの承認」というものである。「嫌われる勇気」を説いて承認欲求の奴隷となることを否定したアドラーがユダヤ人であったこともここに明記しておこう。

　アメリカの信教の自由とは、元々は政治が宗教に干渉することを防止するための法律であった。これは権威に対する自発的服従を意味する「自由からの逃走」を肯定するものに過ぎず、「服従することを自明に思うことが優秀であるということだ」と述べたヒトラーのナチズムと大差ない。信教の自由という「自由の否定」を持ち出せば、近代的自由を否定する宗教を肯定することも出来るし、無差別殺人も環境破壊も人種差別も道徳的善として肯定することが可能となる。アメリカのリベラリストには不寛容な者も多いが、この現象はアメリカの基盤が「信教の自由」という権威主義であることに由来していて、彼等彼女等は不寛容なプロテスタントの狂信者が形を変えただけの存在でしかないのだ。

　勤労カルヴィニズムの選民思想は原罪というよりも選民無罪であるが、この教義は原罪よりも問題があるものだ。アメリカの訴訟においては謝った方が負けるなどといった事例も聞くが、潔癖症で一切の過ちを許さないという勤労カルヴィニズムの不寛容は己の非を認知出来なくさせる精神病理に過ぎない。己に対する無謬性を妄信する信仰においては反省することは非選民であって、負けを意味するだけでしかないのだ。

　そういえば、「寛容は弱さの証」という教義がナチスには存在していた。だが面白いことに、ナチス体制では総統に従順であるならば弱い将軍でも極めて寛容に扱われていたという皮肉が存在している。ヒトラーを始めとしたナチスという組織は、その選民思想故に自らの判断の過ちに関してはどこまでも寛容であった。

正義への無関心の具現化たるナチスは、自省など出来るわけもない。どこまでも自らに甘く、横柄でありながらも卑屈だった彼等が、戦争に弱いことは必然だろう。帝国陸軍が一九四四年に中国大陸の大部分を掌握し、一九四五年の八月一五日までシンガポールとジャカルタを占拠していたこととは対照的に、ナチスドイツはモスクワもレニングラードも制圧することが出来なかった。「寛容は弱さの証」とは、公平性が欠如した組織は弱軍未満の賊徒でしかないという歴史の教訓を示す言葉である。不名誉なる彼等は、粗暴さと強さの違いが判らず、野蛮と勇気を区分し得ず、個人利益主義と狡知を峻別することが出来ないのだ。

自己肯定と権威への追認を教養とする彼等は、結果の創造を目指しているわけもなく、実体的な是非も意思決定もまるで考えることがない。リアリズムを否定するロマン主義とは、自信の無さに裏打ちされた自己顕示欲に過ぎない。見栄張りと保身に狂う彼等は自分の非を認めることが不可能であって、実体公平性を無視することしか出来ないが故に、責任回避が出来ても科学的合理性に基づいた問題解決を行えるわけがない。

なんにせよ、教養という価値観は上から権威主義によって強制的に押し付ける観念に過ぎず、これは権威に騙される義務であるとも言えよう。宗教によって先入観が人間に刷り込まれ、思い込みによって「認知への意思」が破綻し、ヴァーチャリズムが蔓延して実体への探究心が失われる。事実実体への認識よりも権威の観念への追認を優先する教養は、誰が言うかを重要とした立場論でしかない。権威とはその他の者に対して恣意的な優位を求める存在であるため、最初から公平性の打倒を目的とした存在なのだ。

こうした立場論はルネサンス期のイギリス経験論によって徹底的に批判されたが、実体から論理を展開する実験と実証を重んじたイギリス経験論が産業革命を起こした。観念的正当性よりも実効力が意識されることで近代が生まれたわけであって、ペーパーテストというものは近代的自由からは程遠いスコラ学の延長である。これらのものは、受動的な暗記を強制するものであり、能動的な観察意識を破壊するものであって、理性によって知性を否定する観念論に過ぎない。現代によくみられる向学心が欠如した高学歴者は、工学的探求心とは完全に無縁である。彼等彼女等は疑問に思う能力を殺すための中世的な教育から生まれているが、己の食い扶持や地位や見栄だけを求める儒教的な道徳者であることも疑いようのない事実だろう。

日本の伝統である「やまとこころ」は現代のペーパーテスト偏重の教育とは異なって、実体観察と論理性を重んじるイギリス的な知的感性に類似したものであった。適々才塾や慶應義塾はそうしたものの一例であるが、洋学者や医学者、国学者が明治維新の担い手となったことには必然性が存在している。

教義という実体的根拠がない観念論的な印象操作によって人間の精神を支配する手法は、現代のマスメディアの煽動と同じものだろう。宗教は信者を獲得すること、マスメディアは売上を増やすことがその第一の目的であって、事実の追求及び公益性は頻繁に犠牲にされる。権威である彼等には立場論的な無謬が保証されていて、責任がまるで追及されず、その代わりに異端こそが全ての問題の原因であると観念的に定義され、無関係の困窮者に責任転嫁され、問題解決はただ忘却されるというわけだ。

宗教やマスメディアや煽動政治家による認識の支配は、権威が下の人間の精神へと支配力を投射する上意下達によって成立している。彼等の説く教義の内容は権威が世界の全てであって絶対無謬であるという権威中心主義であるが、権威の自己正当化を権威主義によって押し付けるところに支配の本質的な構造が存在している。権威に隷従させる認識である「教義」を、権威主義による押し付けの「戒律」という社会構造によって人間に刷り込むことは、システムとマインドが組み合わさった「二重の権威主義」と呼ぶべきだ。

世間一般で我慢なり譲歩なりと呼ばれるものの実体は、自己や実体功利性を否定して権威のみを肯定する観念であって、実体的な被害の無視でもある。教義の刷り込みによる我慢と譲歩の強制こそが、公共判断を破壊して権威の支配を成立させる。我慢と譲歩の強制は交渉の否定であって、他者との話し合いを禁止する恐怖による支配であり、条約交渉も合意形成も禁止する独裁でしかないが、実体を無視するペテンの出鱈目であっても、我慢強い道徳者は権威が唱える観念的教義を疑うことが不可能である。権威を妄信して苦しみに耐え続けることが道徳とされるのだから、権威が犯罪者だろうと権威を妄信して幸福を放棄することが重んじられるのだ。

　仮に、教義というものが実体に基づいた認識であったとしても、権威主義によって絶対的な認識を押し付けることは権威を疑うことや実存を自らで確認する「認知への意思」を破壊する。社会の全ての人間の認識が教義によって操作されるならば、それはイデオロギーによって社会を規格化することと大差はない。

　現代アメリカのフェイクニュースは、「ポスト真実」などと呼ばれるが、これも教義の一種であると言っていい。フェイクニュースとは嘘を信じさせるためのものであって、事実の否定そのものであり、「実体を確認するな」という呪詛でしかない。だが、実体構造を拒絶する斯様な不誠意では、嘘をつくこと以外が何も出来ず、実体構造を変え動かすことは不可能であることは説明不要だろう。

　トランプ前大統領は、不都合な真実を否定するための観念的なフェイクニュースを訴えて選挙の敗北を否定していた。これは宗教権威による教義の典型的な例であって、実際に彼はキリスト教原理主義者達から高い支持を集めていた。実体について議論することと妄想に同調することは完全に別の事柄であるが、自らの身が安全である限りはトランプ前大統領は嘘をつき続けて後者を選択し続けることにまるで何ら抵抗がない。プラトンは国家の統治のために仕方なくつく嘘を「高貴なる嘘」と述べたが、斯様な私利私欲のための嘘は「卑賤なる嘘」と呼ぶべきだろう。

　しかし、「信じたいか否か」という価値観は、「事実か否か」という実体とは完全に別である。実体を無視して自らに都合がいい観念を妄信することはヒトラーも特段に偏愛していた行為であるが、これはドイツロマン主義そのものであろう。この星ではどういうわけか、自らの妄念を他者に強制するゲルマン民族の宗教家こそが権力を獲得するという野蛮な歴史が繰り返されるのだ。

彼等彼女等の多くは「事実か否か」ではなくて「権威か否か」という基準しか持っていないが故に、「教義か否か」という思考しか持つことが出来ない。それ故に、「神の言うことは絶対に正しい。宗教権威が唱えることは絶対に正しい。実体は不道徳で間違っていて拒絶するべき穢れである。」と事実よりも権威を優先して認識することを敬虔さとして尊重している。これは、「好きか嫌いか」という好感度の問題でしか判断出来ないロマン主義者達が、観念妄想を好み実体事実を嫌うというだけの話でしかない。

実体構造を無視した観念への賛同や嘘への共感によって集団を形成することが宗教の煽動手段であって、御涙頂戴を訴える者は他者を騙そうとしているだけに過ぎない。共感という言葉は、公平性のない偏愛か、若しくは群れ意識を示すものであることが殆どだろう。「嫌われる勇気」によって自分が行うことに集中することを説いたのがアドラー心理学であるが、それを否定して他人のことを気にするだけの承認欲求の奴隷を造るのがヒトラー心理学だ。認知が狂い、観念的な教義を疑えず、予定調和の結論から離れられない思考は、夢遊病の麻薬中毒者でしかないが、「宗教はアヘン」とは良く言ったものだろう。斯様な麻薬は嘘をつく権威の側の実体感覚をも麻痺させて、嘘つきが自らの嘘に騙されるという状態を作り出す。

実体を否定するだけの権威との間には、騙し合いと脅し合いの関係が成立することがあったとしても交渉が成立することは起こり得ない。目には目を歯には歯を、力には力を、嘘には嘘をという認識を持たなければ容易に食い殺される。彼等彼女等と会話する意味があるとすれば、騙された振りをすれば相手の望むことと相手が望まないことを知ることが出来るということくらいだろうか？

交渉が出来ない相手と交渉を期待することには、一切の意義が存在していない。ましてや、同情を誘って動かそうとすることにも何ら効果がないことは説明不要だ。「話せばわかる」という対話の信仰は、ナチスとは講和が成立することが有り得ないという事実を認知していないだけの妄言に過ぎない。ナチスを相手にしても騙すことを肯定出来ない者は、己も理念も守ることは出来ないだけだ。

対話の強制というものは、権威の虚言を妄信することであって、それは権威の洗脳に飲まれるだけの状態を意味していることは言うまでもないだろう。誰とでも友人になるという節操なき野放図な妄想は、ナチスと友人になって他の全てに敵対するという帰結しか起こし得ないのだ。民主主義が成立する範囲においてしか対話が成立し得ないという事実を、我々は認めなければならない。

公共権力によって世俗的かつ公平な政治を成立させるよりも、宗教権威による盲民化と奴隷化による上意下達の社会の方が、安定した社会であるのかも知れないが、その安定した社会は宗教権威が支配する全体主義社会でしかない。全体主義とは、半分が権威の個人利益主義から生まれたものであり、もう半分は麻薬を求める「兎」「豚」「犬」といった、権威依存症の畜生道が望んだ「実体からの逃避」であるのだろう。

儒教という名の宗教　戒律　礼とは隷なり

ここまでで説明した内容を考慮した上で、儒教が宗教であるのか、若しくはそうでないのかについて考えてみよう。だが、答えを先に言ってしまえば、儒教とは親を神として崇拝することを強制するカルト宗教であって、そしてこれはイデオロギーでもある。

論語という非体系的で文章の意図が明瞭ではない聖典にも、一つの根幹的な世界観、つまりは教義の存在を発見することが可能である。それについては後述するが、儒教者の林羅山は儒教の教義を端的に述べているため、儒教は宗教であると断言していい。

儒教では式典を異常に重視するだけではなく教義をも兼ね備えている。本場の中華では孔廟と言った儒教の神殿も存在していることから、やはり儒教は宗教であるのだ。実は、日本にも儒教の神殿はそこら中に存在しているし、東京の一等地に存在している孔廟は赤門で有名である。

少し話は反れるが、現代日本の多くの家庭はどのような形でお葬式を上げているのだろうか？　多くの葬式は仏教式であると思われるが、読者の皆様は所属する宗派の教義をご存じだろうか？

現代における仏教は信仰が形式的になって葬式仏教と呼ばれるようになって久しく、本質的な意味で我々は仏教徒であるとはいえない。もしも、我々が仏教ではなく儒教における教義を信仰し、戒律を実践しているならば、我々は名義的には仏教徒であっても、その実においては儒教徒でしかない。死後に高天原や極楽浄土での生活を望む読者は、この点をよく理解しておくべきだろう。

神道はともかく、仏教は宗教色が薄いと言っても一応は宗教ではある。教義を知らない者は、あの世の門番に門前払いを食らうか、三途の川で泥船に乗せられるかも知れない。それどころか、儒教の世界に行ってしまうと、中華思想の華夷秩序における権威序列が低い日本人は奴隷扱いだろうし、最悪の場合は食材扱いで死後の貴方は中華料理となってしまっているはずだ。

現代日本人の意識を支配しているものは、仏教の教義ではなく儒教の教義である。儒教の教義から生まれた社会制度が現代社会にあまりにも多く存在しているが故に、斯様な現象が起こるのだ。学校でも会社でもよく言われ、時には理不尽な暴力を以てして強制的に守らされる礼儀作法は、その実において儒教的な戒律を守れという「隷偽詐呆」でしかない。こうした礼儀作法は、下が上にへりくだる形式であって、これは人間の権威的位階、身分的序列を固守させるためのものであることは説明不要だろう。実際に、現代日本ではたった一つ年長の人間に敬語を使わないことが礼儀として許されない。

現代日本でマナーとされているものは、権威序列への服従を示す形式的な作法であって、儒教的な戒律以外の何物でもない。例えばデパートのような場所においても、礼儀とは売買を円滑にすることが目的ではなく客と店員といった上下関係を示すことが目的としているが故に、高圧的なモンスタークレーマーを発生させることになっている。斯様な礼儀作法はメンツ主義でしかなく、実体的な問題解決においては完全に有害なものであって、親切心と公平性からは最も遠いものだ。しかし、現代日本においてはこれを破ることが社会的に許されないほどの圧倒的な強制性を有していて、それによってモラルハラスメントも頻発している。礼儀作法とは実体的に有効性を持った文化ではなく、法律として存在しないルールを強制しているだけに過ぎないのだから、間違いなくこれは戒律の一種なのだろう。

へりくだることを他者に強制しなければ気が済まないマウンティング意識は権威主義そのものだが、子供を奴隷にしなければ気が済まない毒親の心性と完全に同一のものであろう。お客様主義とは、客のミーイズムを無制限に肯定するだけのものであって、権威を喜ばせるために公共性を放棄する反社会的な価値観に過ぎない。クレーマーの訴えを全て飲むことは、社会をテロリストに支配させるだけのことでしかない。公共性を持たない者を有利にする法律には法の理念が存在せず、国家を守るために取り除かなければならない。

儒教的な礼儀作法は、無意味に盛大で無駄に厳格である一方で実体的に何ら有益な機能がないが、思考停止して権威の命令を順守することが個人の評価に繋がるのが日本社会の実態である。形式的で表層的な付き合いを強制する礼儀作法は、言いたいことを言えば失礼やら、ブルカを被っていなければ死刑やら、事実を提示すれば不謹慎やらという不寛容な抑圧を行う戒律でしかない。

とはいえ、論語を見ればわかる通り、儒教とは権威による出鱈目な観念のゴリ押しであって、実体に基づいた対話を破壊するために言論弾圧を行うものなのだ。他者と親しくすることもなく、形式ばった礼儀だけの関係が社会に蔓延すれば、人間の間の意思疎通は破壊され、「分断して統治せよ」という権威主義支配が成立する。斯様な礼儀作法の徹底によって人間の意思疎通が破壊され、結果として三大欲求についてしか人間の話題が無くなり、「兎」「犬」「豚」への退化が起こるわけだ。

実体についての議論がなくなれば、権威へのゴマスリと集団への迎合だけに時間が割かれ、意思決定が弾圧されて、マンパワーと資材がただ只管に浪費され、創造性も生産性も最低の状態となり、社会は絶対に崩壊する。どうでもいい瑣事を気にすることが社会のあらゆるところで散見されるのは、間違いなく儒教精神の反映だろうが、儒教においては下に責任を押し付けて保身することこそが道徳であって、社会の崩壊は何の問題にもならない。

言論の自由や結果の創造よりも礼儀作法と序列意識を重んじる精神は、仕事が丁寧というよりも優柔不断でトロいだけだが、孔子の礼法は「兵は拙速を尊ぶ」の孫子の兵法とどこまでも対立的である。無駄に完全な出来を求める呑気な形式主義は単なる視野狭窄であって、感覚的知性の劣化は実体の火急を無視させて「有事には表層よりも機能が大切」という事実を忘却させるものだ。儒教の形式主義は実体に影響がないマナーだけを意識させて、結果を決定する意思を抹殺しているが、これは重要な構造を覆い隠すための手品の古典的なトリックである。政治を説かずにゴシップだけを広めるマスメディアも、このトラップをこれでもかというほどに多用しているのは言うまでもない。

観念を妄信し、形式を順守して、細かいところにだけ注力する徒労は、目的への意識と結果への効果が完全に絶無であろうとも、仕事をしたという麻薬的気分を絶大に発生させる。斯様な実体への無関心は、仕事をしているのではなく信仰を守っているだけに過ぎないが、「宗教はアヘン」とはまさに言ったものだろう。

身分教の儒教では非合理こそが神学的な善行であって、無駄を守ることで自己正当化を成し遂げて威張り踏ん反り返る権威主義者が道徳者とされている。儒教においては、仕事とは何を創造・生産するかではなくてどんな地位に就くかを意味するだけの倒錯であるが故に、無意味無駄であればあるほどにそれは尊いと考えられるわけだ。

儒教とは、表層的に上下関係を明示し続けるということが、社会的な権威序列を強固にし、その拘束力こそが社会が安定させるという強迫観念である。現代社会で礼儀作法と呼ばれているものは、儒教的な信仰に裏打ちされた戒律であって、これは実体を無視して表層を取り繕うことと権威主義的な服従を強制することに過ぎない。宗教に裏打ちされる人間の権威的身分の上下という観念は、近代国家の国家観としてはどこまでも不適切なものであり、これを妄信する者は国民国家を破壊する宗教過激派のテロリストでしかない。儒教に縛られて不自由でいることを、我々は一秒でも早く卒業しなければならないのだ。

社会契約のように人々の合意に基づく法律と違って、戒律は完全に上から押し付けられる上命下服である。礼儀とは権威主義によって押し付けられるものなのだから、まさに戒律そのものである。誰が決めたのかも分からぬことを皆が皆に無責任に守らせる構造を、丸山正男は「無責任の体系」と呼んだ。だが、宗教権威は神聖無謬とされ、戒律は神が決めたこととされ、一切にその責任を問われることがないのだから、政教一致の社会では「無責任の体系」こそが必然の帰結なのだ。

論語では、孔子が思索ではなく実践が大切だと散々唱えているが、儒教という宗教の戒律はこの礼法と儀法である。現代は拝金教やら学歴教の時代であると言われるが、実はこれらも勤労カルヴィニズムや儒教から派生した宗教的価値観であって、現代社会とはこれらのイデオロギーによって作られたものに過ぎない。

儒教という名の宗教　教義　上下二元論　支配と被支配

ここからは儒教の教義を種明かししよう。江戸時代の朱子学者である林羅山は、「全てのものには序列あり」という観念的な妄言を残した。礼儀作法という儒教の戒律はこの観念に基づいたものであることは間違いなく、これこそが儒教の教義であると言えるだろう。

林羅山は、この儒教原理によってイエズス会の宣教師が唱えた地球球体説を否定したことがある。儒教においては親と子の序列があり、キリスト教においては神と人間の序列があって、序列が世界の根源であると説き、天と地の序列が無くなる地球球体説は間違っていて、地球は上下が存在する箱型であることが真実であると林羅山は訴えたのだった。彼の言説は、聖書の記述を基にして地球平面説を信仰する白人至上主義者のそれと何も変わらないと言えるだろう。

儒教とは全ての事柄に上下を持ち出す観念的なイデオロギーであって、権威主義しか認知し得ず実体構造も分からず公平性も持たない畜生道を造る宗教である。実体を知ることを否定して上である権威を妄信することを強制する儒教は、単に人間の向学心を否定するだけのものと言っても過言ではない。

戦国時代の織田信長は当代随一の知識人でもあって地球球体説を合理的だと評したが、織田家の人間や現代人からすれば箱型の地球は噴飯ものである。とはいえ、徳川幕府はこの世界観を公式に採用していたし、吉宗以前の将軍は儒教に反する洋学を禁止していた。このことは、江戸時代が宗教による退化の時代であったことの一つの証拠だろう。観念に基づいた権威主義序列だけが儒教の信者達の全てであって、自らの都合にしか興味を持たない彼等からすれば、実体構造など存在していないに等しいのだ。

儒教における戒律である礼儀とは、人間の間の上下を明示するというものである。この戒律は、「全てのものには序列あり」という教義の反映であるが、教義の方は「上下二元論」と言い換えても何ら問題はない。この儒教的な「上下二元論」は、「立場の上下」を判断基準とする「比較への信仰」であって、他者との比較だけしか何事も考えられなくなる思考を生み出す。といっても、この序列は実体や能力に基づいた序列ではなく、どこまでも観念的で権威主義的で専制的な序列であることは言うに及ばない。これは、事実がどうあるかではなく、実体を観察する以前に上下を定める観念であって、更に言うならばその観念的上下を維持することだけが儒教では求められている。国家と国民といった実体的必要性に基づいた共同体を否定するのが儒教の性質であって、権威と奴隷といった独裁的世界観がどこまでも貫徹されているわけだ。

柔道の大会で結果の差が付くことと宗教権威による依怙贔屓として上下の序列がつくことは完全に意味合いが異なっているが、後者は前者を否定するものだろう。偏差値教育という「人間の規格と比較」は、科挙という中華の儒教的な制度から発展したものだが、これは権威に対する従順さを刷り込むものであって、善悪のように実体に基づかない観念的な比較なのだから、創意工夫による技の自由さによって戦う柔道の大会とは本質的に異なっている。あらゆる規格はそのままで使えるわけもなく、自らに合わせて常に修正して適用する必要があるが、受験ではその応用性がまるで要求されず、兎跳びの競争に類似したものでしかない。

身体構造の無視そのものである兎跳びは、柔道から最も遠い畜生道であって、物理的な有害性であると同時に自己の拒絶を強いる精神的な有害性である。これは人間個々人に何をも制御させないために無意識で動くことを刷り込み、不適格な動きである「悪い癖」を身体に染み込ませ、その上で権威に服従することを強制しているだけに過ぎない。他人に従うだけで自分で何も判断しない人間は、斯様な不合理な服従の洗脳によって生まれるわけだ。

兎跳びとは、己の身体を己のものにさせないための奴隷制度であり、同じことを繰り返し続けるという儒教的な信仰の反映であって、創意工夫を否定し、人間の判断能力を破壊して、社会の停滞を創り出すための宗教的な儀式である。これは、人間個々人に一切の思考を伴わない行動を強制するものであって、全てを権威が管理する全体主義社会の縮図であろう。無意識で正解をコピーすることを繰り返したところで創造力が身につくわけもなく、構造を視抜いて結果を狙う科学技術的な意識が涵養されることもない。形式通りに行わなければ上手くいかないと思い込む固定観念は、規格に従うだけの神経症に過ぎない。

意思決定抜きの野蛮力である兎跳びとは対照的に、アーツとは己の判断を徹す意思であり、己でコントロールを持つ勇気であって、体幹で間合いの先に力を柔らかく伝える噛み合わせの技である。己の行動と己の目的とする結果の「機能的な繋がり」を常に整理しておくことがアーツには絶対に必要だが、これは人間個々人の動きを否定するために権威への降伏を刷り込む行儀とは対極だろう。行儀とは、「規則に縛られなくてはならない」という強迫観念であって、身体に力みを刷り込むことによって精神に不自由を造り出す拘束であり、活動力の否定そのものであると言えるが、斯様な有害性は真っ先に断捨離すべきものだ。

トランプ前大統領を見る限りは、アメリカの競争社会であっても見栄張りの序列競争でしかない。見栄のために無意味な序列に拘る儒教は、個人利益主義のアメリカの競争社会にも適していることだろう。儒教徒もアメリカ人も見栄張りで他人に勝つことだけを求めていて、それが故に他人に謝らないことを信仰しているのは完全に共通している。勝つか負けるかしか考えられない彼等には他者を潰すべき相手としてしか認識出来ず、他者の心を理解することは不可能なことなのだ。

妄想に基づいた差別は実体に基づいた評価とは完全に別物だが、「上下二元論」はヴァーチャリズムを駆使してでも他者を下に見たがる精神病理であるが故に、人を見下すために生きる「犬」が大量に生まれる。他人を下ろして権威を上げることへの脅迫観念に取り憑かれ、色眼鏡の先入観を通してしか実体を観察し得ない彼等は、自分達か異教徒かという「我々と奴等」の論理以外を拒絶する。「上下二元論」という教義は、権威への狂信であって、非権威への徹底的な敵意であり、実体の無視と中立公平性の破壊そのものだ。

キリスト教における善悪二元論は善への服従を強制させるものであるが、これも権威に対する思考停止した無抵抗の強制である。善悪二元論とは、権威に追従することを信仰させ、権威に反する思考を持つことを弾圧するものであって、自分が全て正しくて他が全て間違っているという誇大妄想であり、思想の自由という近代理念に徹底的に反するものだ。

教義とは権威による恣意的な正解を押し付けるものであって、これは実体に基づいていないのだから、どのようにでも言うことが出来る。読者の貴方が魔女であると決めつけて焼き殺すことさえも、かつての権威からすれば簡単なことでしかなかった。だが、愚か者達は権威主義序列を強制するカルト宗教に取り憑かれ、今日も近代的自由を否定することに躍起になっている。

現代社会は男女の分断が起きていると批判されることも有るが、プロテスタントフェミニズムは「男女二元論」でしかない。この「男女二元論」の元ネタの勤労カルヴィニズムの「選民非選民二元論」は、「選民である自らは絶対に正しく何をしようが救われる」といった運命予定説であって、「上下二元論」と同じようなものだろう。「男女二元論」は無条件の嘘も恣意的な弾圧も正当化する性質を持っていて、自らではなくて他者が悪であるだという観念を押し付けるだけのものでしかなく、父親の排除という帰結を生むだけだ。「上下二元論」は表層社会を造り、「選民非選民二元論」は競争社会を造るが、これらの社会には権威序列の支配被支配しか存在しない。勤労カルヴィニズムでも儒教でも「万人の万人に対する闘争」という分断社会を作り出すことはまるで同じなのだ。このような選民思想は、自己顕示欲に取り憑かれて他者と比較優位を競うことにだけ熱意を向ける無能を社会に大量に増やす。下らない競争で比較優位を教えるだけの現代の受験教育も、創造というものについてまるで教えていない。

競争社会において優位な者は、事実に関心を持たず、序列競争に勝つことだけを考え、未来を創ることになどまるで興味を持っていない畜生道だけだろう。我慢と順応と屈従と憂さ晴らしだけの畜生道は、社会を守る機能も社会を変化させる意思も持たず、人間的公平性とも文化的知性とも無縁であって、観念的正当性や自己満足、個人利益のみを追求することしか何も出来ない。

一方で、表層社会ではテーマも理念も認知することが出来ず、生きていても妄想以外を何もしない、三次元の構造的機能美に無関心なアニメオタクが増え続ける。彼等彼女等は、なんの主体性もない受動的な消費者に過ぎない。これらの社会は、人間を間違った方向に進化させて、その結果として人類社会全体を破滅に導くための死の罠でしかあるまい。

社会における人間の在り方は、国家の姿そのものである。奴隷労働に勤しみながら麻薬的娯楽に耽る者が多いならば、そこは近代産業国家とは言えない。人間が堕落すれば国家は崩壊するが、社会的責務を放棄する下劣さを自由と呼ぶのは名誉を持たないことを利益だと述べるのと同じだ。公平性を伴わない利己主義は、単なる不正義でしかないが、愚かさを恥であると認識出来ないどころかそれを個性としてむしろ積極的に誇ろうとするアメリカンマインドでは、この事実を理解することが出来ない。自己愛しか持てずに他者を愛せない斯様な浅ましさによってでは、マウンティングを取ること以外が不可能になるだろう。

現代社会の二元論の中で最もよく見られるものは、「多寡二元論」という民主制権威主義である。これは「多が全てにおいて上で寡が全てにおいて下」であって、「群れることが善で群れないことが悪」という実体無視の二元論であり、権威への迎合を尊び観念上の敵を捏造し続けて魔女狩りを繰り返すだけのものだ。この観念の下では、公正な統治を求めることこそが権威に反することとして真っ先に処罰の対象となる。

これらの観念的二元論は、陰陽道における「陰」と「陽」のような相補的な二項論ではなく、「権力」と「権威」のように無縁なる二つのものの並びではない。電荷のプラスとマイナスの関係や、或いは事実と嘘のような、実体的な二元問題でもない。これらの二元論は、「権威」と「非権威」の比較であって、実体構造の奥行きを徹底的に否定する二次元的な記号論でしかなく、レッテルを張るだけのラベリングである。これらの二元論は、観念的な比較を盲信して実体を無視することであって、「事実か否か」を考えることを否定し、「権威か否か」だけを考える宗教であって、構造認知能力をどこまでも破壊する。

観念的二元論は一つを正しいとしてその他を間違っていると否定するが故に、本質的には単一性への信仰であって、殆ど一元論である。現実に存在するものは単一の要素で構成される構造であっても周囲への繋がりを持っていて、一定以上に広さと複雑性を有しているが、一元論はこれを無視する構造性の否定に過ぎない。こうした一元論は、「受験以外のことは全てが下であり、学校の勉強以外は何もやらせない」やら、「宗教に関わること以外は全てが悪であるのだから、何ら教えなければいい」という視野狭窄を引き起こす。

宗教とは教義を持つものであるが、教義とは「実体に関わらず権威は正しい」という観念であって、これほどに人間を盲目かつ横暴に変えるものは存在しない。教義という一元論は権威を絶対に攻撃するというものであって、敵意の矛先を常に非権威に向けさせる洗脳であり、自集団以外の全てを破壊する信仰である。これは、権威の正当化のために非権威に犠牲を押し付ける「抑圧の委譲」でしかなく、権威の絶対無謬性によって上への責任追及が放棄され、結果として下が罪人にされる。権威への同調と非権威への迫害が、観念的二元論が起こしうる帰結であって、これが社会に反映されれば一党独裁のイデオロギー社会が成立する。

　こうした観念的一元論はアメリカの本源的な心性であって、仲間外れを作って団結する「群れ意識」であり、全てが自分達と同じでなければいけないという強迫観念的な「同化と権威主義」である。それは内面どころか肌の色までの同一化が求められるものであり、アメリカが望んでいるものはプロテスタント的な単一性であって、多様性は彼等の本音ではないだろう。彼等の本質は政治的左右に関わらず、「金のみ、見栄のみ、己のみ」といった「排除の論理」の分断に過ぎない。だがもしかすれば、「犯罪のデパート」のように負の多様性が存在している可能性はある。

　本質的には協働からは程遠い分断である「群れ意識」は、功利主義と実体的創造を否定して権威主義と道徳観念に基づいて他者を抑圧することしか出来ない。「群れ意識」とは、単一化による構造性の否定以外の何物でもない。実体に基づいて意見を考えることは放棄され、雰囲気と気分によって迎合を行い、思考停止した暴力を繰り返すことになる。トランプ前大統領は、「金と観念について以外は何もわからない」というアメリカの特性を最大限に体現していたが故に、同盟や国家どころか共和党までをも分断してしまった。

　アメリカという現代の神聖ローマ帝国とは異なって、「郷に入らば郷に従え」の属地法を持ったローマ帝国は公共の形成に成功していた。だが、属人法しか持てなかった当時のゲルマン民族は、身内意識に基づいた内輪のルールしか考えられず、国家も政府も持たない分断状態であった。この惨状は、分派が多いプロテスタントの組織構造と同じものであると言えるだろう。ゲルマン民族とローマ帝国は「不寛容と分断」対「寛容と団結」の関係であって、些末な差異ばかりを気にして大同団結が出来ない者には政治を理解出来るはずがない。思考停止した群れの中では権威主義が跋扈するだけだが、人間個々人の協働があれば社会契約が成立し、国家というものが勃興する。

Giftとは英語では贈り物の意味だが、ドイツ語では毒を意味している。Schadenfreudeとは「嫉妬に取り憑かれて、他人の幸福を祝うことすら出来ない」というような意味のドイツ語だが、つまりは毒を贈ることなのだろう。臆病さ故に自分しか愛することが出来ないならば、権威による人治主義に帰結する。公平性の欠如によって他者を称賛できないのならば、文明を打ち建てることは出来ない。公共への意識が無く権威に許されればそれでいいと思考するなら、能動的に行動して創造的な結果を造れるわけもない。平穏以外を何も求めず、他者を守るために戦うことが出来ないならば、高貴であることから最も遠い。中世の暗黒に取り憑かれて、近代的な理念のために知恵を絞らないならば、政治的な自由が生まれるわけもない。ＥＵの惨状を視る限りは、Schadenfreudeはドイツの伝統芸だろう。

儒教と勤労カルヴィニズムは殆ど同じものであるが、理不尽を押し付けることで人間に我慢と権威主義を刷り込む「虐め」は上下二元論を実体化させるための宗教儀式である。「宗教はアヘン」という言葉を前提にするならば、中華のアヘンはイギリスが持ち込んだものではなく、孔子が自家製造したものだろう。実体を直視しない観念のアヘンが中華には既に蔓延していたのだから、化学物質としてのアヘンが蔓延することも必然であった。魯迅の『阿Q正伝』を読む限り、中華のアヘン中毒は相当なものだったと推測される。

魯迅はニーチェに影響を受けたと言われるが、ニーチェは「善悪の彼岸」を超えた存在のことを超人と呼んでいた。善悪とは観念論的な二元論であって、立場論的による表層的な判断でしかない。権威が押し付ける非合理・不自由・非実体に疑問を抱くのではなく、思考停止してそれらを崇めることが信仰である。善悪とは権威が決める観念であって、それ故に善とは権威に服従すること以外の何物でもない。

だが、こうした政治の腐敗化によって奴隷の平和が達成されるにせよ、儒教的な洗脳によって汚染されていない外部の人間を権威に隷属させることは不可能だ。それが故に、権威的支配の洗脳術を重んじた中華王朝は中華の外の勢力によって毎回毎回破滅している。この破滅の繰り返しは、儒教に閉鎖された観念化社会の外をまるで想定しない平和ボケから生まれるわけだ。

儒教の本質とは、教義の観念を妄信して古の形式的戒律を固守し、変化を恐れて動きを拒絶し、観察を否定して実体を黙殺することである。古の形式を繰り返し続けて新しい流れを弾圧する権威に従っていれば社会が何事もなく安全になるという価値観は、単なる呑気な油断に過ぎない。善なり上なりというレッテルを張ったところで、愚かさを守り続けることが実体として重要なものになることは、絶対に有り得ない。

権威の社会支配を固定化させる儒教では、実体の流動性をただ恐れて拒絶することしか出来ない。危機を想定することは形式から外れた思考となるが故に、それは教義の否定とされて徹底的に弾圧される。先を予見し実害を警戒し防災計画を立てる者は、権威の安全神話を疑う謀反人となる。諸行無常の「もののあはれ」を知る者は、儒教においては不謹慎なる不道徳者とされる。「上下二元論」とは、実体問題を意識せずに権威を恐れる認知不全者を社会に増やし続けるものであって、政教一致を成立させるイデオロギー的な教義である。形式の外に出なければ安全であると妄信する臆病は、間違った形式の中に引き篭もり続けるという究極の危険でしかない。

実は、儒教では形式を順守して権威に従って問題が起こるならば、その者の人徳が足りないことが原因とされる。つまり、何もしないで問題が起きないことが徳とされ、危機対策をすることは不徳として忌み嫌われるのだ。世の中には絶対に問題が発生しないということは絶対に有り得ないのだから、リスクの存在を許さないという価値観は妄想でしかない。古の形式に従っていれば問題は全く起こりえないというイデオロギー的な信仰は、マルクス理論を現実よりも重視する共産主義に似た部分がある。

こうした観念は問題が発生すること自体を否認するものであって、実害の評価検討や失敗へのリカバリーという「知恵と勇気」を拒絶する現実逃避に過ぎない。これは無警戒への信仰であって、「悪いことを考えれば悪いことが起こる」やら「実を視ることは権威への不信心でありそれによって祟りが起こる」やらという迷信でしかない。実体状況とその未来の先をまるで見ようとせずに同じことが繰り返し続くという妄想は、単なる計画性の放棄である。リスクが存在しない枠組みの中に引き籠もるというリスクを拒絶することへの完璧主義は、リスクを伴った実体からの現実逃避そのものだと言えよう。

危険を見ぬふりしてフェイルセーフを拒否する信仰は、安全を否定して安心を求める倒錯に過ぎず、これは安心至上主義とでも呼ぶべきだ。ノイズも外乱も「想定の範囲外」としてクリーンな状態だけを想定し、実用性を否定して政府権力を宗教権威に変えることが、儒教のヴァーチャリズムである。分からないと呆けることで全てが許されるという価値観では、誰もが「記憶に御座いません」と言い続けるだけだ。

この安心という言葉は、単に権威と異なる考えを持たないという思考停止を意味している。「失敗したら次はない」という儒教的な不寛容も、単に権威が抵抗する人間を生み出さないための精神的圧迫の方便なのだ。起こり得ることへの対策を行わず、起こり得ないことに只管に恐怖する蒙昧は、こうした倒錯から生まれるのだろう。実体を無視して観念の殻に引きこもる斯様な信仰は、安全から最も遠いものに過ぎない。

「問題は起きない」という想定は観念そのものであって、善意に基づいたシステム設計は、イレギュラーを無視して、そのための対処を否定するが故に、確実に破綻する。ミスを起こさないという意識は大切だが、フェイルセーフを用意しなければシステムとしては質が悪い。そもそも、善意とは「自らは完全に正しい」という妄信を意味する心性なのだから、斯様な態度ではシステム設計など出来るはずもない。

権威の責任回避こそが儒教の本質的目的だが、儒教とはカルト教祖が騙しによって地位を得るために作ったペテンであって、奴隷制社会で出世するための屁理屈でしかない。社会契約を破壊して、国家全体に硬直した非合理を強制し、公共を破壊すること以外は何も出来ない。何ら意味も機能もない余計な無駄への信仰を強制することで、主体的な思考と行動が出来る人間を抹殺しているわけだ。観念的な形式だけに拘る思考を内面化させ、社会から有能な人間を根絶することが儒教の支配の手口であることは言うまでもない。

こうした安心至上主義は、権威には一切の責任が無く被害者が完全に有責であるという泣き寝入りに繋がるものであって、これは「上下二元論」という教義の延長である。彼等の述べる平和とは、人間が思考停止すれば問題なく生活出来るという意味であって、つまりは権威の支配を硬直化させることを意味している。核シェルターを造らずとも、安全神話を広める手法は結果の放棄そのものであるが、危険を認めない心性は単なる愚かさでしかないだろう。

安心至上主義とは、人の目すら騙せればそれでいいという儒教的な虚飾である。「実体的な危険を覆い隠せば国民を黙らせることが出来る」という愚民化政策である。安心至上主義や停滞への信仰は、己の意思によって何も動かさず、一切何をも変えないという無力主義に過ぎない。メンツだけで実害について何も考えない思想の基では他者を騙す詐術が発達しても、政治哲学も科学技術も徹底的なまでに弾圧される。他者を騙す能力や暗記する能力は偽の知性に過ぎず、実体構造とその奥を認知してそれらの先を創造する能力が真の知性であるが、偽の知性は他者から承認されるためだけのものでしかない。斯様なる問題解決能力を前提にしないコミュニケーション能力は、忖度迎合を繰り返して意思疎通なき会話のみを積み上げる。それによって、判断能力を持たずに媚び売りだけを繰り返す者で地球が埋め尽くされることになるのだ。

地球が箱型であるという迷信は、宇宙の姿までもが儒教の教義によって捏造されるという実体の拒絶であったが、実体に観念を当てはめようとする神学は、実体を捉えてそれを活用する科学技術から最も遠い。この箱の世界像は、人間の認識感覚を立場論的な権威主義の中に閉じ込めるための知性への怨念でしかない。実体を視ることもなく観念に合わせて生きることは、単に権威に脅され騙されているだけなのだ。

立場論の身分教である儒教では、事実がどうあろうとも、哲学者や科学者が真摯に世界を探求しようとも、上なり教祖なりが述べる教義が絶対とされる。権威に疑問や批判、否定というものを向けることは絶対に不可能であり、こうした行為は権威のメンツを潰す行為とされて、場合によっては死罪となる。性根卑しい彼等彼女等は、自己保身と個人利益以外には一切に関心を持っていない。現代の毒親達が事実を訴える子供を暴行することも、儒教の影響によって発生する現象なのだろう。

「上下二元論」を唱える権威は間違いを認めるわけもなく、それ故に社会に自浄作用は全く以て存在しない。立場序列のみが問われ、権威の恣意性によって嘘が正当化されることが横行し、そこに異を唱えることが観念的に不道徳とされ、現実はただ只管に否認される。妄想の危険と観念の罪悪で人間を脅し尽くし、危機意識と問題解決能力が失われて権威の社会支配が硬直的に安定するというのが、箱の中の全てだ。

中華では儒教の「上下二元論」の教義によって中央集権と政教一致が千年以上も前から起きていたのだから、上命下服の全体主義は伝統的なものであって、これはアジア的専制と呼ばれるものだ。本質的には平等を唱える共産主義であっても実質的な身分制度が現代中華に存在しているのは、共産主義という看板はフェイクであって、彼等の内実は民族主義と虚飾の儒教であり、「羊頭狗肉」であるということなのだろう。民族政党による一党独裁とはナチスと同じ体制であって、そこに民族主義はあっても国家は存在しない。

紀元前五百年前後にはギリシャの都市国家が存在し、国民間の法的な平等と言った概念が存在していた。そして、その後に誕生したローマという共和制国家では、奴隷も解放されれば一応は国民となれる制度が実在した。だが、同時代の中華では、孔子は愛弟子が死んだ時の葬式の在り方にすら身分制度を持ち出して、自分の馬車を売って弟子の葬式代に充てることを拒否した。

日本人の我々には、源義経が自分の馬を売って部下の葬式代に充てた故事は身近な話である。彼は日本史史上屈指の「ますらおぶり」の勇将でありながらこのような繊細な「たおやめぶり」を持ち合わせていたわけであって、だからこそ家臣達は義経に最期まで付いていったわけだ。義経と孔子のどちらが人として温情と真心に溢れた人間であって、どちらが浅ましさとメンツの陰湿な生き物であるかは、教義によって教祖を絶対化しないなら誰にでもわかる。自己保身と個人利益以外に何ら興味を持たなかった孔子は、この世で最も醜く卑しい存在であったと言えるだろう。

論語では葬儀は特に重要視されるイベントである。その葬儀にすら身分制度を持ち出すのだから、もはや孔子にとっての身分制度は、人間にとっての空気のようなものであるかも知れない。孔子が共和制ローマに旅行にでも行った際には、風呂の中で溺れて窒息死するのではないだろうか？　かの有名な『テルマエ・ロマエ』とは逆となるが、西洋人が古の中華にタイムスリップして、あまりの身分制度の硬直性と権威主義にショックを受けるといった物語を想像してしまうのは鎗崎だけではあるまい。「ますらおぶり」も「たおやめぶり」も持たない孔子が、「必殺仕置き人」で悪代官を三味線屋が絞殺するシーンを視聴した際には、ショック死してしまうことだろう。

儒教を批判していた吉宗や光圀も、現代の創作劇の中では、武力を以て敵を切り捨てる覇道の人間と化している。だが、史実でも彼等は儒教的な王道からまるで遠い人間達であって、創作の中にリアルが存在していることは確かだ。刀を振り回す光圀像や吉宗像は、フィクションとノンフィクションの中間、夢と現の狭間であるが故に面白いのであって、これはロマン主義的なヴァーチャリズムとは全く文学性が異なっている。

吉田松陰が提示した狂気の人間は、ニーチェが述べる超人と同じ存在であって、善悪上下を超克した高貴なる判断能力を持っている者のことだろう。本来の日本人は、権威に外発的に植え付けられたヴァーチャリズムによる認知の檻を破壊して、誤魔化しと媚び売りと躊躇いを超え、実体現実を認知して問題解決を行うことが出来る人間であったのだ。

論語の中には為政者と支配される盲民と言った「上下二元論」の社会構造しか存在していない。林羅山はそれが儒教の教義であるとまで言い放った。これは「全ての者に政治と教育を」という近代民主主義の理念に真っ向から対立する。現代のヨーロッパにおいて、イスラム教が近代社会に反すると非難されることもあるが、実はキリスト教であっても近代社会に反する過激派が存在している。

だが、何より儒教こそが何よりも近代社会の精神に反するものであって、これが現代においても奴隷制を成立させていることを、我々は理解するべきだろう。明治時代に廃仏毀釈の代わりに廃儒毀孔を起こしておけば、天皇機関説が排撃されることはなく、太平洋戦争が起きることもなかったのだ。明治維新のその後に、西郷隆盛は江戸城を焼かなかったことを後悔したらしいが、業を清算し切らないが故に改革が不全に終わったことは紛れもない事実であった。

法律の中の戒律　平和主義による民主主義の否定

戒律が権威主義的であることは確かだが、法律ならば民主主義的であるかと言えばそうでもない。現代社会の法律にも戒律的なものは、それなり以上に存在している。例えば、死刑廃止というヨーロッパの法律は犯罪者の命の方が人間の尊厳や公共の福祉よりも尊いという宣言に過ぎず、暴力の濫用を助長しているだけに過ぎない。適切に有形力を扱うことを拒否する死刑廃止論者は、伝統的かつ世俗的な感性に反していて、カルト宗教そっくりだ。実体に基づいた人間感情や功利性による判断が宗教やイデオロギーよりも劣位となるなら、それは人権という観念を重んじて人間という実体を無視しているだけでしかない。

ヨーロッパの死刑反対は、「敵を許せ」というキリスト教の観念に基づいたものだ。死刑反対とは何があろうとも絶対に人を殺してはならないという迷信でしかないが、こうした政教一致は義憤を潰して有形力の否定を生み出し、公共判断に無関心な人間を徹底的に増やす。斯様な人間が造る社会は権威主義者の浸透攻撃に対してどこまでも脆弱で滅びること以外は出来ない。自らが死後に権威に救済されるかどうかのみを重んじるキリスト教は所詮は受動的な権威主義であって、人間の主体的な公共理念を説くものではないのだ。

　法律の目的とは人間の福祉と社会の公益を守ることであって、信賞必罰を破壊すれば人間の社会は確実に崩壊する。実体的な解決手段を用意しなければ現実に対して何も出来ないだけであって、犯罪者に対して好き放題やれというメッセージを示すだけに過ぎない。人殺しを無条件に禁じなければ無条件に人を殺すことになるという妄念は、単なる判断の停止だろう。

「右の頬を撃たれれば左の頬を差し出せ」というキリスト教の文句は単なる無抵抗主義であって、法治社会の維持を放棄して全てを神に任せよという信仰でしかない。これは、人間から司法の権限を剥奪する政教一致であって、法権力領域における「神の見えざる手」を妄信するだけの観念に過ぎず、法律を破壊して戒律を作り、中世の暗黒を生み出すものだ。刑法を否定することによって犯罪者が喜ぶ社会が生まれることになるが、それを推奨する神は犯罪者の元締めであるということなのかも知れない。

　政治とは、人間が権力をどのように使いこなし、社会をどう支配すべきかについて考え、それによって社会契約を遂行して公共社会を繁栄させるためのものだ。人間による社会の統治を拒絶する無法への信仰は、コントロールの放棄以外の何物でもなく、それは社会的結果を創るための自由から最も遠い無責任であって、「万人の万人に対する闘争」を生みだすだけだろう。斯様に野放図な状態では、権威主義と自己保身の擬人化しか殆ど生存し得ないのだから、本質的に野放図とは権威主義と自己保身を意味する言葉でしかない。

　人間の社会では、社会契約に基づいた有形力が恣意的な暴力を圧倒しているが故に治安が保たれている。平和主義という観念への妄信が治安を作っているのではなくて、権力が的確に機能しているが故に実体としての平和が成立しているに過ぎない。社会的公平性は力によってしか達成され得ないものなのだから、治安を人間各人の良心に任せるなどということほどに愚かな妄想は無い。その事実を無視するが故に、倫理観という権威に都合が良い色眼鏡が強制されて実体を観察する能力が棄損され、その結果として「万人の万人に対する闘争」が起きているというのが社会の実態だろう。もっと言うならば、医者の努力という有形力によって人間の健康が確保されるのであるし、消防士の尽力という有形力によって火事が消えるのが社会の現実である。危機意識の放棄によって社会が向上するという事実はないし、システムを否定するマインドで国家を動かすことは不可能だ。

話し合いというものはあくまで有形力の運用を考えるための手段であって、話し合いだけで解決される問題は殆ど存在しない。平和主義とは会話が通じる人間から武器を取り上げる無力主義であって、対話が成立しない人間に服従する権威主義でしかない。正義なき慈悲は、それが通用しない相手に対しては徹底的なまでに脆弱なものであって、これを妄信する者は自らがどれだけ愚かな思考をしているかに気付いていない。

権威に媚びを売るだけの善なる平和主義者達は、無知と信仰の内に為し得ることは自己放棄だけという事実を直視することが出来ない。同情や共感を喚起させることで権威主義支配を正当化する洗脳を試みるのは、古今東西の宗教が頻繁に使う手段である。平和主義と愚民化のセットは、国家を壊す売国奴と完全に無防備な隷民を造るために侵略者達が布教する洗脳であることを、平和主義者達は見抜くことが出来ない。平和主義とは、騙すことと殺すことと支配することにしか興味を持たない権威主義者が最も好む観念である。

事実を無視することは問題にせずとも、他人の意見を無視してはならないとして民主制を信じ込む者は、他者を俯瞰して視ることが出来ないだけだ。彼等彼女等はヒトラーの妄念をも尊重することとなって、己の意見や他の意見を無視する帰結に陥る。意思決定を志す勇気と無縁である者は、実体を観察することも出来ずに場の空気に流されて権威に支配されること以外は何も出来ない。

社会の規律を重んじる近代的な日本人からすれば、観念的な自己満足と実体を守る公共意識のどちらを取るべきかは明らかだ。だが、勤労カルヴィニズムでは実体性や社会の法秩序よりも権威への信仰を優先するべきとされ、公共の福祉を目指す民主主義ではなくて権威の命令を順守する権威主義に人生の重点が置かれている。善で居ることは社会契約の否定であり、法治意識の否定であり、つまりは正義の否定なのだ。

権威によって不公平な許しを強制することは、信賞必罰の公平性を破壊することでしかない。「敵を許せ」と唱えたキリスト教がその文言とは逆説的に、他者を弾圧することしか考えないカルヴァンを生み出してしまったのは必然であった。一神教は、その観念が通用しない教団の外部をまるで想定していない自閉的な性格のものでしかない。妄想に基づいた差別と実体に基づいた評価は別のものであるが、いつの時代でも権威の観念的正当性は実体公平性を破壊するために用いられる。神官達が言うように罪人一人を改心させるために千人の人間を犠牲にするよりは、社会を守るために重罪人の首を撥ね飛ばすべきだろう。我々は、犠牲を減らすことを常に考えなければならないのだから。

警戒心と懐疑精神を否定して有形力を拒否することは、暴力への抑止機能を破壊してどこまでも無制限な暴力を生む。妄想の危険に怯えて杞憂と不安に苛まれても、実体的な危機を無視する心性では現実逃避しか起こさない。他者の善意を当てにして実体的な危機を想定しないことは、「実体からの逃避」そのものだ。

畜生道とは言語によって交渉が成立するわけもなく、有形力を以てしか取引は成立し得ない。誰とでも話し合いが成立するという価値観は唯観念主義でしかなく、実体としては敵に殺されるだけの結果となる。誰とでも分かり合えるなどという妄信は、単なる「群れ意識」の延長であり、それは他人に従って自分で何もしないだけの同化であって、偽善を押し付け合うだけのことだ。ナチスとも分かり合って彼等彼女等と妄想観念を共有するというならば、集団リンチに参加する羽目になる。他者に公平性があると信じ込むことは実体構造への観察の放棄でしかなく、「話せば分かる」という価値観は「勝てば選民」の前に粉砕される。絶対に他者と仲良くしなければならないという観念は己を抑圧するだけで、横暴独善なる権威に平然と迎合する人間を生む。誰とでも仲良くするという友好への信仰は、ナチスに従属するだけの勇気の否定なのだ。

我々は、許すことによって社会全体に向上が起きる場合と許すことによって社会の全てが破局に至る場合を、熟考の基に区別しなければならない。無条件に他者を信用することは中身を問わないだけであって、肯定の強制は現状変革の弾圧であり、否定することを否定するならば全体主義社会をも肯定する。実体構造を顧みない妄想的な観念論は公平で論理的な意見を弾圧するだけの独裁であって、これは「法を恨んで罪を憎まず」でしかなく、「罪を憎んで人を憎まず」から最も遠い。

殺人を否定するが故に無差別殺人を肯定してしまうというならば、有形力を的確に使いこなす活人剣を肯定することが是だと言える。実体に基づかない理不尽な逆恨みを取るよりは、公平な憎しみを取るべきだろう。対話だけで公正な統治を守ることは不可能であって、慈悲によって全てが解決出来るという認知的バイアスはヴァーチャリズムであり、懲罰なき世界では正義が弾圧されるだけだ。

「剣によって滅ぼさぬ者が、剣によって滅ぼされる」ということが歴史的な事実である。ならば、我々はヒトラーの剣によって社会を統治するよりも、フリードリヒ大王の剣によって社会を統治することを選ぶべきだろう。王の剣は自由の火を撃ち出す創造的破壊の剣であるが、総統の剣は単なる模造品の玩具であって人を抑圧するための重石にしか使うことしか出来ない。そして、ナチスと戦うために我々が行うべきは英雄一人の力に任せることではなく、理念を受け継いで発展させるためのシステムの構築だろう。

ヒトラーのように、蒙昧を強さと考えることは認知の灯を否定する中世的陰鬱であって、「知は力なり」から最も遠い究極的なまでの弱さでしかない。「科学が力だ」ということを理解出来ない愚者達は、己で動き自らで世界を変える「あらみたま」を持っているわけもなく、剣を持ったところでそれを活かす意思決定が出来るはずもない。科学的解析意識を持たない者に向上心があるわけもなく、統治者意識がない者が活人剣を為すことも絶対に不可能だ。

情け容赦を持たなければならないという強制は社会を救うどころか、それが最も人間に有害であることも多い。許すことによって己の道徳的優位を確保しようとする浅ましい自己満足は、権威の横暴を成立させるために人間の勇気を破壊する宗教テロでしかない。有形力とその制御の重要性を否定してキレイゴトに逃げるうちは、権威主義者から攻撃されるという形で因果応報が起こり、業の報いを受けることは必然である。

大体の人間の社会で法律というものは存在してきたが、人間の感覚が慣習的な法律を形成し、それを明文化しただけのものが本来の法律である。原初の法律とは暴力の行使を規定するものであって、法律とはその根底に「まず実体有形力ありき」というリアリズムに基づいたものだ。

もしも、法律が条文だけであって警察機構が存在しなければ法律には実効力が発生するわけがなく、犯罪者の楽園が生まれるだけだ。無政府状態の紛争地帯を見れば、これは誰にでも明らかなことだろう。この世界においては水と安全は無料で手に入るものではなく、不断なる有形力の行使によって社会が保たれているだけに過ぎない。有形力が伴わない法律は無意味であるということを知らない者は、世界を何も知らない。

平穏以外を何も求めない平和主義者は気付くことが出来ないが、彼等彼女等の平穏が成立しているのは世界に平穏以外の要素が存在するが故にだ。その事実を認識している者を無力化すれば、彼等彼女等の平穏が簡単に崩れ去ることすらも自閉的な彼等彼女等は理解出来ない。他者を犠牲にして安寧の内にキレイゴトを唱えるものには永久に想像すらし得ないが、人間世界の困難の最前線にいる者にとっては痛みと殺意こそが世界の真実である。負ければ殺されるか奴隷にされ、物を言わなければ濡れ衣を着せられ、戦わなければ何をも守ることが出来ないという普遍的な事実を、公平性を一切において持たない平和主義者は認知することが出来ない。であるが故に、彼等彼女等はウクライナ人が民主主義を守るために戦うことの意義を理解することも不可能であって、つまりは近代的自由について何も分からない全体主義者でしかないのだ。

平和主義とは戦争という現象に対する無関心でしかないが、それ以上に世界のあらゆる諸問題についての無視であって、これは観念的な正当性を求める自己満足でしかなく、実体的な平和を希求するものではない。平和主義者達は愛国心を嫌う以上に民主主義を嫌っているが、世の中には地球球体説を嫌うが故に地球平面説を唱える者すらも実存することを近代人は認識すべきだ。鎗崎は愛国心という言葉が好きではないが、民主主義社会における国とは本質的に国民を意味する言葉なのだから、愛国心の否定とは中世権威主義社会の肯定を意味するだけのものでしかない。

　心性だけを問題にして結果を求めない臆病な平和主義者達は、己が善であるという自己満足以外には関心を持たず、他者に鈍感な視野狭窄であるが故にキレイゴトを吐き続けることが出来る。生きていくために武力が必要であると想像出来ない者は、他の誰かを自らの代わりに傷を負う境遇に置くことで自らが安穏と出来る立場を確保していることに気付いていないだけなのだ。斯様な平和主義者達は判断能力を持っておらず、不服従という価値観から最も遠い存在であり、ナチスに支配されること以外が何も出来ない。

　大部分の犯罪の本質は、公共を無視した私益の追求である。権威主義や個人利益主義は、犯罪か若しくはそれに近い行為を大量に発生させて社会を破綻させるが、それを止めるには有形力の適切な活用以外に方法が存在しない。治安とは人間の力と意思によって成立させているものであって、ニーチェが「力への意志」と呼んだものが無ければ一瞬で崩れ去る。有形力を使って社会の治安を保つという実体的な是を悪として非難して、平和主義という観念を唱える宗教が善を妄信する倒錯は、ニーチェが述べた「善悪逆転」そのものだ。儒教が公平性を持たないことを恥や不名誉とせず、それこそを道徳としたことも同じことだろう。

　平和主義者達は戦うことを無抵抗で殺されることより恐れていて、臆病さに由来する自己愛が故に醜い己を全肯定しなければ気が済まず、命どころか公共理念までも失っても何ら問題がないと考えている。平和主義の本質とは実体と向き合うための勇気の否定でしかないが、これは観念論に逃げ続ける狂信であるのだから、知能の否定であるとも言えよう。防衛能力の放棄に走り権威に媚びを売る平和主義者達は、自分が攻撃されなければそれで良く、他人を犠牲にして保身する冷血を恥だと認知していないのだから、能動的な向上心も無ければ権力の必要性を理解することも出来るはずがない。そして何より、名誉と無縁な権威主義者達は武装した者を襲うよりも非武装の者を襲うことを好むという事実を臆病な平和主義者達は認識出来ない。

実体を認知せず、有形力を制御する責任から逃亡し、敵の害意を無視する平和主義は、他者を守る力の否定であって、「自由からの逃走」と「無力への信仰」そのものだ。平和主義の実体は、権威を妄信して祈り、権力を放棄して呆け、人間と社会を苦しめるだけの世迷い事であって、民主主義の否定に過ぎない。斯様な信仰は人間本来の公平性を潰すものであって、有形力による統治を否定する洗脳による支配という点において儒教の文治主義と同じものだろう。自らが無謬無罪であるという観念的な正当性を望むだけの平和主義者には、弱くあること以外に求めることは何もないのだ。

それが故に、平和主義者達は暴力を否定しているというよりも、キレイゴトによる洗脳統治を愛しているというわけなのだ。的確な有形力による統治の否定を信仰し、統治と関係がない暴力の濫用については何も問題視しないどころか、それによって公正な統治を破壊する平和主義者も実際に多く存在する。斯様な結果への無関心は、観念への病的な愛から生まれるわけだが、無責任としか言いようがない。

平和主義こそが絶対的な善であると訴えて扇動を行えば、批判を弾圧して言論の自由を封印することも可能であるが、このイデオロギーはリアルを完全に無視している。平和主義とは、無力と暴力を二元論的な善悪に分けた上で無力を信仰することに取り憑かれるだけの呪詛であって、権力の意味や目的や機能とその運用を何も考えないガサツな思考停止であり、無防備への信仰そのものだ。これは、単に戦ってはならないという権威の戒律であって、国家公共の法治を守るための人間の法律ではなく、つまりは許しと泣き寝入りの強要でしかない。公共を守るための暴力装置がキレイゴトの観念論に否定され、有形力と公平性が棄損されて無力と権威主義が崇められるならば、社会は無政府状態になるだけだろう。

平和主義者達はキレイゴトを唱えて人気取りを行うことで、群れの中で自己権威化することしか考えていない。理念なき彼等には我慢することが出来るかも知れないが、実体的な問題解決は他人事としか考えられない。戦う機能を否定するならば、何をも守れなくなるだけだが、何があっても戦わないという信仰は、目の前で理不尽に暴行されている人間を見捨てることを正当化する。不条理な暴力を的確な有形力で抑止して社会を公正化することを、蒙昧な彼女等は何よりも権威への不信心であると感じているが、これは不条理な暴力への信仰であると言っても何ら問題はない。性根卑しい彼等彼女等は、その臆病さと人間不信故に、他者の有形力とその適切な使用を否定しなければ気が済まない。彼等彼女等は高貴さが一切欠如しているが故に、一身上の安全しか考えることが出来ず、正義にも有形力にも公共判断にもただ恐れて反対し、それを持つ者に浅ましくも八つ当たりを始めるというわけだ。

哲学者の有形力に対する神官達の恨みが平和主義という観念であるが、的確に運用される有形力こそが宗教を不要にするが故に、彼等は不適格な暴力を容認してでも的確に運用される有形力を弾圧する。宗教権威が重罪人よりも哲学者を憎むのは、社会への有害性の是非を問うているのではなくて、人間の権威への隷属を重んじているが故にだろう。重罪人を洗脳することは出来ても、哲学者を洗脳することは殆ど不可能であるのだから、神官達は重罪人を保護する代わりに哲学者を悪魔として決めつける。逃げることしか考えない不名誉と絶対に戦えない臆病さを道徳として信仰させれば、権威の支配は不動のものになるわけだ。

平和主義は敵に抵抗することを禁止する観念であって、非権威を弾圧してはいけないという意識ではない。「己を権威から守ってはならない」という洗脳を施すことが平和主義の究極的な目標であって、これによって権威は支配下の人間に有形無形の拘束力を投射し続けることが可能となる。「権威だけが有形力を所有していれば権威の支配が安泰になる」という、権威にとっての平和こそが平和主義の本質なのだ。

平和主義とは、無防備への信仰というよりも権威に反対する者を弾圧するための脅迫でしかなく、実体的な是非を問う言論の自由を否定するどころか、権威の偽善に同調しない者を弾圧する暴力を横行させる。人間の無意識下に権威を絶対に咎めないことを刷り込み、権威を利することを何よりも肯定すべきだと洗脳することによって、思考以前からの権威主義者が量産されているが、平和主義者とはこの最たる例だろう。

権力を放棄して権威にだけ関心を持つ平和主義は、究極の権威主義であると言えるだろう。平和主義とは権威への全ての委任という心性であって、その無力主義は単なる全体主義でしかない。実体を顧みることではなく観念を妄信することが宗教では道徳とされるが、権威を信じるうちには社会は何も変わらないし、キリスト教は死後の安寧以外を目的としていない。平和主義とは公共社会や近代理念のために戦うことは拒否するという敗北宣言であって、結果の不正義を歓迎するものであり、権威に従うことを善として妄信するだけの自己欺瞞でしかなく、最期には敵と刺し違えて死ぬという日本の伝統的な精神に最も反するものだ。

バチカンのような宗教権威は他人を騙すことにあまりにも慣れているが故に、表向きは同性愛を禁止しても裏では同性愛の強制に熱心という事態が起こる。権威にとってはルールとは上が下に押し付けて下を弾圧するためのものであって、公共のために皆が守るというものではない。権威にとっては約束とは他人に守らせるものであって、自分は率先して破るための戒律に過ぎない。有形力がない世界ではトボけることによってどんなミーイズムであっても簡単に押し通すことが出来るが、権威は自分が損害を被るかどうかの個人利益以外に何ら判断基軸が無いのだ。

そもそも、恣意的な懲罰と不公平な許しと権威の絶対的正当化こそがキリスト教の本質であって、カトリックでもプロテスタントでもこの本質は変わらない。不公平な許しを強要して理不尽に抗うことを否定するキリスト教は、正義のために力を使うことを完全に否定しているが故に、社会の腐敗を招くことしか出来ない。これは、権威が利得を確保するための洗脳としては便利なものであるだろうが、残念ながら社会を破綻させるだけのものでしかない。善という観念は権威主義を意味するものであって、公平性を殺すための言葉である。彼等の唱える愛とは権威主義を意味するものであって、異なるものの協力ではなくて異端を許さない純化であることは間違いがない。

「敵を許せ」という報復の否定は公平性を捻じ曲げるが、これは無謬なる権威を許せという泣き寝入りの強制にどこまでも使われる。恣意的な懲罰と不公平な許しによって、権威は人間と社会を支配し続けている。宗教の本質とは子供が親に支配されたままで居ることを崇めるだけの無知性無気力以上のものではない。

多くの宗教は権威を絶対善なり無謬と定義しているが、これは権威を報復の対象にさせないための洗脳に過ぎない。この洗脳は人間から公平性を忘却させ、無抵抗状態に変えるための騙しと脅しとして最大限に機能する。権威の観念を疑う機能が無い愚か者には反省する能力も公平な観察眼もまるでなく、権威に従属し続けること以外は何も出来ない。弱者で居ることが善であるという信仰は、権威に対する報復を防ぐためのものであることは言うまでもなかろう。

とはいえ、報復の否定はキリスト教に特有のものであって、ユダヤ教徒もイスラム教徒も斯様な妄想観念を否定することはない。実体に基づいたロジックの否定は、キリスト教や儒教に顕著にみられる特徴であって、ユダヤ教徒やイスラム教徒をキリスト教に改宗させようとすることほどに、愚かなこともないだろう。

キリスト教では何も言い返さずに黙って殴られることが道徳なのだから、権威に何も反論せずに黙って殺されることは究極道徳にしかならない。巷では権力には責任が伴うと認識され、その過失は必要以上に責められることを皆が当然視しているが、どういうわけか権威の無謬性については誰も疑問に思っていない。

宗教でよく言われる無謬という概念は徹底的に恣意的であって、何を罪とするのかの定義次第でどうにでも決められる観念である。これは、善と悪、有罪と無罪を決めつける難癖の二元論によって、罪悪感を恣意的に刷り込む道徳的脅迫でしかなく、批判を停止させるために造られた観念に過ぎない。

実体的基準がない恣意的な難癖であっても、権威が上から下に観念的な決めつけを押し付けて、あらゆることを罰することは簡単なことだ。権威は無謬という価値観こそが、法律を破壊して戒律による独裁を成立させる。これは権威の観念的な正当性を妄信し、全てを権威に委ねて思考停止すること以外の何物でもない。

そして、少し考えればわかることであるが、公平性を求めない無抵抗主義者が冤罪で殺されても単なる自業自得であって、神学とは欺瞞を正当化するために生まれた観念に過ぎない。

魔女狩りとは法律ではなくて道徳を基準にした裁断であって、この不寛容な不正義はリンチと脅迫以外の何物でもない。魔女狩りのような密告の足の引っ張り合いという形の「万人の万人に対する闘争」は、全体主義社会の一つの特徴である。平和主義的な刑罰の忘却であっても過剰刑罰の難癖であっても社会を壊すという結果はどちらも同じだ。社会契約に基づいた実体的な法律と合法的な刑罰を否定してヴァーチャリズムの道徳によって社会を治めることは、権威が恐怖政治によって人間と社会を支配するということである。

実体構造の前後関係や法治的な権力システムの的確性を無視して恣意的な決定を押し付けることは、それが民意に基づく多数であったとしても独裁でしかない。実体的な規律の喪失は唯心論を世間に跋扈させ、気分と印象だけで政治を行う独裁者を崇めさせ、社会をヒトラーとアイヒマンが支配する監獄に変化させる。文化相対主義は、宗教的な煽動と民主制による多数決によってナチスを肯定するものでしかない。実体性と論理性を否定すれば対話に勝てるという愚かな信仰は、知性と勇気を否定しているだけに過ぎないのだから、その後に起こる有形力を使った交渉においてはほぼ確実に敗北する結末を迎える。

結局のところ、「敵を許せ」とは人間に存在している実体的な報復感情と公平な反撃意識を否定して、泣き寝入りと問題解決の放棄を強制するための観念的ニヒリズムでしかなかった。社会契約に反する者を討ち取る機能を否定すれば世界は法律が無い無法地帯となり、臆病な八つ当たりが横行するが、誰もがそれを変えようとする政治意識を持たなくなる。キリスト教は人間から勇気と公正さを剥奪する観念であり、正義を否定する信仰であって、そうであるが故に権威が支配する社会を成立させる運命を予定しているわけだ。

一神教のフレームは自分達の神だけが正しいという卑屈なる独善であり、自分達だけが正しいと思う先入観としての自己愛であって、自己と権威以外の全否定に過ぎない。これは、思考停止して絶対の答えを求める蒙昧であって、自ら以外の全てを排除する信仰であり、同調圧力の押し付けであって、人間から客観性と自省機能を拒絶させる強迫観念でもある。公平性を否定して権威に従わない者を皆殺しにすれば平等は簡単に達成出来るが、その社会には一切の進歩が起こらずに破滅的な結末を迎えるだろう。

一神教の信仰という「拒絶と排除」のフレームに、人間理念を折衷したところで、結局はリアリズム無き人間愛と公共権力の放棄、政治的自由の否定という権威主義にしか成り得なかった。このフレームによって人間の精神や社会を定めようとすることこそが、人類全体の究極的な不幸なのだ。

信仰の本質とは、絶対的な信用であって、権威を疑わないことであり、権威の観念を唯一の正解として実体よりも優先させることだ。皆が一つだけの権威に迎合することで訪れるものは、弱い者虐め、異端の弾圧、思想の自由と実体合理性の否定、多様性の破壊、平和などではなくて全てなる理不尽である。誰も批判者が居ない、無言なる世界にようこそ。ただ一つの権威に皆が群れて迎合することでしか社会を形成できないというのは、実体を観察し、他者と対話し、社会契約を考える人間本性が欠如しているだけだろう。

多神教ならば、人間が人間理念を獲得して神となり、権力行使を志向する思考を持てる。神も複数人いるのだから、多様なる意見の合議制を重んじて、民主主義と親和することは間違いがなく、これは多様性の尊重だと言えるだろう。多神教の本質とは、神々とは間違いを起こすこともあるものであって、人間は権威を崇めて無批判に彼等彼女等を信用してはならないという非権威理念である。多神教とは、権威を信用しないことであって、絶対の答えを定めないものであり、自らで解を考え技を生み出す心であって、つまりは近代に繋がる精神を顕すものであると言えよう。

法律の中の戒律　観念の正義とそれがもたらす結果について

権力という殺す力の否定は人間と社会を守る力の否定でもあって、権威という騙す力を最強にするための規制でしかなく、権力が存在しない世界は必然的に嘘と権威主義がその基調だろう。詐欺師は報復されることを想定していないが故に人を騙すのであって、暴力の活用の全否定は神官達の観念的な自己満足のために実体的な被害を看過することでしかない。それ故に、何も規律がないこと以上に、権威の恣意的な戒律で社会が埋め尽くされることが何よりもの問題なのだ。

とはいえ、カトリックが唱えた平和主義は、他者を許せということであり、全否定すべきであるとはいえない。これは、浅ましさと愚かさを積極的に祝福するというものでもなかった。

だが、この幻想観念が反転することによって、味方以外を許さないというナチスが支配する全体主義社会が生まれた。宗教権威によって殺人を否定するならば、宗教権威によって殺人を推奨することも可能となるのは当然のことであって、それが故に宗教戦争が起こる。「力への意志」が公共権力と民主主義の根幹であるが、的確な権力行使の否定する平和主義は不適格な権力行使への肯定でしかない。何も守らないことを信仰する神官達は、ナチス親衛隊にバトンを渡すだけなのだ。

そして、勤労カルヴィニズムでは、自らが許すことではなく自らが権威に否定されないことに重点が置かれている。それこそが、権威に許されている自らが優位であって、それが故に報復されることはないという超法規的な選民思想を生み、南アフリカのアパルトヘイトやアメリカの白人至上主義、ナチズムに繋がった。

現実的に考えて、憲法九条が海外からの侵略の抑止になることはなく、戦争を起こすかどうかの決定権は日本を侵略する側に存在している。日本が戦争を放棄したとしても世界はそうならなかったということは、ロシアによるウクライナへの侵略を見れば明らかなことで、国際平和とは信仰によって実現する類のものではなかろう。国防の放棄を妄信する平和主義者達は、「日本を絶対に許さない」と考えているのだろうが、彼等彼女等は近隣国家の独裁を何よりも愛している。日本を抑圧し、民主主義を否定し、全体主義を欲することは、華夷序列的な儒教信仰に由来するのだろうが、そこには陽気さが一切において存在しない。

国家を妄想の宗教的テーマパークに変えることを信仰する平和主義者は観念しか認知し得ず、実体を観察出来ない。テーマパーク化する社会を求める点において、彼等は日本の全てを秋葉原やディズニーランドに変えようとするオタクと同じであって、人間的探究精神を持たずに動物的快楽欲求を満たすことしか考えていないのだ。自らの意思で実体を何も認識出来ないヴァーチャリストを造るのが学校教育であるが、観念の牢獄の外に出られない彼等彼女等は、社会の全てをテーマパークにしようと今日も侵略活動に勤しんでいる。

戦力の否定は、現実世界に全体主義社会が存在しているという事実への否認に過ぎない。軍事力を持たないことへの信仰は、逆説的に戦争を誘発させる。妄想観念による戦争の否定などは犯罪の否定や病気の否定と同じような空想でしかない。権威による暴力の否定を人間が妄信し続ける限りは、人間は権威に支配され続けることしか出来ない。暴力を否定する親を妄信する子供は、虐められること以外何も出来ないのが社会の現実である。あらゆる社会において虐めというものは報復意識の欠如から生まれるものであり、つまりは平和主義から生まれるわけだ。

報復する、報復されるという危険性があればこそ、無意味な交戦を避ける思考が生まれる。自らはやられないだろうという危機意識の欠如は意思決定を破綻させて、不要な戦争ばかりを繰り返すことになる。ベトナムやイラク、アフガニスタンにおけるアメリカの戦争は、反撃される可能性があろうとも実体的な必要があるが故にそれを行うべきという、ある種の覚悟に基づいたものではなかった。アメリカのよう不要な戦争を繰り返せば国力を浪費して、必要な戦争に備えることも出来なくなる。この見積もりの甘さこそがヒトラーが独ソ戦を始めた原因であるし、ロシアがウクライナを侵略した原因でもある。おまけに、彼等の戦力も軍紀も米軍未満のものでしかなく、あらゆる意味で米軍を下回る存在でしかなかった。

鎗崎は、アフガニスタンのイスラム過激派の思想には賛同しない。だが、アフガニスタンでの少年売春犯罪を放置していたアメリカは、タリバンが女性の権利を弾圧していると訴えても同じ穴の狢でしかないのだ。イギリスのミルは契約に基づく売買春は合法化すべきと述べたが、これは彼の理論とは完全に別だ。

このアメリカの所業は、イスラム教徒達に同性愛を肯定させるための手段ではないとは思うが、もしそうなら目的のための手段としては杜撰としか言いようがない。遺伝子改造技術を発展させ、体外子宮で胎教を行う科学を生み出すことこそが、生殖に関する迷信を破壊するために最も優れた選択肢だろう。日本の神々は男であっても櫛から子供を産めるのであるし、我々はＬＧＢＴ法の強行よりも櫛に付着した遺伝子から子供を創ることを目指すべきだ。アメリカや中華では、既に精子や卵子の売買も行われているのだから。

人間の自由は科学技術によって促進され、女性は出産から解放され、同性同士でも子孫を残せるようになる。被爆国である日本は、放射能に耐性を持った人間を創ることが歴史的使命であることを自覚しなければならない。もしそうするつもりがないのであれば、攻撃されることで原子爆弾となり得る原子力発電所を運用するべきではないのだ。現にロシアはウクライナの化学工場や原子力発電所を攻撃しているのだから。

昔の日本では地域全体で子供を育てていたが、将来の世界では国家が出産と育児を行うようになるだろう。親も無く子も無く、男女の差の意味も薄れ、法の下の平等は今よりも遥かに進歩し、人種差別も完全に消えるはずだ。ドイツの政治家のザラツィンが人種間の生物学的な違いが知能に影響を及ぼすと述べていたが、鎗崎は知能を上げるための遺伝子改造以上に、公平性を一切に求めずに個人利益主義に走るだけの遺伝子や理不尽な恣意性を押し付けることを好む権威主義的な遺伝子、文明を破壊する野蛮の遺伝子を取り除く技術に関心を持っている。判断を嫌って群れて思考停止する遺伝子、我慢と順応に走って何もしない遺伝子、「高貴なる義務」を放棄する臆病な遺伝子、事実実存の確認よりも快楽を含むフェイクを選ぶロマン主義的な遺伝子は、科学技術や民主主義を否定するのだから、科学力によって剥ぎ取ってしまえばいい。自分で何も考えずにただ権威に委ねることを好む者が人類に一人も居ないのであれば、ナチスの世界は絶対に成立し得ない。鎗崎は日本の将来のために、日本人から斯様な遺伝子を全て取り除くことを望んでいる。

　正義を考える能力の欠如が勤労カルヴィニズムへの信仰を引き起こすのだろうが、これは『失楽園』を描いたジョン・ミルトンも述べていた言説である。厚顔無恥なアメリカ人ならば、それでも信仰は全てを正当化すると考えるのだろうが、斯様な思考では文明は崩壊するだけだ。他者と理念を守る機能の欠如を司る臆病な遺伝子や人間的探究精神を持たずに動物的快楽欲求を追求する遺伝子が大量に増殖してしまうという失敗した進化の結果が、現代社会の惨状なのかもしれない。だが、こうした卑賤な遺伝子の働きを抑える遺伝子や実体観察と公共性を重んじる勇敢な遺伝子を創り出すことが出来れば、社会は数世代で変革される。過去の歴史で英雄と呼ばれた者には、斯様な遺伝子を突然変異的に持っていた者も居たことだろう。

　責任転嫁と嘘つきを繰り返す生来の邪さを持った者は、他者を犠牲にして保身することに恥を覚えることがない。斯様な者は知性や気概を強める遺伝子を持った者よりも選挙で有利なのだから、民主制社会において向学心と無縁な売国議員の世襲が起きるのは必然のことだろう。彼等彼女等はあらゆる社会問題を他人事として考えていて、非権威に対する我慢の押し付けを政治の本質として認識していることは説明不要である。嘘をつくことと群れを扇動することと権威に訴えることで利益を得ることしか考えない権威主義者から社会を守るために、理念と法と透明化が絶対に必要不可欠なのだ。

　そういえば、オバマ大統領はChangeと訴えたが、初期のアメリカの政治には勤労カルヴィニズムの政教一致がよく見られ、これはイスラム過激派の政教一致と似通ったものであった。アメリカが民主主義国家となるためには、宗教原理主義と奴隷的経済制度を辞める必要があるということを、アメリカ人達は理解しなければなるまい。アメリカンマインドとは、自分と金と宗教以外への無関心であって、嘘をついても己を肯定する不名誉であり、向学心への蔑視であって、ガサツさへの崇拝と観念的正当性への服従でしかない。これは、有形力の的確な制御を求める理念を否定するものであって、人間の自由から最も遠いものだ。野放図を信仰するアメリカ人は法律を外せば万事が上手く行くと考えるが、それは人間の制御を否定する運命予定説であって、彼等は人間の自由についてまるで理解していない。

トランプ前大統領のような個人利益主義者達は、他人のことを自らを引き立てるための道具としてしか認知出来ず、他者を尊重することが不可能であって、故に保身することが出来ても正義を理解出来ない。斯様な精神では、力をひけらかすために攻撃する対象を求めたとしても、本当に殺す必要がある相手を仕留めに行くことは絶対に不可能だ。暴力によって実体公平性に基づかない観念を無理矢理正当化するために、「勝てば選民」という価値観に基づいて、負ける可能性がない相手を求め続ける。何をしても許されるという自らの選民性を確かめるために他者に不公平を押し付ける、という形の脅迫反復を辞められないのだ。

自らの業と向き合って自らによって省みることよりも、自己正当化して権威に許されることの方が楽であるのかも知れない。「全てを許さなければならない」という価値観が「全てが許される」という価値観に反転した時に、「全てを殺してもいい」という狂信が生まれるのだろうが、この自己正当化のための暴力はヘロインよりも精神的依存性が強いことは間違いがない。金儲けを宗教的な善として定め、蓄財以外を何も目指さない彼等は、何の理念も公共性も持たないのだから、ナチス親衛隊のアイヒマンと同じ思考を持つことしか出来ない。トランプ前大統領の支持基盤にはキリスト教と白人至上主義を理由にしてロシアを支持する者も多いが、斯様な宗教過激派達はフェイクニュースを拡散させることで世界の民主主義を破壊したいだけなのだ。彼等彼女等は、国家公共のための政治意識とは無縁で、私事以外を考えることが不可能なのだ。

アメリカがイラクを破壊したことで困ったのは、イラク人とそしてヨーロッパ人という旧大陸の人間であり、新大陸にいるアメリカ人には大した被害はなかった。日本人ならば「明日は我が身」やら、来世は荒廃したイラクに生まれる等と「業と縁起」を考えてしまうが、アメリカ人は権威に許されれば全ての業と責任はチャラになるという安心意識が存在している。鎗崎は不可知論者であるが故に多くを語るつもりはないが、どちらが公平で合理的かは明らかなことだ。

権力とは過失があれば責を負い、最後は自らが討たれるということを覚悟する、ダモクレスの剣である。だが、権威は自己の絶対性を妄信して観念論による道徳的正当化を繰り返す。「万人の万人に対する闘争」を行うだけの個々人が分断された競争社会では、集団を束ね率いるための人間的公平性は要求されないが、そうした社会は権威主義と扇動によって成立させる他はなく、正義ある社会と戦えば簡単に消滅する。卑賎さが強さとして成立するのは極端に程度が低い戦いにおいてのみであることを、我々は認識しなければならない。

こうしたアメリカの性質を考えれば、「アメリカ・ファースト」というトランプ前大統領の文句は、「アメリカ・オンリー」という意味でしかなかった。そして、おそらく前大統領は「アメリカ・オンリー」ではなくて、「トランプ・オンリー」といったミーイズムを信仰している。彼は、その時々で自分の都合がいいことしか言うことが出来ないが、彼の観念世界には自分に都合が悪い事象は存在すらしていない。

「英語とは異なって日本語は論理性が欠如していて、議論が不可能で会話がうわべだけのご機嫌取りだけに堕落する」という俗説は、日本語の言霊を認知出来ない俗物の妄言でしかない。事実として、アメリカを見れば英語ではこの傾向がより強烈に存在していて、実の無い話と敵対的交渉を駆使して衆愚に受けを取れば、大統領になることも可能であると証明されている。日本語であっても英語であっても、文法に拘り意味を並べることが出来ないなら、権威に迎合し集団に迎合し、場の雰囲気に流されることは何も変わらない。

英語教育によって日本語の単語能力が無くなった機能的文盲が増えれば、対話における論理性は完全に消滅するだろう。だが、この問題は言語それ自体のシステムの問題ではなくて、本質的には人間のマインドに拠るものだ。同意を求めるだけで反論を拒絶する不公平な相手とは、如何なる言語であったとしても議論が成立しない。受動的な人間には文字が読めても内容を掴むことが不可能である。現在のアメリカの共和党は、トランプ前大統領を個人崇拝して忖度する受動的なアイヒマンばかりであって、アメリカ人は日本人と異なって「個の意識」を尊重しているなどという言説は大嘘なのだ。

もっと言ってしまえば、トランプ前大統領の言語能力はオバマ元大統領のそれよりも著しく低く見えるが、言語能力とはその人が認知する世界を意味するものでもあって、彼は実体への認知能力が極端に低いということをも意味している。科学とは事象を言語化して説明する能力であって、技術とは解法を体系化して整理する力であり、言語能力の否定は科学技術の否定そのものだ。

トランプ前大統領は知性なき社会を創ろうとしていただけに過ぎないが、プロテスタントの運命予定説を用いれば選民思想によって何でも正当化出来るが故に、アメリカでは言語能力の欠如も問題にはならない。「勝てば選民」という勝負二元論と善悪二元論の混合理論においては勝てば全てが許されるのであって、この観念においてはあらゆる対話と法律を無効化することが可能となる。

「原爆であろうとも、枯葉剤であろうとも、アメリカが神への信仰に基づいた国家であるが故にそれらは完全に正しい」というアメリカ例外主義を妄信するには、言語能力は一切不要だ。不正の証拠が却下されようとも選挙を暴力によって無効化することにも何ら問題はないし、大量破壊兵器の証拠が無かろうともイラクに攻撃することも何ら問題がない。アメリカの政治家にとっては、不正や大量破壊兵器があったと証明する政治的活動が目的ではない。衆人にそれらがあったと信じ込ませ、煽動によってセーラムの魔女狩りの共犯者に仕立て上げるという宗教活動こそが目的であるのだ。

人間の報復感情とは、実体公平性に背くことを行えば報復に合うということを納得させるものだが、これは観念論とは全く対極的な認識である。報復されない、許されるという意識が存在しているが故に、何も考えずに嫌がらせを行う愚か者が社会に蔓延する。報復が存在しない世界では、実質的に何をしても許されるのだから、そこでは理不尽を許さない正義は否定され、権力を扱う知性を放棄することが他の何よりも信仰される社会となるだけだろう。報復とは狙いが伴った攻撃であり、無差別殺人の類とは全く性質が異なっているものであって、鎗崎は不必要に他者に危害を加えろと述べているのではない。人間は有形力の行使について考えられるが故に、自らが何をすれば有形力を行使されるかを考えるものであって、往々にして非暴力主義者の方が他者に対して不作法な言動を取るものだ。平和主義という妄想と自分以外の誰かを傷つけなければならないというアメリカ的な脅迫観念を、捨てるべきだと訴えているに過ぎない。

報復感情に基づいた敵討ちというものは、単に親族身内のためのものではなく、復讐のための復讐というものでもない。これは人間個々人が法を執行する意識であって、自らの武勇を示す行為である以上に公共判断の元に権力を行使する意思である。有形力による裁きがない世界においては、絶対に実体公平性が担保されるわけがない。敵討ちとは権威に助けを縋る依存精神ではなく、自らの意思によって有形力を行使して自らの手によって社会的な目的を達さんとする独立自尊である。

古代の日本人は公平性に基づいた怒りと憎しみを重んじていた。他人に許されるかどうかではなくて、実体の在り方と己の名誉を大切にしていた。この感覚は単なる被害者意識ではなくて本性的合理性であって、公共を考えて問題を他人事にしない人間の意思であり、公共を考えて問題を他人事にしない人間の意思であって、我々はこの美意識を肯定するべきだろう。正義とは、公平性であって、それは自らを疑える勇気であり、つまりは実体を観察する知性のことである。正義とは、己の理性と感性によって主体的に実体と向き合い、そして己とも向き合うことである。つまり、正義とは「もののあはれ」を知ることであって、教条的な屁理屈である観念論とは完全に対極的なものだ。

敵討ちとは、権力を国民の手の内に存在させる制度であって、人間一人一人が暴力装置足らんとする意思であり、民主主義の基盤と呼べる理念である。敵討ちとは、ただ怒りや憎しみに流されることではなくて、社会の公平性を保つ公共意識である。暴力をただ恨むだけであるのならば、それは防御の力を封印するということでしかなく、国家主義に基づいた政府を創ることは出来ない。敵を打ち倒す能力のみが、ナチスを殺すことが出来るのであって、我々は公共権力の行使の必要性について考えることから逃げてはならない。権威の観念や他者の善意を信用するのではなく、我々自身の知恵と力を当てにしない限りは、公共社会を成立させることは絶対に不可能だ。正義なき慈悲は公平性を破綻させ、社会を腐らせること以外は何も出来ない。「敵を許せ」とは、人間理念の敵を討つことを放棄しているに過ぎず、勇気の忌避と正義の拒絶を信仰することで権威による人間の支配が成立する。自己犠牲という己を守らないことへの信仰によって公共社会を犠牲にすることは、ナチスに対する支持を示しているだけでしかない。死後の救済だけを求めて生前の社会の在り方を無視することは実体の放棄を表明しているに過ぎず、己の救済のみを求めて社会の救済を放棄している。自らが死後に権威に拷問にかけられ続けるかどうかを気にして観念的な潔白を求める信仰は、一身上の安寧を重んじる保身の強迫観念に過ぎず、社会の公正さを求めない虚弱者の臆病な不安であり、人間の主体的な公共理念を説くものではない。斯様な陰鬱なマゾヒズムへの信仰によって反撃を禁止すれば、不義の暴力がどこまでも肥大化するだけであって、「キレイゴト」は文明を崩壊させる結果を招くだけなのだ。

自分が道徳的に正しいか間違っているか以外を考えられず、何も結果を考慮出来ない者も世の中には多い。だが、「相手が道徳的に間違っているから悪い」などと言ったところで、結果は全く動かない。己が道徳的に正しいことは、結果を決定することには殆ど関係がない。自らが道徳的に正しかろうと、せいぜい道徳を造った権威に許されるだけであって、それを求める心性は親に認められたいだけの子供と何も変わらない。

我々に必要なものは観念的な許しではなくて、実体的な信賞必罰である。不公平な相手には公平さを忘れることが公平であるということを、我々は覚えておくべきだろう。正義の弱体化への信仰は、己が負うはずであった被害を他者に押し付ける者を増やす。泣いているだけならば誰も助けてくれないし、有形力の扱い方を覚えなければ被害者は増え続けるだけでしかなく、法権力への理解が無ければ民主主義は成立しないし、敵の思考法に慣れておかなければ先制攻撃を防げない。公共判断を愛するならば公共判断以上に有形力を愛さなければならないし、有形力を愛するならば公共判断を有形力以上に愛さなければならない。

鎗崎の意見はキレイゴトでも何でもなく、「戦う民主主義」と呼ばれている思想だ。民主主義国家は社会契約を遂行して国民を守る義務を負い、同時に民主主義の敵から自らを守る権利を有しているが、それはつまり国民はそれらを代行する責務を負っているということである。有形力への無関心では有形力の的確な行使というものを何も理解出来るわけもなく、それは暴力装置たる政治権力の扱い方に無関心な奴隷であると自白しているに過ぎない。人間の有形力とは「科学と技術」そのものでもあるのだから、有形力の否定とは文明の放棄以外の何物でもない。無形力と誠意の欠如によって他者を騙すことは可能だが、世界を動かすことが出来るのは有形力と真摯さだけである。実体への不干渉を求め続けたところで、何も出来ない傍観者であることしか出来ない。揉め事を避けることや保身にしか関心が無く、問題解決や進歩向上への熱意を持たないが故に逃げることしか出来ない無気力な権威主義者のことは、「絶対隷奴」とでも呼ぶべきだろう。

敵討ちの否定とは政治への諦念を刷り込むことであって、これは日本の伝統の敢闘精神を殺すだけのものに過ぎない。カチカチ山の最後ではタヌキは溺死することになった。国家が有形力を持たないならば、その社会は暴力装置たる政府が存在しない無政府状態であって、非合理な嘘と野蛮な暴力が蔓延するだけの帰結となる。報復の否定とは治安を保つ能力の否定であって、社会の安全を完全に崩壊させる。これは、権威による理不尽と戦うこと自体を諦めさせ、むしろ理不尽を肯定することを道徳として崇めさせるものだ。自らが自らによって許すことが出来る人間であるかどうかを考えることこそが、人間を公正足らしめる意思であろうが、何をしても己を許すことが出来る者は名誉と無縁であるだけに過ぎない。だが、勤労カルヴィニズムにおいては、権威が許すかどうか以外が一切に問題となることはなく、己で己を顧みる意識はまるで存在していない。

個人の選択と公平性を諧調させることこそが、人間の政治意識である。人間の問題解決の原動力は「あらみたま」という高貴なる敢闘精神であるが、これを否定する観念がキレイゴトである。生きることとはエネルギーを目的に向けることであって、怒りと憎しみの放棄とは生きること自体の放棄である以上に、政治意識の放棄でしかない。愛の反対は憎しみではなくて無関心とは言ったもので、憐憫と同情という無関心は問題解決を起こさず、公共性がない者は冷血に保身する。怒りと憎しみ自体は人間の精神における正常な免疫反応であり、これらを抑圧することは思考停止であって、能動的に生きることの否定に過ぎない。公平な力を放棄すれば、不公平な力が蔓延することは自明であるが、これは善玉菌を排除することで健康を失う現象に似たようなものだ。

ナチスに対しては、怒りと憎しみだけではなく冷酷さが必要になることすらあるだろうが、慈悲は全く不要である。人間が何故怒るか、何故憎むか、それは実体公平性に反する勇気なき野蛮が、どこまでも卑しく醜いからである。他者のことをまるで考えない者に対しては、一切の配慮は不要であって、それがわからない心性は寛容ではなく単なる不寛容である。何もかも許してはならないなどと訴えるつもりはないが、全てを許さなければならないということも、それと同様に不可能なことだ。己の意思を貫くことに遠慮や容赦を持つべきではない状況が、世の中には存在していることを忘れてはならない。

嘘と権威主義を選ぶのか、美と公平性を選ぶのか、どちらを選ぶことが高貴さであるかは明白である。平和主義やら事なかれ主義やらは、己の身のみを守り、公共と名誉を守ることが出来ないだけの醜い思想であって、これらは権威主義の別名に過ぎない。権威に許されることだけを求め、公平性を追求することもないキリスト教がもたらしたものは、人間の卑賤化であった。だが、問題から逃亡するよりも問題解決を行う方が、己の身を守ることにも遥かに貢献することは確かである。勇気への妬み、陽気への嫉み、正義への恨みによってでは何も為せないのだから、我々は臆病者の自己正当化を崇めることを辞めなければならない。

昔は村落ごとで裁判を行っていたが、現代の法制度においても刑罰を法権力に代行させる形で人間が人間を裁く権利を行使しているものであって、国家権力が人間を泣き寝入りさせているわけではない。現行法であっても、人間の報復の権利を否定しているわけではなく、特定の条件下でそれを認めている。

現代における選挙であっても国民が政治家を裁くために存在している制度であって、これはある種の下剋上を担保するものである。古代ギリシャには陶片追放という文字通りに政治家を裁く制度も存在したが、更に古くは刀の一振りによって為政者の首を撥ね飛ばすことが民主主義を担保したものだったのだろう。

我々はフリードリヒ大王の友人であるか、ヒトラーの手下であるか、どちらかの在り方を選ぶことが出来る。それ以外の在り方は、ナチス親衛隊に殺されるか政治的意思表明が出来ない奴隷にされてしまうので、選択肢として存在しない。ナチスを許したら、人類の世界はナチスが支配する結末にしか成り得ないのだ。

公共理念とリアリズムを同時に理解している人間が社会を統治しない限り、法による統治は破綻することとなって世界は権威主義の賊徒が支配するものとなる。誰にでも良心があるという考えは、ナチスの存在を見れば実体から乖離した観念であるとわかるものだ。平和主義というイデオロギーを肯定するために実体的な近代法治を否定することは、社会を破壊するだけの宗教的テロリズムに過ぎない。奴隷的に隷属すれば命だけは助かるという思考は民主主義に反している以上に実体に反していて、世界の全てをナチスが支配すれば逃げる先など存在しない。なんであれ、臆病で愚かな平和主義者達が出来ることは「何も傷つけないことが大切である」と訴えて自己陶酔することだけだろう。彼等彼女等には何かを守ることは絶対に不可能であるし、己の醜さに気付くことはそれ以上に無理なことだ。

警察は人間の中の賊徒を、消防士は炎上した建築物を、そして医者は病原菌や身体に害を与える細胞を、選んで殺す仕事であるが、これらはフェイルセーフとリカバリーのための行動であって、批判峻別の権能であり、社会を守るために必要不可欠な能力だ。免疫力というものも、特定の対象を狙う機能であって、選んで殺すことこそが守ることの本質であると言えよう。力の意味も機能も考えずに、ただ有形力を非難するが故に、攻撃力の制御が否定される。平等観念を唱えて的確な狙いを定めることもなく、挙句の果てには不公平な弾圧に狂うだけのことが平和主義という観念であり、これはただ無暗に他者を傷つける目的無き破壊に過ぎない。守るべきものを守り、守るべからずものを守らないことが出来ないなら、それは社会全体の死を意味するだけでしかなく、何も殺さないことへの信仰ほどに愚かなものはないだろう。他者を尊重出来ないことと、それを殺すために他者を尊重しないことが出来ることは、この世で最も平等から遠い対比である。理由や目的や結果を何ら考えることもなく、「暴力反対」や「殺人はいけない」といった禁止の観念をただ信じ込むだけのことには、「個の意識」が一切において存在していない。

権威は人間を自らの意思によって何もしない奴隷にするために、常に規制のための規制を広めようとする。愚かさを正しさとして信仰させる宗教毒は社会を滅ぼすだけのものであるが、世の中が能く治まったなら宗教が不要になるということに神官達は実は気が付いていて、それ故に公共判断と有形力を切り離すことを試みている。公共判断のために生きる英雄と保身のために生きる凡人と権威主義と個人利益のために生きる賊徒は、仮に同じホモサピエンスであったとしても完全の別の存在だ。枷が必要となる権威主義者の賊徒を、自由が必要な公共判断を行う英雄と平等に扱ってはならない。これは機会平等や法の下の平等や人種の平等に反するものではなく、不当な差別と的確な区別を平等にしてはならない。

酸素と水が無ければ人間は生きていけないように、有形力の的確な使用によってしか社会契約を守ることは絶対に出来ない。人間が選べるのは、「万人の万人に対する闘争」か「公共判断と権威主義の戦い」このどちらかだけであって、戦う機能を捨てれば必ず前者に帰結する。戦わないことの強制は、何も見ずに逃げるか、ただ死ぬか、味方を見殺しにするか、或いはその全てである。社会契約に基づいた有形力が社会を統治するか、社会契約を否定する権威主義が人間を支配するか、人間はどちらかの選択しか選べないということを忘れてはならない。知性も勇気も正義も否定する愛などは、『痴人の愛』と何ら変わらないだろう。

法律の中の戒律　白人の白人による白人のための人権

　歴史的に、人権とはアメリカ独立宣言の天賦人権論によって生まれたと言われている。だが実は、人権と呼ばれているものは人間の感情に根差し、人が人を愛することによって保証しているものではない。

　そもそも、アメリカ人が持つ権威への信仰は、公平性を重んじる正義とは似ても似つかない。彼等彼女等は後者を持てなかったが故に、前者を正義であるとして誤魔化すことにした。American Justiceとは、自らは絶対に正しいという観念を他者に押し付けるフェイクであって、これをして正偽とでも呼ぶべきだろう。

　アメリカでは、正義の意味をすり替えることで正偽を捏造したが故に、己の意思で世界を視る哲学よりも、己の私生活についてのみを思考する自己啓発が大人気だ。彼等が唱える共感とは、自らの快不快に関わらなければ無関心というものであって、文明的統治の否定を意味している。先日にはアメリカの『これからの正義の話をしよう』という本が流行したが、鎗崎はアメリカの「これまでの正偽の話をしよう」と思う。

　天賦人権論はアメリカ独立宣言から生まれたと言われるが、これは神という宗教権威によって国権と人権が保障されるというプロテスタント価値観であった。つまりはアメリカ独立宣言とは人権神授説であって、これは中世的な王権神授説が変化しただけのものに過ぎず、人間の社会契約を保障するものではなく、それ故に人権と呼ばれる観念は、当然のように非白人に保証されない「白人権」でしかなかった。アメリカの裁判で白人の罪が異常に軽くなる歴史が存在していたのも、こうした人権に由来する現象である。

白人が観念を規定して権威主義によって世界に押し付けることが白人至上主義の性質であるが、それはピューリタン革命を世界規模化することに過ぎない。アメリカ人が尊ぶ「自由」とは法律を否定するための道徳でしかなく、その言葉が示す真の意味は、「白人という権威に由来する」という「白由」でしかないのだ。

そもそも、民主主義とは古代ギリシャに既に存在していたものであって、これは人類に普遍足りうる理念である。だが、アメリカの白人にとっては、民主主義とはアメリカが創り出し、世界に押し付けるための「白由」の観念そのものなのだ。民主主義の歴史を重んじるフランス哲学をフランス普遍主義と呼ぶことも有るが、アメリカ例外主義はこれとは対極的なものであろう。

人権という人間に有益に見える価値であっても、アメリカのものは単なる白人至上主義に由来した権利であって、つまりは白人権威主義のことでしかない。これは、「白人の平等」を求めるだけの公平性を伴わない選民思想でしかなく、人権が有色人種に保障されている普遍的人道主義であったという考え方こそが究極のヴァーチャリズムなのだ。人権の本質とは、権威を批判せずに、己を肯定し、自らの生活について以外を何も考えず、向学心の欠如を恥と認識出来ず、自分がどう働いて自分がどう消費するか以外を何も思考しないこと、正義無き動物的欲求というアメリカンマインドであって、つまりはアメリカンドリームである。

フェミニストが唱える人権とは女性専用の権利であって、これは男性を攻撃するための権利であると揶揄されることもある。だが、そもそも人権とは白人専用のものであって、そして先住民の有色人種を浄化殲滅するための権利でしかなかった。人権というものは最初から加害者に保証する権利であって、被害者に保証するための権利ではなかったのだ。

最近のアメリカでは、黒人によるアジア人への暴力が問題となっている。人権と呼ばれる観念は普遍的な人道理念ではなくて勤労カルヴィニズムに基づいた白人特権であったのだから、それが黒人特権になったとしても何らかの形で分断が残り続けるのは必然でしかない。アメリカは社会的統合のための理念が存在しない野放図社会であるが故に、白人至上主義のような妄想観念によってしか纏まれず、それ故に差別的な悲劇がいつまでも繰り返され続ける。ポリティカル・コレクトネスのような不寛容なイデオロギーも、根柢の軸が腐敗しているアメリカでは相対的には正しく見えてしまうのだ。アメリカは間違った教科書を前提に新しい思考を生み出すため、間違った思考しか造れないわけだ。ゼロからの向上よりも、マイナスからプラスに造り替えることの方が遥かに難しい。不満足なソクラテスよりも満足した豚でいることがアメリカの本質であって、我々は文化的知性を持つ文明国に生まれたことを感謝すべきだろう。日本がアメリカの真似をするならば、「一億総中流」が「一億総下流」になることも必然的な帰結である。

「勝てば官軍」の日本人は「判官贔屓」として勝者を妄信することを拒否しているが、勤労カルヴィニズムの「勝てば選民」ではどんなに不公平であろうとも、選民思想の信仰によって全てが道徳的正当化される。現代によくみられる人権への信仰は法的な価値観を宗教化した政教一致でしかないが、歴史的には人権とは最初から宗教を政治化しただけのものであった。そして、その人権という観念は、「白人無罪」なり「女性無罪」なりといった「その他有罪」の責任転嫁であって、権威に選ばれた自分は絶対に正しく、責任は一切において問われることが無く、相手が全てにおいて間違っていて、恣意的に懲罰することが公正であるという二元論的でしかなかったのだ。

プロテスタントフェミニズムとは、男性を排除し、非白人を抹殺して、多様性をこの世から消滅させれば、世界はそれだけで平和になるという下らない妄想でしかない。民主主義に必要な幅広い意見を弾圧し、公共判断を破壊して、神官が全てを自らの思い通りにしようとするための観念的な難癖に過ぎない。母親が無謬であるという世界観を持ったプロテスタントフェミニズムにおいては、事実を捻じ曲げて責任逃れを行うことですらも問題とされない。それ故に、母親の暴力への抵抗は、神聖なる女性への攻撃として神学的な罪とされ、母親からの無制限の暴力だけではなく、母親からの無尽蔵の逆恨みまでもが生まれることとなる。このプロテスタントフェミニズムは選民思想に基づいた自己権威化であって、それは自らを無罪無謬として他者を攻撃する権利を保障する「選民無罪」そのものなのだ。

実は、自由意思の前に白人であることとなり女性であることとなりを存在させるこれらの思想は、ナチズムと同じ性質の全体主義である。それ故に、こうした権威主義は人間の「個の意識」を徹底的に抑圧して全ての人間を不幸にする。全ての人間に対して女性性への絶対的肯定を強制するプロテスタントフェミニズムは、全ての人間に対してドイツ性への絶対服従を強制したナチズムと完全に同じなのだ。

人間の権利を神が保証するという文句でしかない天賦人権論とは、「神が許さないならば殺してもいい」やら「権威が認めないならば生きていてはいけない」やらという価値観の裏返しでしかなかった。人権とは権威に承認されなければならないという価値観であって、それは権威が全てを決定するという独裁的な権威主義に裏打ちされたものでしかない。それ故に、白人権威主義者達は神のみが人間を裁く権利を有するとして死刑反対を唱えているが、これは人間の司法の否定以外の何物でもないのだ。人種差別的な民族浄化と都市爆撃という形の連座処刑を好むアメリカが加害者の人権を訴えていることは、ブラックジョークを超越したホワイトジョークであると言えよう。

現在のアメリカでは動物の権利というものも訴えられることもある。彼等は、権利が神に保障されていないのであるならば徹底的に殺し尽くしてしまうからこそ、今更になって動物を殺し尽くさないことを考え始めたのだろう。事実として、新大陸に存在していた動物には白人入植者達が絶滅させてしまったものも多い。

日本の仏教や神道では、不要不益な殺生は禁止している。だが、アメリカの根底には神以外を認めず、神が認めないものを皆殺しにすることこそが道徳であるという信仰が存在している。一神教とは権威である自分達が絶対的に肯定されるべきであって、自分達以外は完全に否定するべき存在であるという迷信である。

アメリカでは自然保護は信仰に反すると捉えられる風潮が本当に存在しているし、トランプ前大統領の支持者達は信仰によって自然保護を否定していた。

所詮は人権とは人間と見做されないものを攻撃するために権威が保証した権利であって、これは法律ではなくて戒律でしかない。人間を絶対に殺してはいけないと狂信し続けなければ、人間を殺し尽くしてしまうほどに理不尽なる殺生を好むことの裏返しに過ぎない。アメリカの人権とは普遍的公平性を破壊する権威主義的独善でしかないのだから、人間の権利を抑圧するための人権運動が生まれることも必然である。

アメリカの独立はイギリス政府の徴税からの回避を意味するものであって、これは個人的蓄財への信仰であったとしても、近代理念を志向する類のものではなかった。アメリカにおいては自由の根源が人間の自由意思ではなくキリスト教の権威の神であるが故に、イギリス政府への反発という権力の否定は勤労カルヴィニズムというドイツ宗教による政教一致に帰結する。つまりは、アメリカはイギリスから独立した結果として、ドイツに征服されることになったわけだ。

植民地主義と人種差別は根本的に別の問題であって、前者はイギリスの問題で後者がアメリカやドイツの問題である。前者には功罪相半ばする部分が一定にはあったが、後者には功が存在する由もない。後者は、イギリスに反発するものであったが故に、貴族でなければそれで正しいという観念を基盤として平民の横暴を無制限に肯定するものでしかなかった。アメリカ人が唱える自由とは貴族でないことを意味するものでしかなかったが故に、何をしても許されるという野放図しか生みだすことしか出来なかった。「高貴なる義務」を積極的に引き受けることが自由の本質であるということを理解出来ないアメリカ人は、我慢することとそれから解放されることを自由だと誤認するが故に、権威に甘えること以外は何をも為し得ないのだ。

「自由の国」と呼ばれるアメリカの本質的心性は権威に縋る精神であって、自らによって国家を創造し社会を成立させるという意識は存在しない。「自由の国」と呼ばれるアメリカは、民主主義の帝国ではなくて勤労カルヴィニズムの帝国擬きか神聖ローマ帝国でしかない。これは奴隷意思論によって成立する民族集団であって、公共権力を否定するアメリカにおいては経済的な自立が唱えられようと、宗教権威への依存はどこまでも強まるという矛盾が存在している。そもそも、人間が国家や物理現象から完全に独立しようとするならば、それはカルト集団にしかならないという事実をロマン主義者達はまるで認識していない。

先日のトランプ前大統領は、イランの文化財を破壊する意思があると表明していた。アメリカの数々の蛮行は、非白人を殺戮し、その所有物を破壊することによって、アメリカの優越的選民性を世界に誇示しようとする恐怖政治か、若しくはキリスト教以前の古代文明の痕跡を消滅させようとする宗教的ホワイトウォッシングであったのかも知れない。こうした白人至上主義がなければ、イラクの統治もおそらくは今よりはマシであったはずだ。自分の所有物以外は全て破壊するという思考は、競争社会においては優位を作るだろうが、子供を否定するために子供のものを壊す毒親と類似したものでもある。毒親は、子供のものを壊し、子供から自由を取り上げることによって、子供の人生を破壊し尽くす。子供の精神を完全に否定することによって、全てを諦めさせることによって、言うが儘に動く奴隷を造るというわけだ。

なんであれ、イラク戦争は非白人への単なる嫌がらせの騙し討ちでしかなく、有益な結果を創るための政治的行為ではなかった。破壊しか求めない無法の力は、「意識と行動と結果」を噛み合わせて未来を創造する力からは程遠い。狙う力がないならば意思と結果を繋ぐことも出来ず、他者と自らにただ有害な破壊のための破壊を繰り返すことになる。

仮に、破壊のための破壊がこの世に必要だとしても、彼等彼女等はそれを向ける矛先を考えることも出来ないのだ。アメリカの個人利益主義の力は認知なき暴力であって、結果への無関心であり、他者を守るための力から程遠く、それ故にアメリカは敵でもない者を攻撃しても、それを自省することも出来ない。斯様な無責任な人殺しは環境破壊に対する無関心と同じものであるが、彼等は意味もなく他者に迷惑をかけることをまずいと思うことも出来ない。機能的構造の意味を理解することも出来ず、構造の崩壊を崇めるだけの彼等は、文明と無縁な野蛮人であるとしか言いようがない。

アメリカの権威主義は、創造を抑圧し、文化を破壊し、人間を労働力としてだけ扱うものであるが、それこそがまさに勤労カルヴィニズムの本質である。敬虔な彼等にとっては、創造は神の特権であって、権威に追従して権威以外を抹殺することが人間の仕事なのだ。アメリカ合衆国とは、地動説と民主主義よりも宗教と多数決を愛好する、迎合する衆愚の国に過ぎない。彼等彼女等が唱える人権とは、「白人の白人による白人のための人権」でしかなかった。五十億も居たリョコウバトを絶滅させた彼等の次のターゲットは、五十億も居る非白人であるのだろうか？

これらの歴史的事実を、国民感情を無視しがちな法曹の方々は理解しているのだろうか？果たして、現代日本の法律は、法律であるのだろうか？　単なる文字面の条文であるか、若しくはアメリカ白人への信仰であって、単に自己増殖するだけの戒律であるのだろうか？　法曹とは、国民の代表の一人なのだろうか？それとも、法学という名前に偽装した神学を唱える、アメリカという神の代弁者なのだろうか？

日本の明治維新は徳川幕府の圧政の転覆を目的としていたが、その根本に人間主義の理念が存在していたことがアメリカの独立との決定的な違いだろう。武力を用いた体制の破壊は手段であって、その先の実現すべきものが目的であるが、日本人とアメリカ人では後者が決定的なまでに異なっていた。明治維新は儒教的な身分制度の破壊である以上に、儒教的な不自由の精神を破壊するためのものであった。だが、アメリカの独立は身分制度を否定するためのものではなく、高貴さの否定と野放図への信仰であって、つまりは意思決定の放棄を目指すものでしかなかったのだ。

「命も要らぬ、名も要らぬ、官位も金も要らぬ」の明治維新とは儒教的な身分制度を否定するための近代化であった。一方で、アメリカ独立宣言とは選民思想のための白人権を作ったものであるということは、日本人は覚えておかねばならない。アメリカが日本に民主主義をもたらした歴史など存在せず、日本人が日本の民主主義を創ったというのが歴史的事実である。人権という観念を重んじている限りは、日本の国家主権とそして人間の権利を犠牲にし続けることになるだろう。

アメリカが、反イギリス、反ソ連、反イスラムといった反Ｘでしか纏まれないのは、理念と合理性を持たないが故にである。こうした反Ｘはルターも多用した手口であったが、科学的かつ客観的な批判というよりも、否定のための否定以外でしかない。現在のアメリカでも、右翼も左翼もこの手口を頻繁に使っている。

だが、アメリカの反Ｘの中で最大のものは、間違いなく反知性というものだろう。議論を行う知性が無ければ、反知性によって群れるしかない。交渉のための知性が存在していなくとも、相手から奪い取ることはそれなりに可能なことだ。

こうした愚かさの信仰によって個人利益を積み増すことが出来たとしても、知性なき暴力では文明を破滅させることしか出来ない。「誰かを弾圧しなければならない」や「被害を押し付ける先を造らなければならない」という強迫観念が故に、差別というものが存在するわけだが、斯様な保身は人間から問題解決意識を抹殺する。動物的に群れて標的を虐める能力と、人間的に他者と仲良くする能力は別なのだ。高貴さを一切持たない者を肯定し、彼等彼女の意見を尊重するならば、社会は破滅するだけだろう。

権威が愛好する反権力は、社会契約を破壊する帰結以外を一切において導き出さないが、反ナチスという反権威は社会契約を守るためのものだ。そして、人間的な精神を持たないナチスは人類史における特異な存在であって、反ナチスはアメリカの反Ｘとは完全に異なったものである。近代を創ったルネサンス哲学の思想は必然的に反ナチスの内容のものが多く、ルネサンス思想を選べば必然的に反ナチスとなってしまう。

ナチスの反ユダヤ主義というものも、宗教化されたSchadenfreudeであったが、そもそも勤労カルヴィニズム自体が反カトリックでしかなかった。自由と解放を謡う彼等は、現状を否定するだけで野放図なことに何をも目指していない。プロテスタントとは、抗議者という意味であることも付け加えておくが、現代世界の多くのマスメディアも反対のための反対だけで、軸が存在していない点が彼等と瓜二つだ。

鎗崎は現代の白人権威主義という権威の神に服従する権利ではなくて、人間を自由にする人道的な権利を心から求めている。人間が人間を奴隷にすることが無い、真の意味での人間の思想を心の底から欲している。人間が人間に保証する実体的で公平な権利を、心から本当に望んでいる。

現代日本の政教一致　儒教の教義と社会の在り方の因果関係

ここからは儒教の教義と現代日本社会の関係について説明しなければなるまい。論語では多様な表現を通して、しきりに親孝行やら長幼の序と言った概念が述べられているが、「親も子も対等な人間である」という近代民主主義の考え方はまるで存在していない。そして、もしも儒教の教義が社会に実現していたとするならば、儒教は宗教である以上にイデオロギーであるということだ。

論語では理想的な政治状態が達成されれば国民は政治のことを考えなくなると、信じられないほどに恐るべき愚民化を言い切っている。民主主義国家における国民が政府を監視する義務などはまるで想定しておらず、儒教とは根本的に民主主義に反するものでしかない。儒教とは、権威への批判者を絶滅させるために人間の政治意識を徹底的に弾圧するものでしかないのだ。

実は、現代日本の元財務大臣も「若者が政治に関心を持たないことが平和の証拠」と述べたことがある。この発言は平和ボケである以上に、民主主義の理念を否定して論語の思想を肯定する発言だ。吉田松陰の草莽崛起という民主主義思想によって日本は儒教的な身分制度を打破して国民国家となったが、彼は維新志士が払った血の重さを理解していない。

人間個々人が権力の行使について考えることが近代民主主義国家であって、人間個々人が神官に操られるだけの社会が中世権威主義社会であるが、「慶安の御触書」を好んでいるのが現代日本の政治家だ。彼等は幕臣達のように、啓蒙を否定して抑圧に勤しむことばかりを考えている。だが、日本の伝統的精神である「やまとこころ」は権威主義支配を否定して近代的自由を打ち立てるものであった。

元財務大臣の発言は、現代の日本は近隣の全体主義国家群と同様に、儒教によって成立するイデオロギー社会であるということを如実に示している。内閣府の人間が日本の歴史を否定して儒教を肯定する有様なのだから、政府が日本の民主主義を重んじるわけもない。

公共社会を守る機能を持たない人間を増やし続ければ、民主主義が破壊されてカルト宗教が跋扈することになる。科学技術や政治哲学が、観念的扇動や個人利益主義と平等の価値になるどころか、ただ弾圧される結果となるのだ。知性を敵視し、気概を恨み、公平性と無縁な存在には、観念的扇動や個人利益主義が科学技術や政治哲学よりも好きなのかもしれない。だが、多数決がどうあろうとも、社会を成立させる科学技術や政治哲学が無ければ全てが崩壊する帰結となるだけだ。

とはいえ、どんな時代であっても愚民化による支配を求める権威は、実体にも政治にも工学にも興味を持たずにオタクアニメと宗教と奴隷労働にだけ異常な熱意を持った若者を望んでいる。斯様な愚かなオタク達の中にはナチスを好む者も多く存在しているが、かの元財務大臣も「ナチスの手口を見習う」とまで発言していた。妄想しかわからないオタク達はリアリズムを否定する感傷によって扇動される存在なのだから、「ナチスの手口を見習う」ことは選挙戦で極めて有効な戦術である。

本来は、政治家には歴史のテストを受けさせて結果を公表させた方が良いだろう。日本史や世界史は単純な事実を羅列するものであって、文系科目の中では比較的に科学的客観性が存在する。これらの知識は政治への興味そのものであると言えるだろうが、歴史に無知な人間を当選させれば国家は確実に破滅する。妄想や共感や感傷についてしか語れない政治家達は近代国家を造れないということを、有権者である我々は絶対に理解しておかなければならない。

現在の日本政府は日本の生産力を破壊して中華からの輸入に依存する政策を重視しており、彼等は日本の国力を犠牲にしてでも中華の国益に貢献することに熱心だ。商業主義の奴隷は産業国家を守ることが出来ず、工業力が不足した社会は隣国が攻めてきても武器を造ることが出来ないのだが、敗戦の理由を現代日本の政治家は完全に忘却している。政府が公共事業を行わなければ日本の一次産業も二次産業も廃れていくだけでしかないが、何も出来なくなる日本を見て一番喜ぶのは中華共産党だろう。産業力が劣化すれば日本は中華の一部として組み込まれることになるという危機を、政府はまるで理解出来ていない。中華の輸入に頼るが故に国内産業でダンピングが起きるのであって、現代日本の経済に必要なものは脱亜論である。

国家主義と民主主義を否定した元財務大臣は、財政出動をも否定していた。彼は儒教だけではなくて、古典的な重商主義を妄信しているが故に、国家の実体的な産業力よりも政府の蓄財を重視しているのだろう。蓄財を重んじるという点において重商主義は国家レベルの勤労カルヴィニズムであるが、これは金本位制時代の政策であって、紙幣どころか電子マネーを使用する現代の産業社会に適用出来るものではない。資本の量的向上は奴隷労働で可能であっても国力の増大には科学技術の質的向上が必要であって、そのためには国学やルネサンス精神のような思想の自由が必要となる。思考停止して同じことを繰り返すなら世界の進歩から取り残されるだけで、ガラパゴスジャパンとは江戸時代的な儒教精神が反映されただけの監獄に過ぎない。

そもそも、仮に政府が貨幣を蓄積するならばそれは貨幣の流通が起きていない状態であって、国家の経済は停滞しているわけだ。政府の財政赤字もコントロール出来ないインフレを誘発しない限りは、それ自体には有害性は存在していない。イングランド銀行が表券主義政策を取る以前のモンゴル帝国が紙幣を使用した時代から、貨幣そのものではなくて生産と流通が経済の本質であったというのが人類の歴史である。

健康診断で全てに完璧な数字だけを出そうとするなら健康のため以外には何も出来ない人生にしか成り得まいが、国家の財政赤字に関しても同じことが言えるだろう。おまけに、最強の貸し手である中央銀行を所有する国家の借金は、一介の借り手に過ぎない個人の借金とは完全にシステムが異なった問題であり、国家の借金を個人の借金と同列に論じることは不可能だ。

文化人類学では人間の蓄財は金属貨幣の誕生と強く関わっていると言われるが、ミダス王や元財務大臣がどう思おうとも金本位制という名の蓄財の神は死んだ。そして言うまでもなく、現代においては銀本位制も銅本位制も存在していない。戦前であっても金本位制を取った浜口雄幸の政策を覆した高橋是清が景気回復を達成したが、彼が暗殺された二二六事件は太平洋戦争の一因となった。このテロリズムは天皇機関説や民主主義ではなく、天皇主権説と軍政を目指したもので、明治維新とは根本的に異なるものでしかなかった。

現代のドイツが政府の黒字を積み重ねるのは、負債を宗教的罪悪と捉える勤労カルヴィニズムの信仰に由来するという説が存在している。ドイツ語における負債（Schuld）とは、実際に宗教的な罪を意味する言葉なのだが、斯様な政教一致を中世貨幣理論と呼んでも問題はないかも知れない。中世のゲルマン民族がチロル銀山を採掘して大量の銀貨を鋳造していたことも、ドイツが中世貨幣理論を崇める理由なのだろうか？

有限の金属貨幣を奪い合って誰が選民かを決めることは信仰には適うのかも知れないが、需要と雇用を重視しなければ国力を維持できない。貧富の格差によって起こる最大の問題は消費が冷えて経済が回らなくなり、その結果として国力を喪失する。産業より宗教を好む者が政治家になれば国家は確実に破綻するが、産業よりも宗教を好む者の方が選挙戦では優位であることは確かだろう。

出世意欲や拝金主義、承認欲求といったミーイズムのために公共心や問題解決意識を破壊する宗教では、重商主義社会が成立しても殖産興業は不可能だ。グローバリズムは中華やロシアのような権威主義国家を強化するだけで民主主義国家への侵略を防ぐことが出来ず、世界のサプライチェーンは破壊されてしまった。第一章で述べたように、グローバリズムとは元々は勤労カルヴィニズムに由来する権威主義的な経済制度である。それが故に、グローバリズムを推し進めれば、アメリカよりもより強力な権威主義を発揮する中華共産党がアメリカに勝利することも何ら不思議なことではない。日本の平和主義者の中にはロシアによるウクライナの侵略を擁護する者まで存在していたが、神官達は権威主義による圧政支配を好んでいるが故に、戦争犯罪や全体主義を肯定してしまうのだろう。

構造を考えることが無く、眼前の問題を個人の我慢によって解決せんとする心性は、公共を俯瞰しえない奴隷の道徳的精神である。「無能な働き者は重用してはならない」という格言を残したのはプロイセン貴族のハマーシュタイン男爵であるが、彼はヒトラー暗殺計画の首謀者であった。

ハマーシュタイン男爵の日記には、ドイツ人には政治的才能が殆ど存在していないと書かれている。そして先日には、ドイツ海軍前総監のシェーンバッハ氏が「プーチン大統領は尊敬に値する」やら「ロシアはウクライナに侵攻しない」やらと述べていた。シビリアンコントロールと実体的な事実を無視したこれらの発言を鑑みれば、ハマーシュタイン男爵の意見が偏見ではないことは明らかだろう。シェーンバッハ氏の失言は、プーチン容疑者のフェイクニュースよりも遥かに真実から遠いものでしかない。

毒ガスでユダヤ人を抹殺して天然ガスのためにウクライナ人を見殺しにするような金・金・金のロマン主義者達は、ユダヤ系ウクライナ人のゼレンスキー大統領のリアリズムに嫉妬を抱えているのかも知れない。観念的で自閉的な彼等彼女等が一つの正解以外を排除する一神教を好むことも必然であるが、「金儲け以外の全否定」という馬鹿の一つ覚えは総合知の否定以外の何物でもなく、単に視野が狭いだけだとしか言いようがない。とはいえ、儒教から発展した学歴至上主義の受験戦争や勤労カルヴィニズムから派生した市場原理主義においては、斯様なアイヒマンこそが環境に適応しているということなのだろう。無能な働き者達は、

「ウクライナに栄光あれ」と唱えればガスの配管が破裂して凍えてしまうのだろうが、「英雄達に栄光あれ」と叫んだら体内の血管が炸裂して即死してしまうのだろうか？

　ウクライナを見捨てるドイツ人は政界には数多く存在するが、「数時間で負けるウクライナを助けることには意味がない」と述べたドイツの閣僚は、政治に関わるための最低限の高貴さを持っておらず、理知も名誉もない野蛮人であることは間違いがない。開戦当初の段階で、豊かなドイツよりも貧しいスペインの方がレオパルトⅡの提供に熱心であったという事実は、世界中の人間が永久に記憶する歴史となるはずだ。おそらくは、斯様な高貴さの欠如こそが、ドイツが経済的に成功した最大の原因であったのだろう。

　実は、スペインの語源は西方であって、ドイツの語源は大衆である。『大衆の反逆』を叙述したのはスペインのオルテガであるが、ドイツは北大西洋条約機構に大衆の反逆を起こしてしまったというわけだ。高貴さが欠如した大衆には公平性が欠片程にも存在せず、自らが相手の状況になった時のことを考えることが不可能であって、「明日は我が身」という価値観が理解出来ないが故にナチスのような自由を絞め殺す全体主義社会を作ったのだろう。反逆する大衆達がどう思っていようとも、ウクライナが制圧されれば十年後に西ヨーロッパや北海道が侵略されることは明らかなことでしかない。

　無能な働き者達は、我慢禁欲によって能動的に何もしないことや「我が闘争」と「自由からの逃走」だけではなくて、世の中の「本当」を覆い隠す観念の壁のレンガを積み上げることも得意としている。他者の思想や実体性について考えずに地位や肩書で人間を評価して、詐欺師や宗教家にカモられることも得意だろう。しかしながら、彼等が国家公共を守る判断能力と人間理念を実現させる熱意を持ち、不自由の壁を壊すための政治的決断を下すことは殆ど不可能に思えてならない。

　金が好きであるならば、蓄財拝金教を崇めるよりも、金とはどういうものであるかを科学的に分析してどう使うべきかを考えるべきだろう。経済規模は欧州最大でも未来への展望は大きくもなく理念に至っては最小であるドイツがＥＵを支配しているが、その構造のカラクリはＥＵに所属する国家は通貨主権を失うという点に存在している。歴史的に通貨主権とは国家が持つべきものであり、それに反する通貨は私鋳銭と呼ばれていたが、ドイツ以外にはユーロとは私鋳銭に過ぎないものだ。

支配を求める権威には、自らだけが富んでいて、大多数が貧しく、公共社会は弱ければ弱いほどに都合がいい。殖産興業のための投資を嫌う軟弱なドイツは、金儲けにしか興味が無いケチである以上に、権威主義に染まり切ったナチであるが故に、他のＥＵ諸国が徹底的に貧しい状態であることを求めている。

中世人達がなんと言おうとも貨幣とはそれ自体に価値を持たない物々交換券に過ぎず、それは暴力装置である政府によって信用が担保されている紙切れに過ぎない。緊縮財政の渋沢栄一よりは、儒教を批判した福沢諭吉の方が余程一万円札に相応しい人物だろう。

しかし、実害を無視しても教科書に従う経典原理主義こそが、見栄張りで潔癖症の神官には大切なのだ。実体を観察せずにただ経典を暗記して観念的な正解を求めようと、間違った前提から思考すれば間違った答えしか出てこない。人間の精神と社会制度を退化させれば科学技術は衰退するものだが、政府が需要と供給の両方にテコ入れして分配を適正化しなければ、国力の成長が起こることもなく日本は消滅するだろう。

不況のコロナ下であっても財政出動より緊縮財政を選択する選択は、蓄財を目的とする勤労カルヴィニズムには適う。フェイルセーフとリカバリーの否定は儒教的な信仰そのものだろう。観念上の財政危機という騙しによって国民を脅して増税し、それによって内需を殺す政策は宗教権威の支配の手口の典型だ。政治的な結果よりも妄想的な信仰を優先する連中は、学者や政治家ではなくて神官か或いは宦官でしかない。

とはいえ、自分に都合が悪いものを全て他者に押し付ける軟弱さが、競争社会では出世における有利を作ることは確かだ。「全てのものには序列あり」の立場論の儒教においては地位こそが善であるのだから出世すること自体が究極の善であるし、勤労カルヴィニズムにおいても蓄財こそが選民の証であって何をしようとも無罪とされることになる。実体を観察するよりも権威の嘘に迎合する思考停止の方が、個人的栄達のためには圧倒的に有利な選択であるのだ。

だが、政治家とは困難に立ち向かう仕事であって、危機から逃げて保身に走るものではない。こうした惨状は、無力な政治放棄を強制する平和主義者の支持によって発生している。儒教徒である彼等は、現状を変えることにも状況を打開することにも興味がなく、先例を守り権威に従うこと以外が何もわからないのだ。

市場からの評価と公共における需要と必要性は、完全に異なるものである。金儲けを優先するならば一次産業と二次産業と政府のサービスは全て外注化し、教育予算も科学技術の振興費用も極限まで減らした上で、麻薬の製造を国家事業にすればいい。とはいえ、市場原理においては安い悪い以外の帰結が生まれないが故に、麻薬の純度も下がり続けることになるだろう。

自前の生産能力を全て放棄し、科学技術も全て敵国に流出させ、文化的知性も社会インフラも全て破壊して、それによって蓄財を積み上げることは勤労カルヴィニズムに基づいた敬虔さである。人間個々人が政治を考えて公共を守る機能を持つには、多くの教育コストがかかるが、それを切り捨てる方が安上がりであることは確かだ。グローバリズムに基づいた政策は、選民思想と無政府状態というアメリカの建国理念ならぬ建国観念の反映であるのかも知れないが、これを導入した国家は供給能力を失って確実に破滅する。

勤労カルヴィニズムではゴミの処理を考える公共性は悪徳であって、発展途上国にゴミを不法投棄する冷血さこそが蓄財のための道徳となる。実際にアメリカはこれを行っていて、そして国際的なゴミの規制条約にも調印しなかった。「我々が食事を手に入れられるのは、肉屋や酒屋やパン屋の親切のおかげではなく、彼等が自分の利益を考えるからである」とはアダム・スミスの言葉だが、どうやら肉屋やパン屋だけではなくて、政治家や役人も個人的な利益のために仕事を行っているらしい。「我々が最低の生活を手に入れられるのは、政治家や官僚の親切のおかげではなく、彼等が自分の利益を考えるからである」とは紛れもない事実だろう。売れることが決定要因となるならば、アインシュタインよりもヒトラーが優先される。自閉的な視野の狭さによって個人利益を上げることが出来たとしても、それによって国家を能く治めることは不可能だし、経済で何でも解決出来るという妄想は実体産業への無知に過ぎない。公平性があれば構造を観察してから意見を創るだろうが、その正義の意思こそが文明を発展させるための科学技術を生み出すものだ。

彼等は資本の自己増殖だけを目指す勤労カルヴィニズムに取り憑かれ、公共利益を指向する功利主義を侮蔑し、国家の生産能力を棄損して自らの一族だけが蓄財出来る世界を求めている。彼等は自分の得にならないものは、存在しないことと同じであるとしか認識していないが、個人利益主義の経済的野放図と民主主義に基づいた公共社会の両立は不可能だ。日本がアメリカを見倣うならば、断捨離というものが単に無駄な物を大量に作って大量に捨てればいいと解釈する日が来るかも知れない。斯様なる愚かな勘違いを防止するためには、認知の否定であるロマン主義をまず何よりも先に断捨離することが必要になるだろう。

現状の日本国政府のようにコロナに対する支援金の援助よりも罰則によって国民に自粛を促そうとする政策は、グローバリズムである以上に儒教的な価値観でもある。この価値観ならば、厚労省の官僚達がコロナ下で隠れて宴会を行うことも当然のことだろう。国民に押し付けた自粛を破ることは、特権身分のメンツを建てるための儒教的な道徳には適う。儒教徒である彼等は理不尽を押し通せることが権威であるとして、自らの身分を顕示することを求めている。彼等は、特権は不平等であっても責任は連帯責任化して均等にすることを民主主義だとして考えている。ミーイズムに染まった彼等は「他人のことはどうでもいい」としか考えられないため、他者に対してどのような嘘でも付き続けることが出来るわけだ。

現代の大部分の政治関係者はビスマルクの社会主義を模倣することすら出来ず、国家を滅ぼすこと以外は何も出来ない。世界で最も成功した社会主義者の政治家は、民族社会主義のヒトラーでもなければ、共産教を造ったスターリンでもなく、投資上手のビスマルクであった。「賢者は歴史に学び、愚者は経験に学ぶ」

とはビスマルクの言葉であるが、実のところ愚者は経験に学ぶことすら出来ない。我々はビスマルクの文化闘争における失政と南部ドイツの併合の失敗から多くを学んで、彼以上の賢者になることを目指すべきだ。

権威をまるで疑わず、一切に批判せずに、ただ妄信し隷属して、己の意思決定に何ら責を負わずに群れることが、民主主義と呼べるわけもない。世の中に不満を抱かない人間は現状維持以外を考えないが、危機を想像すら出来ないほどに恵まれた人間が社会の意思決定権を握ることは最大の問題だろう。バリアフリーが必要ないと述べるような健康で恵まれた政治家は、明日になって自分の脳の血管が千切れて手足が動かなくなることを想像することが出来ない愚か者でしかないのだ。

前後不覚の「裸の神官」達は失言を繰り返すだけでは気が済むことはなく、国民国家の国力と法治国家の社会契約の破壊が仕事であると考えている。被害を擦り付け責任を押し付けておけば、誰かが勝手に問題解決するだろうと彼等は考えているのかも知れないが、問題解決を起こす人間を弾圧することが政治家の保身にとって一番に都合がいい。

江戸時代とは直訴が打ち首になるような時代であったが、そうした時代の反映である慶安の御触書は、「下々は政治に興味を持つな」といった内容である。徳川家康は孔子という邪神官と契約して、国を売ることと引き換えに自らの支配を成立させたのだから、彼については逆賊どころか国賊と評価せざるを得ない。社会契約に反する中世的身分制度は日本を呪うことしか出来ないのだから、有形力を用いてでも破壊することこそが民主主義の精神であって、江戸幕府が明治維新によって打倒されることは歴史の必然であった。

現代日本の政治家や官僚といった「上級国民」の大部分は、「全てのものには序列あり」という儒教の教義に適う江戸時代的な「社団国家」を造ることさえ出来れば世界がどうなろうと構いやしない。彼等の持つ愛党心や愛省心は愛昇進と呼ぶべきものであって、愛国心から最も遠いものでしかなかろう。

ロマン主義と保身にしか関心がない官僚達は、実体に関心を持つことが絶対に不可能な権威主義者であって、科学者・技術者・哲学者を何よりも敵視している。金・見栄・一族だけを重んじる権威主義者達は、「日米二元論」や「日中二元論」を妄信して今日も壊国を続けている。右も左も分らぬまま、歴史も哲学も知らぬまま、生まれたイエだけで祀り上げられる肩書だけの政治家達は、「裸の神官」そのものであって、「余は国家第一の奉仕者」という国家主義のフリードリヒ大王から最も遠い。

玉座を理念のための道具に使う哲学者と自らを虚飾するアクセサリーと考える神官の違いを国民が見抜けないうちは、民主主義社会は絶対に成立しない。信仰とは実存を確認せず結果を顧みない反科学技術の精神であって、権威というものは自省抜きの自己愛しか持たない存在であるが故に他者を愛することが出来ないということを、我々はそろそろ自覚しなければならないのだ。

暖簾に腕押し　観念のゴリ押し　文明と文化と野蛮について

孔子がどう言おうと、教義がどうあろうと、宇宙の実体はそれらとは無縁に存在に存在している。ペテンを百回言ったところで、嘘は実体にはならない。ヒトラーが吠えれば信者は騙されるのかも知れないが、それによって敵が斃れて戦況が有利になることはない。

観念で敵を刺し殺すことは出来ないし、ヴァーチャルがリアルを超えることなどは永久に起きることがない。承認によって事実を上書きしようとしたところで実体が動くことはなく、フェイクニュースを信じても状況を好転させることは出来ないし、地球平面説を信じたところで地球の公転を止めることは不可能だ。そして言うまでもなく、浮世離れしたロマン主義が社会の基幹産業と成り得ることは絶対に有り得ない。

激情家であっても現実主義者のフリードリヒ大王は、冷徹な実体観察と狡猾な意思決定と公平な自省によって、苦境においても大胆に勝利を得ることが出来た。狂気と判断の融合が芸術を喚起させる人間の感性であって、これはどこまでも前向きな精神であると言える。

だが、小心な幻術主義者のヒトラーに出来ることは、虚勢を張って生温い支持者達を騙し続けて卑屈かつ冷血に保身することだけだ。彼の反ユダヤ主義とは反知性への信仰であり、美への逆恨みの具象化に過ぎない。金と宗教と肌の色を重んじる彼は、他者からの承認を獲得することには何より熱心であった。

嘘への共感によってこの世を変えることが出来るというヒトラーの思い込みは、二次大戦における完全なる敗北を招くことになったが、詐欺師の考えしか持たない彼が美大に落ちることは必然の結果だろう。フェイクを重視して実体がどう在るかを顧みないヒトラーには判断を突き詰める能力がまるでなく、つまりはアーツのための実体的感性と文化的知性がまるで存在していなかった。

消極的で軟弱なヒトラーの演説台は、直向きで諦めの悪いフリードリヒ大王の玉座から最も遠い所に存在している。理念と狡知を併せ持った権力者は、「群れ意識」と権威主義で動く衆人の代表とはどこまでも似ても似つかない。フリードリヒ大王の荒々しくも美しい「力への意志」は、ヒトラーの精神にはまるで存在していなかった。フリードリヒ大王は、「全てを守らんとする者、何も守れず」とも述べているが、プロイセンという啓蒙国家を創り上げるために彼は人生の多くを犠牲にする覚悟を持っていた。勇気に美と洗練が伴ったプロイセン初代国王とは異なって、粗野で臆病なナチス総統は選挙に強かったとしても妄想と芸術の区別をつけることが不可能であり、実体的な美を愛することなく観念的な虚無に固執することしか出来ないのだから、国家を創り上げることなどは絶対に不可能だろう。

ドイツロマン主義という中世的迷妄は、人間の批判能力を停止させてリアリズムを破壊する。何かに心を揺さぶられただけで、それを批判的に見ることが出来ないならば、人として既に負けているのだ。脳ではなく涙腺に神経電流を全集中させる野蛮な御涙頂戴は、ヴァーチャリズムによる専制であって、同情を強制する全体主義でしかない。涙を貯めることによって現実を歪めて見ることは、単に観察を拒絶する「自由からの逃走」か、若しくは『我が闘争』という三文芝居に過ぎない。
「気分のみ、主観のみ、蒙昧のみ」という自己満足の「排除の論理」がドイツロマン主義の根本だが、斯様な唯心論は望ましい結果を創るはずもない。愚かさと不寛容の接合は人間と国家公共の独立自尊を徹底的に破壊して、他人が全て悪く見える被害妄想を生み続ける。論理を重んじる以上に感情を重んじることは分からなくも無いが、事実より感傷を上に置くならば対話が成立するわけもない。他者の心情を考えるだけの思い遣りは、反知性か結果への無関心かに過ぎず、人気取りのために政治的意識を放棄する無責任である。

　人間的公平性が完全に欠如しているが故に対話が通じることがないナチス親衛隊が相手なら、騙しと暴力の関係しか成立し得るわけもないが、騙しだけでは暴力に勝つことは不可能であって、我々は実体有形力を軽視してはならない。そして、仮に他者を騙すことがあっても、自らと理念を騙すことだけは絶対にあってはならないと自覚しておくべきだろう。

　ヒトラーは、『我が闘争』の中でゲルマン民族を文化創造種の一級人種、ユダヤ人等を世界一劣った文化破壊種の三級人種、日本人を含むその他を文化追従種の二級人種であるとカテゴライズしていた。だが、彼の理論を用いるなら、二次創作屋のルターを始めとして妄想をコピーして捏ね繰り回し続けるゲルマン民族は、一次創作が出来ない二級人種に分類されるべきだ。しかし、ローマ劫掠によって盛期ルネサンス文化を破壊したのはドイツ傭兵であったのだから、二級よりも更に下であるという可能性も否定は出来ない。

　何も観察せずにただ壊すことが野蛮の本質である。動物的本能では不可能なこと、例えば研究のような行為を忌避するのであらば、「人間本性」が開花することはない。理性と感性は矛盾したものではないが、それらを分離させてしまえば「人間本性」は不全化し、動物的快楽欲求だけを追求する畜生道に堕落する。科学技術という「人間本性」は視て判断して動く主体的な意識であるが、ロマン主義とは何も見ずに逃げる前線逃亡に過ぎない。

昨今のアメリカもイラクの文化財を保護しなかったが、おそらくはアメリカ人はドイツ人とは異なってイラクで神聖ローマ皇帝が溺死したという過去を知らないだろう。現代の神聖ローマは十字軍戦争で散々な目に遭うという過去の神聖ローマの歴史を繰り返し、ドイツの皇帝はイラクで川に溺れ、アメリカの大統領はイラクで嘘に溺れるという結果となった。

実体性の欠如したドイツロマン主義やアメリカンドリームは、芸術というよりも単なる妄想であって、文化的貧困を象徴するサブカルチャーであれども文化と呼べるものではない。テルマエ・ロマエという漫画の方が、ヒトラーのプロパガンダのアーリア人神話よりも、ずいぶんと歴史的実体を反映している。

ヒトラーはユダヤ人のことを文明の寄生者などとほざいていたが、ドイツ帝国は征服者であるプロイセン王国にゲルマン民族が依存する形で成立したものだ。大日本帝国のアジア化は周囲への阿りによって起こったものに見えるが、プロイセン王国のドイツ化は大衆の反逆から発生した部分が大きい。

ものごとのフレームを造れない愚者は、無駄な厳密性に拘って構造を無視するだけであって、寄生すること以外が何も出来ない。創業メンバーは優秀でも、後に入ってきた権威主義的パーソナリティの無能が専横を振るい、その結果として組織が破壊されるという構図は、古今東西のどこでも見られるものだ。日本の企業では、構成員に民主主義テストを行って、自由な発想力や実体的な議論の能力を持たない者を出世させないようにするべきだが、少々絞られる程度で文句を言い出す無気力性も組織から追放しなければならない。実際に本田宗一郎は斯様な経営を行っていて、それが故に多くの名車を世に送り出すことが出来たのだ。

余談であるが、『我が闘争』において文化破壊種に分類されるアインシュタインは、ヴァイオリンの腕も中々のものであった。ナチスの総統とは異なって、この科学者は芸術家としても優れていたが、科学技術も芸術も感情と思考の爆発から生まれるものだ。

未知の探求を求める哲学者は、知性から技を生み、技から力を発生させ、力から結果を創造する。構造と機能の解析こそが向上の始まりであって、科学技術者は「知は力なり」を悟っているが、ナチは無知であって弱さそのものでしかない。権威主義を妄信する野蛮人は正義と文明を理解することが出来ず、「蛮人の万人に対する闘争」によって実体的創造を破壊するか、観念的妄想への終わりなき逃走を求めるだけだ。アインシュタインは「宇宙は無限ではないのかも知れないが、人間の愚かさはそうであるとは限らない」と述べていたが、ドイツの愚かさに底が存在しないことはヒトラーが実証した。ナチスの出現を鑑みれば、これから先の未来にはあらゆる愚かさを想定した上でそれに予防的な対処を行う用意が必要だろう。

　ソクラテスやアインシュタインの如き賢者達は、ヒトラーのような野蛮人から常に迫害される。他人から好かれなければならないという強迫観念に苛まれる軟弱者は、ヒトラーに迎合するアイヒマンにしかなれない。事実を裏切っても愚か者から歓心を買うことを信仰する野蛮人は、国民の代表というよりも醜さの代弁者であって、民主主義の本質から最も遠い存在だろう。

　この野蛮人は、非白人が多いソ連はゲルマン民族に勝てないなどと抜かして独ソ戦を起こしたが、彼の頭の中にはワールシュタットの戦いという故事は存在していなかったのだろう。虚飾を繰り返したヒトラーは「事実からの逃走」を起こし、自らの嘘によって自らまでをも騙されてしまったのだろうが、人を呪わば穴二つとは言ったものだ。自らが相手よりも優位であると思い込む民族主義は、人間を盲目に変えて誤解と油断を生み出す。他者を騙すことしか求めない者は、自らも事実を認知することが出来なくなるわけだ。

　誤魔化しと媚び売りを大衆が許したとしても、虚構によって二次大戦の戦局が好転することは何一つなかった。騙される側であった「裸の王様」は自らの過ちに気付きうるし、彼は途中からは騙された振りをしていた。だが、騙す側である「裸の神官」は、自らの嘘を自らによって否定することが出来ない。嘘によって利益を得続けるうちに、自らに都合が良すぎる保身的な虚構を完全に信じ込むことになる。観念的な正当性を捏造して人を騙し続けるうちに、言うことの実体がどれだけまずいかすらも認知し得なくなる。

他人に不幸を押し付けて保身する臆病者や隣人を劣位において安寧に浸る野蛮人は、他者を助けようとも考えずに己の見栄張りを追求する。己を他人より優位にすること以外何も考えられない彼等彼女等は、比較優位のための競争に強かろうとも国家の意思決定においては役立たずそのものだ。

文化相対主義を使うのであらば、フリードリヒ大王の勇気もヒトラーの蒙昧も平等とすることも出来る。人間理念を重んじる哲学者と権威主義の擬人化を同じように扱うことも可能だ。近代科学に発展したルネサンス哲学とスコラ学の延長であるドイツ観念論を等価値であると断定することも問題ないし、理想主義とロマン主義を等位に扱うことも不可能ではなく、実体的な技術と幼稚な感傷も同じように無価値だと決定することも有りだろう。公平と不公平を平等にする倒錯を許すことも推奨され、公共性と個人利益主義を同じように扱うことも可能であって、観念に基づいた全否定と事実を考慮した批判の峻別も無効化することが出来る。被害妄想と実害の区分を壊して、御涙頂戴によって人気取りを行うことも簡単なことでしかない。

そして、文化相対主義に民主制の多数決を追加すれば、事実を放棄するための嘘や観念が実体構造への観察よりも価値があると決定することも可能となる。アインシュタインよりもアイヒマンの方が命の価値が重いという倒錯も、多数決によって支持されることだろう。

信賞必罰を破壊する不適切な平等は、社会を破壊する不適切な不平等を造り出す。文化相対主義とは、向上心と現実逃避の違いを弁えず、文化とサブカルチャーの峻別を付けない「自由からの逃走」に過ぎない。自発的な向上心を否定して何でも認めるだけの堕落したぬるま湯では、社会の進歩を創り出すことは不可能だ。ものごとには差異があって、科学技術と民主主義を生み出し国家というシステムを成立させる文化は、権威主義と独裁を重んじるサブカルチャーよりも優れていると言い切っていい。

本質的に芸術とは、社会的自由を求める戦いに用いる武器であって、権威主義者は芸術を創造することが不可能だ。絵画一つを考えるにしても、ゲルマニアという女神にはどこかガサツさが見え隠れして、ドラクロワの女神ほどには美しくない。この比較においては芸術とそうでないものの違い、自由を目指す理念と権威主義への妄信の非平等、実体的な感性に基づいたアーツと単なるイデオロギーの差が克明に顕れている。ドラクロワの絵の女神の名はマリアンヌというが、彼女の力強さの中に秘められし「たおやめぶり」については、ギロチンの露と消えたルイ十六世も称賛することであろう。彼の最大の不運は、マリアンヌとではなくてゲルマニアと婚姻したことにあったのだ。

ドイツ人のルターは、神がセム・ハム・ヤペテの人種的序列を作ったという聖書の記述を信じていたのかも知れないが、現実に存在するのはイギリスとフランスとドイツという性質の差異であった。おそらく、世界の全ての人間社会は、この三つの性質形態に、つまりは文明と文化と野蛮に分類することが可能だ。

誤解を招かないように付け加えておくが、未開社会であっても実体に基づいた創意工夫を行っていて、進歩と向上への意思が強く発揮されているならば、文明性が存在していることは明記しておく。ナチスのように高度な産業能力を有していても、権威への服従と事実の否定にしか興味がない状態こそが、野蛮の野蛮足る所以なのだ。未開人はこれから啓かれる可能性を秘めているが、野蛮人は野蛮で居続けることしか出来ない。未開は高貴さと共存し得るが、野蛮にはそれが不可能であって、「高貴な野蛮人」という言葉は矛盾そのものである。

『大衆の反逆』を叙述したオルテガは、近代社会で生活していても科学技術に無関心な者のことを、「文明社会の野蛮人」と批判した。原始時代においては便利な道具が少ないが故に、頭を使った工夫を好む「未開社会の文明人」しか生存出来なかった。だが、時代が経つにつれて権威に従うだけの思考停止した奴隷的人物であっても、生存し得る環境が生まれた。そして、権威が人間を扇動するために真の知性を蔑視させる教育を行ったが故に、偽の知性しか持たない野蛮人が増え、それによって現代では文明が崩壊しかけている。

野蛮とは、科学的解析意識を持たず、向学心の欠如を肯定的に考えることであり、それ故に無力であるということだ。「文明社会の野蛮人」とは、実体構造に無関心で己の快不快に受動的に動かされる畜生道であり、「上手くいけば何も視ずともそれでいい」と考える怠惰者であって、システムの不理解を愛好する愚か者である。彼等彼女等は公共を支えようとする正義感を持たないが故に向上心を持たず、寄生者で居ることを恥じることもなく、浅ましい己を許すことに何ら思うところがない。自発的な向学心を持たずとも地位を得るために受験競争に熱心な儒教徒達も、「文明社会の野蛮人」そのものだろう。自発的な知的好奇心を持たない観念暗記力だけが優れた奴隷でも、競争意欲によって受験戦争に勝つことは可能であるが、科挙という古の受験も反知性への信仰と権威主義的を具現化させた儒教的愚民化でしかなかった。

ドラクロワの理念

もしかすれば、国家だけではなく全ての人間を、リアリスト、理念家、権威主義者の三つに分類することが出来るかも知れない。とはいえ、理想主義を否定して観念を愛するだけのロマン主義者達を、理念家に分類することは出来るはずもなく、彼等彼女等は野蛮の権威主義者にカテゴライズするべきだろう。

イギリス的な公平であれど、フランス的な美であれど、それらは公共の基準になり得るものだ。しかし、そうした理念をまるで認知出来ず、民族主義しか目指すところがないナチスは、恣意的な理不尽と自己顕示欲の権威主

ゲルマン民族主義

義によってしか社会を動かすことが不可能であった。

美術の世界に平等が存在するわけもないが、アメリカの白人至上主義者ならば、白人の平等を唱えることでイギリスとフランスと野蛮の区分を消滅させ、ターナーとドラクロワとヒトラーの絵の差異を無効化することを試みるのだろうか？　だが、美への愛を持たず、公平性なき自己愛に取り憑かれたドイツのロマン主義者達は、現代におけるアニメオタクと大差ない存在であって、彼等にはフランスの芸術精神を理解することは絶対に出来ない。

実は、ターナーもドラクロワもロマン主義の画家に分類されることがある。しかし、イギリスやフランスのロマン主義はドイツのロマン主義のような権威主義的自己愛とはまるで別物であることは確かであって、実体の美しさを知覚しえないのなら嫉妬に走ることしか出来ないということだろう。実体性と自己主張と美的センスが融合されていないものを、アーツと呼ぶことは不可能だ。

そういえば、ナチスは田舎のバイエルンを基盤とする地方政党であって、都会のベルリンに由来を持つ国家政党ではなかったという事実はまことに興味深い。草木が方々に生い茂り、空の光も差し込むこともないようなドイツの山奥の薄暗い森には、プロイセンの啓蒙の灯も届くことがなかったのだろうか？

現実に対峙する能力を蔑視して妄想に逃げ込み、観念に閉ざされた森の迷宮に囚われて、精神を蔦に雁字搦めにされ、空間的自閉を起こした精神こそが、ドイツロマン主義という権威主義の本質であるのかも知れない。なんであれ、これは正義、高貴さ、機能美とは無縁な精神的虚弱であって、日本の伝統的な精神からは最も遠く、我が身可愛さだけで、ものごとに対する真摯さや誠意を全く持たないものでしかない。

民族主義というものは、自分達の集団に対する全肯定と自己批判能力の完全なる欠如であり、これは一切における向上心の否定であって、閉鎖的な社会で良く見られる「我の消滅」である。異端者を締め出して群れ、現状の体制に安寧の定住を続けるというならば、何ら発展が起きることはない。国家主義とは自らの社会を批判してそれによって国家を発展させるマインドであるが、文明を拒絶する民族主義においてはシステムの進化を起こすことは出来るはずもない。

草原のモンゴル帝国は、帝国ですらなかった神聖ローマとは異なって、紙幣を活用するような高度に文明的な国家であった。森の中の閉鎖された社会においては、実体的な合理性ではなくて観念的な屁理屈が重んじられ、形式的なしきたりと権威主義的な信仰が全ての基準となり、公共心を放棄した停滞の生活こそが妄信されるようになる。閉鎖社会の民族主義者は己を肯定したいだけであって、どうなりたい、何がしたい、それがまるで存在しないのだ。事実を知ろうともせず、何故を考えることもなく、全てをただ恐れる彼等彼女等は、平穏だけしか求めていない。今の生活の外に関心を持たず、変化を目指さず、行く先を決めないことは、政治の否定そのものでもあるのだから、これによって内輪の村が形成されたとしても、内集団と外集団の間で可能な限り公平を取ろうとする公共の国が生まれることは絶対にない。

プロイセン王国は内陸のベルリンに首都を置いていたが、バルト海沿岸にもケーニヒスベルクという海琥珀で有名な都市があった。そして、フリードリヒ大王にはスウェーデン王のグスタフ・アドルフの政策を参考にした部分が存在している。日本の明治維新も都市ではなくて辺境から起きた運動であったが、本質的に海洋国家である日本の辺境は、内陸部の森林地帯であったとしてもドイツの田舎とは性格が異なるはずだ。水田耕作は土弄りだけではなくて水路設計のメカ弄りを考えなければならないものであるし、我々は渡河中に溺死するような皇帝を崇める伝統を持っていない。

とはいえ、「北海道の米が美味くなったのは、農家の努力ではなく、温暖化のおかげ」と発言した元財務大臣は、日本の農業技術を軽視しているばかりか公共性をまるで持っていないことは確かだろう。「やまとこころ」と無縁な彼が、「ナチスの手口を見習う」ことを好むのは何らおかしなことではない。

野蛮の森のトンネルを抜けると啓蒙の雪国であった。ナチス親衛隊の褐色シャツはショッカーの戦闘員の服よりも有名だろうが、プロイセンの軍服の青の高貴さも、バルト海の漁り火の赤の熱情も、そこには一切存在していない。他者を威圧する能力への信仰は、戦うための知恵と気概と、そして公共理念への意思と人間の文明を徹底的に破壊する。海に出る勇敢な冒険心も、火を制御して扱う向学心も、人間の文明を創る力そのものだ。危険を排除するのではなく、それを認知して制御することが人間の科学技術力の本質であって、この向上心こそが空を飛ぶことを可能にしたものだろう。

ヴァイキングの神話には、「記憶と思考」という名前を持つ二羽の烏が登場しているが、「科学と技術」を重んじる彼等は「あらみたま」の探究心によって観察することを得手としていた。「美と工学」によって竜骨船を造り上げた彼等は、人間の船がいつか星の海に届くことも知っていたのだろうか？　構造と機能を解析して結果を創造する北欧の気風は、権威の言うことを聞くだけの臆病なドイツ的価値観からは最も遠い。野蛮人は文明への意思と無縁であって、彼等は妄想に耽るだけで天を目指そうとしないのだ。

人間の文明の本質的財産とは、所有する土地の広さではなくて、港のような都市インフラと「知は力なり」の科学技術の相続であるが、海の人間はこのことを直感的に理解出来る。日本にも北欧にも工夫を重んじる価値観が存在しているが、困難な環境で生き抜くための努力を積み重ねた結果であるのだろう。

科学技術と公平性が社会から消えたならば、人間の集団は自然界と戦うことも出来ず、天変地異に抗うことも出来ず、ただ滅ぶだけでしかない。開明の空を見ることもなく、啓蒙の海に出ることもなく、文明の都を創ることもなく、閉ざされた野蛮の森に定住し、観念の檻の中で現実逃避を続けるだけの信仰では、空間的展開性も時間的進展性も分かるわけがなく、現状維持に拘って未来を変えることを目指せない。固定されたシステムの構成員で居ることは人間の政治意欲を粉々に撃ち砕き、リスク回避型のマインドはリスクへの対処を用意した上での挑戦を行う探究心を徹底的に抑圧する。それによって、権威の観念を受動的に妄信して、煽動を行う神官を崇めることだけが起こるわけだ。

千変万化する海の波風を観察して活用する知性を持ったヴァイキングは、キエフやコンスタンティノープルにも到達していたが、遥か遠くのアメリカ大陸や南極点にも足を延ばしていた。だが一方で、ゲルマン民族は森の外を目指さないどころか森の中から出ないことを信仰し、保身のために波風を立てないことだけを考えて、型に嵌まって同じことを繰り返すだけであった。呑気でどんくさいゲルマン民族には危機意識がまるで存在せず、それが故にウクライナの危機をロマン主義によって無視しているわけだ。「外に出なければ危機は起こらない」という想定は、敢闘精神の放棄であって、実存と向き合う政治的意識の喪失であり、人間の機能の毀損であって、能動的な問題解決意欲の放棄であり、何よりもの危険であることは言うまでもない。彼等彼女等が、「もののあはれ」と「あらみたま」を否定してネガティヴを妄信するのは、必然のことだ。荒々しい状況で生きていくための科学技術的向上心よりも平穏な環境を求める心性では、進歩は永久に生まれるわけがない。船の上では即座に判断して即座に動けない鈍間達は座して死ぬことしか出来ないが、自らを権威に委ねるだけの彼等彼女等には自らの行く先を決める意識が完全に欠如している。

文明とは、猿が生活していた森から遠く離れて生活することである。だが、ドイツロマン主義には頭の中の観念の外の実体がなく、集団の外の実在が存在しない。キリスト教では知恵を持つことが原罪とされているのだから、心神喪失による責任能力の欠如によって無罪を狙うことが道徳と考えられているのだろうか？彼等は、この信仰を守るために知性を拒絶することを敬虔さと称賛して、弱さと権威主義を信仰し、文明を破壊する野蛮を長らく守り続けてきたのだろうか？

　ヨーロッパのルネサンスにしても明治日本にしても、世界を広く視た上で自分達に問題があると認めることが出来たが故に、科学技術と社会制度における複合的な進歩を遂げた。変化を拒絶するなら中世暗黒時代に留まるだけで、現状肯定にしか興味を持たない閉鎖性では工夫も進歩も起こらない。自らと異なる者にただ不寛容な権威主義では、必要な規律と不要な戒律の違いを区分することが出来るわけもない。

　近代という時代を創ったプロイセンと異なって、バイエルンはノイシュヴァンシュタインのような玩具の城を好んでいた。この城を造ったルードヴィヒ二世は暗愚の君そのものであったが、彼はプロイセンの大王のように実体と向き合って何を求めるかを考えることはなく、観念的な自己満足を満たすことばかりに熱心であり、ドイツロマン主義の音楽家のワーグナーを後援していたこともあった。音楽とナチズムには密接な繋がりが存在し、ウィーン・フィルハーモニー管弦楽団はナチスとの関係が深かったという事実もある。勇気が欠如した野蛮では事実を認知することなど出来るわけもないのだから、彼等彼女等が科学技術よりも音楽の方が重大であると考えていても何ら不思議なことはない。そうであるならば、「力への意志」の対極たる「無力への信仰」がこの上なくわかりやすく顕れていると言えよう。

　ルードヴィヒ二世の祖父が建てた建造物には、ヴァルハラ神殿という北欧の多神教における英雄の宮殿に名を借りたものがある。しかし、その名に反して、この建物の外観はギリシャのパルテノン神殿のコピーであって、キリスト教の司祭やルターという新興宗教のカルト教祖も平然と祀られている。このようなガサツな所業から考える限り、おそらく彼等が本当に好きなものは、北欧神話の敢闘精神でもなければ、ギリシャ哲学の知的好奇心でもなく、キリスト教的な権威主義と善悪二元論といった反知性であるのだろう。そして、ゲルマン民族のキリスト教は、本質的にカトリックではなくてプロテスタントであることも追記しておく。

　ここに祀る人間はドイツ語という言語を基準に選んでいるとされている。だが、「ドイツ語は馬の言葉」

と述べたスペイン王のカール五世の胸像があるし、どういうわけかイギリスの国家的英雄のアルフレッド大王まで祀られている。古英語をドイツ語に分類してアルフレッド大王を祀るならば、ドイツ語に一定に影響を受けている近代スウェーデン語を話したグスタフ・アドルフ王が祀られていてもおかしくはないが、不公平なことに彼のことは完全に忘却されている。

何よりも面白いことに、この神殿にはドイツ語を殆ど話せずに「ドイツ文学論」という著書をフランス語で叙述した、かのフリードリヒ大王が祀られているのだ。彼は自らの耳ではドイツ語は聞き取りにくいと述べていたが、日本人からしても雅の欠如した言語に聞こえることは確かだろう。もっとも、「美意識低い系」の彼等彼女等は「雅の欠如」以上に「我の欠如」を起こしていることが何よりも大きな問題だ。ドイツ語は自己陶酔的で自省心が欠如した言語であるように思うのは鎗崎とフリードリヒ大王だけなのだろうか？　実体を知らずに快不快に酔うことを芸術と呼べるわけもない。この建物には表徴的意味と機能的構造の間に美的な繋がりが無いどころか、多神教的なルネサンスの近代理念もまるで存在しておらず、これは「我の消滅」と集団的ミーイズムと見栄張りと野蛮の神殿であって、ヒトラーの千年帝国に類似したものであるとも言える。外観はパルテノン神殿、名前はヴァルハラ神殿、してその実は、蒙昧ここに極まりのバルバロイ神殿だ。（注：バルバロイとは野蛮人を意味するギリシャ語であるが、ローマ帝国ではゲルマン民族を指す言葉として用いられた。）

この神殿にはヴァルハラの本質である英雄の「個の意識」への賞賛はまるでなく、ただ民族主義的な「群れ意識」への信仰が存在している。ヴァルハラ神殿という名前は神聖ローマ帝国よりも更に実体を表していない点において、愚かさがますます増強されているわけだが、北欧神話はドイツ圏に起源があるものではなく、交易の過程でドイツの神が組み込まれただけという説も存在している。ロマン主義という野蛮に取り憑かれて自己満足だけを追求するゲルマン民族の性質は、北欧の文明的感性とは似ても似つかないのだから、鎗崎はこの話を聞いた時に心の底から納得してしまったものだ。Schadenfreudeという言葉の通りに陰鬱で嫉妬深いゲルマン民族は、自らの隣に栄誉ある勇者が立っていることを歓迎することが出来るわけがないし、勇者が異民族であったならば尚更のことだろうが、高貴さよりも一身を愛する彼等彼女等は英雄であることから最も遠い存在でしかない。なんであれ、このバルバロイ神殿は集団への同調と権威への追認とそして自己顕示欲の具現化であって、リアルなき物語に過ぎない。

　王であるならば、芸術から程遠いごっこ遊びに走るのではなく、公共のための哲学を学ぶべきであり、着飾る以外に取り柄がない虚弱であってはならない。実体に基づかない虚飾を優雅と呼んだとしても、妄想に気取るだけのニヒリズムはただ醜いものだ。ミーハーな承認欲求や妄想的見栄張りのことを美や愛と呼べるはずもなく、権威に縋って惚ける者には統治する意思もないのだから、王の身分であれども実体としての王ではない。自分を偽ることしか知らない者は、王の振りが出来たとしても、心に剣を佩くことは不可能だ。斯様な蒙昧は有形力を否定する点において儒教の文治主義に類似しているが、有形力抜きの知性というものは「知は力なり」の科学技術に反するものであって、「知性と有形力の分断」とは文明の否定でしかない。有形力を否定する知性などは、知性の本質の否定に過ぎず、つまりは知性への攻撃そのものでしかないのだ。おそらく死後のルードヴィッヒ一世は、ヴァルハラの神からはワイン一気飲みのアルハラを受けるだけでは済まず、苛烈極まるパワハラを受け続けているはずだ。レスリングの達人であり勇敢な軍人でもあったアテナイの哲学者には、ただ只管に論破されて何も言い返せてないことだろう。

　芸術とは、精神的な箍・枷・鎖を外し切って激情を実存に繋ぐ創造的破壊であり、何ら意味も機能もない余計な無駄を求めることではない。規則に縛られて何も視ないでいることではなく、己で能動的に解析し、制御する意思決定が、「あらみたま」の発露というものだ。知性がなければ「理合い」が分からず、「理合い」が分からなければアーツに触れることが出来るわけもない。

戦争における強さとは様々な分野のアーツの「機能的な繋がり」によって成立するものである。ヴァルハラの芸術の神は、文明の神でもあって戦争の神でもあるのだから、戦争というものは一種の総合芸術であると言えよう。文明とは創造と破壊を制御する力であるが、暴力以外に興味を持たない者は勝利から最も遠い存在でしかない。己以外への無関心に取り憑かれた野蛮人達は、文明という戦うための意思を持っていないが故に、戦勝という結果を得ることが出来ないどころか、不可能という観念を崇め続ける様であった。

構造を制圧して機能を連鎖的に解体し、相手の制御を破壊して動きを停止させるものが、戦いのアーツである。システム構築能力と諦めの悪さが総合芸術に必要なことは確かであって、それらがなければ敵を打ち倒す能力を持っていないに等しい。「速さと狙い」の「機能的な繋がり」という意思決定の本質を理解しないならば、結果の創造など不可能であって、それはドイツのように戦争で負け続けるということだ。

人間が存在しているならば「英雄と邪神官の戦い」は永久に終わることがないし、おそらく死後の世界であったとしてもそれはまるで変わることがない。国家を創り能く治める英雄的な意識がなければ、邪神官の権威主義が社会の全てを制圧し、人間の創造性は消失するだけだろう。

美への愛とは、ロマン主義のような知性への蔑視や勇気への嫉妬とは異なって、弛みない向上心を発揮する探究心である。激情の否定への信仰こそが、儒教や勤労カルヴィニズムの本質であって、これらの宗教の信者ほどに卑屈な偽善者はいない。自己権威化を求める畜生道は真摯さの欠如故に機能美を理解出来るわけもないが、結果に対する執念を持たない卑賤な軟弱はヴァルハラにおける死後の戦いに最も不適格な存在だろう。己の命よりも己の理念を優先させることこそが、高貴であるということなのだ。

今を生きることを知らない者は来世だろうと死後の世界だろうとそこでも何も出来ない。これはニーチェが説いた「永劫回帰」という哲学である。権威からの命令に受動的で己で意思決定することがないならば、生きていようが死んでいようが己で結果を創造することは絶対に無理なことでしかない。動物的本能に支配されて群れて気取るだけの者には、自らの自由意思で何かを為すことは不可能だ。愚かな権威は「認知なき意思決定」によって自滅し、愚かな奴隷は観念論と形式主義によって認知と意思決定を放棄するが、ヒトラーとアイヒマンは公共を否定すること以外は何も出来ない。

社会に正義を成立させるためには自由意思が必要だが、ゲルマン民族には正義が分からないが故に奴隷意思論を愛しているというわけだ。正義を放棄させる愛ほどに彼等彼女等にとって都合がいい屁理屈は、他に存在するわけがない。観念的な理性の奴隷である彼等彼女等は、実存を動かす知性とは完全に無縁である。受動的に苦しみを我慢することは、主体的に「高貴なる義務」を引き受けることから最も遠い心性だ。意思なき力をいくら積み増したところでそれでは結果を創造することなど不可能でしかない。己で主体的に動く意思がないならば、行動の結果を制御する意識も生まれることはなかろう。

猛り狂う「あらみたま」を槍にして間合いの先を狙い撃ち抜くことが出来ないのならば、己で何をも決めず、己で何をも制御しようとしていないだけに過ぎず、つまりそれは高貴さを持っていないだけでしかない。「意識と行動と結果」を噛み合わせる「気剣体の一致」があればこそ、己の理性と感性によって実体と向き合って主観と客観を繋ぎ合わせることが出来る。己の構造を認知して己で制御することが武術の本質であって、観念的な正解ではなくて結果を求める判断こそが人間の自由意思というものだ。脱力して力みを抜き取ることが出来れば、無駄な力だけではなく無駄な観念までも削ぎ落とされて、結果として爆発力が発揮される。体幹に激情を徹して「認知と制御と出力」の回転を加速させれば、判断に冷静さも生まれる。狙いを定める意思決定があるが故に速力を上げることが可能であって、焦れば速くなるという根性論は思考停止した観念に過ぎない。

人間は、精神にエネルギーがあるが故に身体に動きを造ることが出来る。人間は、身体に動きを造ることが出来るが故に結果を動かすことが可能となる。大切なものは単に己が動くだけの力ではなくて、己の外の実存を動かすための機能なのだ。解析力が伴わない突破力が役に立つことはなく、「構造の視切り」が無ければアーツは成立しない。己の意思によって己の外部を制御するためには、己の意思によって己の外の空間構造を観察し、そして空間範囲の距離と角度を判断することが必要である。「間合い感」が機能しなければ柔らかさが低下するし、当てる意識が無ければ出力を収束させられるわけもなく、空間攻撃能力の否定によってでは速力を出すことは不可能なことだ。

人間の身体は、物を創り物を使いこなすためのものなのだから、人間の身体を使いこなすことがまず最初の文明性である。構造の観察もなく、ただ思い込むだけで、思考停止して観念を怖がるならば、それは究極的なまでの無力に過ぎない。己の意思と世界の動きを繋げることが出来ないならば、困難に立ち向かうことも死中に活を求めることも一切において不可能だ。マスゲームと苦行に酔いしれて、身体を粗雑に扱う野蛮人には、己の意思を貫くことも文明を目指すことも絶対に出来るわけがない。

己の意思を実体に噛み合わせる能力は、理不尽な恣意性や不条理な強引さとは完全に別物であって、己の意思によって己の外部と関わるためには己の外部を解析する意識が必要となる。他者への無関心は敵の意図を視切ることから最も遠く、「間合い感」を徹底的に棄損する。他者を傷つけたくないと消極的に怯えることと理念を守りたいと積極的に意思を発揮することは、完全に別の事柄でしかない。攻撃力の放棄への信仰は迎撃力の否定であって、「間合い感」がなければ防御など不可能であるが、それでは他者も理念も公共も何もかもを守ることが出来るわけがない。

己の意思を実体構造に反映したいならば、実体構造を無視することがあってはならない。構造を視切り、その奥を見抜き、命中する先の的を決めるからこそ、未来を創らんとする貫通力を突き込むことが出来る。分析なき力押しに専心したところで、己の身と結果を傷つけるだけに終わる。臆病さは決定力の発揮の否定であって、制御の放棄という究極の蒙昧でもある。狙うことと動くことを一体化させる意識は創造価値から生まれるが、競争価値や闘争価値では洗練を創り出すことが出来るわけもなく、機能美なき力は虚弱なものだ。敵を倒すことだけを目的にして技術的な意識を軽視する心性は、向上心を否定する陰鬱でしかなく、科学的合理性を放棄させて戦勝を遠ざける。形式主義とは己の研究能力を否定するものであって、新規創造の否定であり、思考停止した力による思考停止した動きの繰り返しでしかない。意思決定を否定する反復による暗記では、認知と機動の「機能的な繋がり」を理解することは不可能だ。実存を認知する力は知性だけではなく勇気からも発生するものだが、臆病なゲルマン民族が事実を認識することなど出来る由もなかった。

　彼等彼女等のように正攻法を盲信したり、「己が何者であるか」を定義してそこから外れることを否定するよりも、「己に適した上手くいくやり方」を求めることの方が「己が何者であるか」についてもよく認識出来るものであるし、それこそが進化というものなのだ。

　一次大戦よりも二次大戦の方がドイツが酷い負け方をしたことを考えれば、ナチズムが意思決定とは完全に無縁な醜い奴隷精神であるということが誰の目にもよくわかる。ひょっとすれば、一次大戦におけるドイツ帝国の奮戦は、ナチスに追放されたユダヤ人によって成立していた可能性もある。アウシュヴィッツから生還した人間の精神力は、どれだけの称賛をしても足りるはずもない。

　ワーグナーのオペラは人の気分をくすぐることが出来たとしても、騙すこと以外の何の役にも立たないナチズムでしかなく、実体を認知してそれに己の意思を通すための哲学はまるで存在していない。幻夢を求めるロマン主義と屁理屈を捻りまわす観念論は、ドイツにおける実体への無視として完全に同じものに過ぎず、宗教の教義のように人間の構造認知能力を破壊する。実に基づいた誇張は芸術の範疇となるが、虚構はアートと呼べるわけがないし、妄想によってしか自己肯定出来ないのは実体的な美しさというよりもダニング＝クルーガー効果でしかあるまい。彼等彼女等ゲルマン民族にとっては自らの気持ちが何よりもの優先すべき事項であって、結果などはどうでもいいとしか考えることが出来ないのだ。

バーバリアン（Barbarian）とは野蛮人を示す英単語であるが、バイエルン人のことを示す言葉もバーバリアン（Bavarian）である。ヒトラーやワーグナーやルードヴィヒ二世といったバイエルンのバーバリアン達には、目が現実を写したとしても脳は幻想しか見ることが出来ず、己の妄想が世界の全てであった。哲学の欠如が故に政治を取ることが出来ない野蛮人達にも、宗教によって群れることは可能なことであるが、おそらくは母胎回帰願望に取り憑かれて中世の森の一部で居ることを崇めていたのだろう。専門的な知識を重んじても汎用的な知能を否定する彼等には、近代的自由を達成することは到底に無理なことだ。

森の怨霊の霧の中で現実逃避の安心に居着く野蛮人は、アンガージュマンという言葉とそして美のイデアから最も遠い。この広い世界を知ろうと思わないことは人間として徹底的な堕落でしかないが、森に同化しているだけのアイヒマンはソクラテスのように実体的な向上心を持たずとも「豚」のように満足している。絶対の正解を求める彼等彼女等は、実体を観察しようとすることもない。だが、ゲルマン民族が森の中で変化を拒絶してヒステリーに狂っている間に、外では文明はどんどん発達していく…

プロイセンの大王が甘えと幼児性を一切において持たなかったわけではない。しかし、「アンチ・マキャベリズム」を叙述した彼は、妄想的なロマン主義者であるというよりは、結果を重んじる理想主義的なマキャベリストであった。この革命戦士にも欠点がなかったわけではないが、彼の人生が人類社会の時代を進める礎そのものであったことは、我々日本人は絶対に忘れてはならない。ロマン主義に呆けて自らが安穏としたいだけのゲルマン民族は、アイヒマンのように保身以外を求めることが不可能であるが、それは臆病なだけであって優しさとは完全に異なったものだろう。正義に狡猾さを併せ持つフリードリヒ大王の国のイデアは、「ロマン・ゲルマン・アイヒマン」というバーバリアン三原則から最も遠いものであった。

愚かさのことを容赦やら人情やらと呼んで正当化することは、他者を守る力を放棄させるための妄言に過ぎない。大王の狂気は社会に有益であったが、ヒトラーのヴァーチャリズムは人類に対する害毒そのものである。ロマン主義という人間を軟弱に変える呪詛は、合理性をも破壊する性質を有している点において何よりも危険なものだろう。それが故にドイツが合理主義と呼ぶものは、実体から切り離されている倒錯でしかなく、合理性を伴わない観念論か、公平性を否定する卑屈さか、若しくは単なる野蛮なルサンチマンを意味する言葉に過ぎない。己の意思と合理性によって判断するのが「やまとこころ」の維新志士であって、権威への迎合とロマン主義で思考停止するのが「漢意」のナチス親衛隊だ。

勇敢な賢者と冷血な愚者は一つの屋根の下に同居出来ず、科学技術とロマン主義は相反するものであり、プロイセン哲学とドイツ宗教は一つの星の上に共存し得ないのかも知れない。そして、そうであるというならば、どちらが生き残るべきかは火を見るよりも明らかであって、高貴なる文明の炎で野蛮の森を灼き殺すべきだろう。

外向的な探究心を持てない者は、内向的な自己愛に取り憑かれ、創造を否定する権威主義に走ることが必然なのだろうが、観念に囚われて生きることはただ只管につまらない。能動的に実体と対峙する哲学者は、群れて騒ぐだけの思考停止した畜群とは対極的な存在であるが、それ故にプロイセン貴族という単語はゲルマン民族の対義語であると言えるだろう。身分制度が存在すること以上に、貴族階級に相応しい人間が居ないことの方が、国家にとっては余程重大な問題だ。高貴なる人間が居なければ、高貴なる社会が成立するわけがない。バルバロイとして権威に服従して生きることよりも、文明人として戦い抜いて死中に活を求めた方が遥かにいい。プロイセン人は文明的向上心に猛り狂っていたが、人類の幸福とはリアリズムを否定して人間を弱くするものであってはならない。批判を恐れ、それを避けるために何もせず、それどころか言論弾圧まで行う彼等の虚弱性は、公平性の欠如による自己以外への無関心から発生している。アメリカンマインドであっても、斯様なゲルマン的自閉性の亜種に過ぎない。

「芸術は爆発だ」とは岡本太郎の言葉であるが、ヒトラーは近代芸術はユダヤ的退廃であると訴えていた。

しかし、彼が好むドイツロマン主義ほどに退屈で卑屈で不健康で厭世的なヒステリーも無く、ギリシャ・ローマ的な意気揚々たる普遍性からここまで遠いものは他に存在しないだろう。芸術とは意思を表現するためのものであって、それを効果的に行うための機能美であるが、フェイクに走るヒトラーは美を理解していない。文明とは人間の意思を身体の外に具現化したものであって、これはある種の陽気さによって成立する。「もののあはれ」の徹底したリアリズムと「あらみたま」という猛々しい知性を重んじる日本人は、どうでもいいことを誇る陰鬱な権威主義者達とは異なって、何を名誉とするべきかを的確に理解している。未来を斬り拓かんとする勇気があるならば、己の激情を隠すよりもそれを芸術的に魅せる方法を考えた方がいい。

　生が裏打ちされていない娯楽は生きることの否定であり、それは意思を撃ち出すことの放棄であって、「自由からの逃走」以外の何物でもない。実体に繋がらない想像力は創造力を否定するだけの妄想であって、人間がその意思によって未来を決めるという生の本質的強さを否定している。アーツとは人間が生きることを突き詰めることによって生まれるものであるが、文化相対主義によって、人間活動と現実逃避の峻別を破壊してはならない。世界と関わることを嫌うオタク達は、芸術家から最も遠いだけの存在でしかないのだ。

　陶酔的な民族主義によって公平性を失うことは、人間の高貴さを全て失うことでしかない。美意識の否定によって他者から好かれ、平等を盲信して知性を捨てることで幸せになれたとしても、満足なアイヒマンよりは不満足なソクラテスの方が幾分かはマシだ。「認知への意思」を放棄してロマン主義に走ることは、理想主義を否定して自らを哀れなものにするだけでしかない。事実は権威主義者には直視できないほどに不快であるかも知れないが、哲学者はその中に一定以上に愉快な部分を発見出来る。そして、史実を指摘しないことは不実そのものであるだろう。

　誰が何と言おうとも、畜生道が自己陶酔することは、人間が美と理念を追求することとは完全に別のことだ。我々は、「未知の地」を目指すヴァイキングや「無知の知」を説くギリシャ人であるべきであって、「ナチの血」に固執するゲルマン民族主義者であってはならない。己は悪くないと信じ込んで反省を放棄することすらも、プロテスタントへの信仰は簡単に正当化してしまうが、斯様な心性では同じ過ちを繰り返し続けるだけだろうし、それこそが野蛮というものである。己の意見や認識を猜疑・検証する「無知の知」は観察の原動力であって、「未知の地」を探求する向学心であり、「もののあはれ」を重んじる「やまとこころ」と同じものだ。そして、「あらみたま」を捨てないことこそが、日本人の証であると言えるだろう。

現代の歴史学では、ナチスの時代のドイツを指して、「政治の野蛮化」と呼ぶことがある。「アウシュヴィッツ以後、詩を書くことは野蛮である」とはテオドール・アドルノの言葉だ。「詩を書くことと」はドイツの詩であることは説明不要だろうが、長きに渡る世界史を鑑みるに「アウシュヴィッツ以前から、詩を書くことは野蛮であった」と言うべきだろう。己の思い込みを信じるだけで何をも知ろうとしないことほどに、野蛮なことは存在しない。

道徳の本性　「自由・平等・博愛」を否定する「銃・暴動・迫害」

道徳とは呼ばれるものが理念と対立していることはとにかく多いものだ。理念とは人間の自由を目指す「個の意識」である。だが、道徳とは己の精神に対する自発的抑圧であり、権威の支配を正当化するための「我の封印」であって、人間を抑圧するための不自由である場合が大半だろう。

現代社会で大部分の道徳と呼ばれている心理は、権威への迎合を意味する卑屈さでしかない。道徳的精神とは、公平性を破壊して権威にとって都合がいいことだけを求める心性であることが殆どだ。

道徳とは、権威が規定する外発的な心理であって、権威への癒着と迎合を意味するものであり、不寛容な権威的圧力に屈した状態を示す言葉である。道徳という同調圧力による煽動は、人間の精神の権威主義化させて、その結果として社会の全体主義化を起こす。道徳とは、道徳以外を許さず、人間の精神が権威の規定から外れることを容赦しない拘束であって、観察と思考を否定して何故を問うことを禁止するだけの心理的制約でしかない。

ところで、読者の皆様はハビトゥスという言葉をご存じだろうか？　これは、フランス人の社会学者のピエール・ブルデューが発見した現象である。

このハビトゥスが示す現象を大雑把に説明しよう。人間の選択は自分の脳だけで判断しているわけでもなく、かといって人間の判断は生活習慣や環境要因や社会規則と言った環境要因に従っているだけでもない。環境に沿う・若しくは沿わされるうちに、環境自体を追認するようになり、環境に合わせた思考を内律的に持つようになってしまうというのが、ハビトゥスという心理的性質だ。

ハビトゥスは、「パブロフの犬」のような条件反射の無意識への刷り込みではなく、意識下へにも刷り込まれる習慣である。宗教権威が説いている道徳と呼ばれる思考は、まさにハビトゥスそのものなのだ。

宗教権威は教義の刷り込みや戒律の強制によって、道徳と呼ばれる心性を人工的に形成している。「精神を自由にしてはならず、与えられた枠の範囲でしか考えてはならない」という洗脳が、道徳の本質であることは言うまでもない。道徳とは、自由にならないことと自由にさせないことへの信仰であって、「自由からの逃走」それそのものだろう。斯様なる自由の自発的な放棄とは、何をも求めないことと同義であって、それ故に禁欲による我慢こそが最大の道徳であると言うわけだ。願いも望みも否定した人間は、妄想に逃げて何もしなくなるというのが、中身のないアニメに取り憑かれたオタクの存在から導き出せる帰結だろう。

大体の宗教道徳は、「どうすれば神の御心やら権威の意に適うのか」を考えるものであって、「親に許しを求める」心理であると言っていい。これは、社会に必要な公共判断を己で行うことではなくて、単に権威を喜ばせるための忖度でしかない。こうした心性は、権威に対する自発的隷属以外の何物でもなかろう。

儒教の道徳とは、意味も機能もない余計で無駄なことのみを考えることを強制するものだ。観念的な形式に拘る人間だけを評価することで、主体的な思考を持った人間を抹殺し、それによって権威が社会を支配している。このように洗脳に屈服した人間は、道徳的無能とでも呼べばいい。宗教による強制とは関係なく、自らの自由意思によって公共判断を選ぶのが近代人の在り方だろう。

道徳とは、人間の能動的な思考を破壊するものであって、人間的な向学心や敢闘精神を否定する権威主義であるが故に、人間的意思や人間的感情を失って、動物的快楽欲求だけに動かされる畜生道を社会に増やす。自分で思考するための哲学は、いつの時代であっても不謹慎だの反道徳だのとして権威から弾圧されてきた。自分で何も決めず何も制御せず、ただ戒律や教義を妄信し、権威に忖度することが道徳というものだろう。「思いやり」という言葉の殆どは権威への忖度を意味する言葉でしかないが、これこそが道徳の本性であると考えて問題はない。道徳とは、社会契約を否定して宗教権威が社会を独占支配することを批判させないためのものであって、公益を考える功利主義と実体的な合理主義を否定し、観念だけの論理性に従属させる洗脳に過ぎない。それが故に、道徳とは宗教権威を擁護して公共権力を非難するものにしか成り得ないのだ。

仮に、道徳によって公共判断を行うべしとされようとも、それは人間とその社会のためではない。あくまでも、道徳とは権威に気に入られ、宗教に許されることを目的とするものであって、権威が人間と社会の生殺与奪を握ることに賛成することである。

そもそも、儒教にしても勤労カルヴィニズムにしても、その宗教の最大の目的は権威による社会の支配の維持であると、教理において正直に白状している。そうであるが故に、これらの権威が説く道徳が権威に隷属する奴隷意思であることは必然である。道徳という心性は、美意識という自己規範とは完全に異なって、権威によって外発的に形成されるものに過ぎないのだ。

人間を規格することが出来れば、実は社会を規定することも簡単なことでしかない。道徳とは権威が規格する人間のマインドであって、イデオロギーとは権威が規定する社会システムである。そして、真の問題は人間の規格化そのもの以上に、権威に支配される人間という規格の在り方に存在しているわけだ。

　儒教や勤労カルヴィニズムには、規格以外を許さないという異端への不寛容が強く見られる。規格への批判を停止させ、規格を疑う能力を抹殺すれば、どんな不合理な規格であっても押し通すことが出来る。実体の全てが理不尽不合理な規格に嵌められて、流動性はなくなり、社会の能力は最低の状態で固定され、誰もが判断能力を喪失し、社会の全てが権威に支配された状態となるのだ。

　論語を読めばわかることだが、儒教における道徳やら権威的身分序列は中華圏内部においてのみ適用されるようではないらしい。異端を学んでも害悪であるやら、中華民族以外は中華様式を学んでも中華に劣ると、中華思想の華夷秩序そのもののような人種差別的な選民思想が多く書かれている。論語を見る限り、白人至上主義以外にも人種差別的な思想は世界にごまんと存在しているということが良く分かるものだ。

　こうした民族主義は一族だけを重んじて権威を優先し、身内だけしか絶対に信用せず、それ以外を否定するといった排他的な偏愛であって、公平を破壊する醜き立場論でしかない。閉鎖的な田舎でよく見られる情けない家門の見栄張りの延長が、自民族の優越の喧伝と考えればまことに分かりやすいものだ。自らの一族が全てで他は全て奴隷にすべきという価値観が究極的に拡大すれば、ナチスのような民族主義となることは明らかだろう。ナチズムという民族主義は、バイエルンのような閉鎖的な地方で起こったし、アメリカでもテキサスのような田舎において白人至上主義が跋扈している。彼等彼女等は、差異を認めた上で他者と付き合うこと自体を恐れるほどに、哀れで臆病で不正義なのだ。

　儒教の戒律や教義は一族主義的な偏愛に裏打ちされたものであるのだから、儒教の道徳が偏愛の心性となることもまた必然である。礼儀という戒律の意味は、「全てのものには序列あり」という教義であるが、教義に基づいた戒律を強制することを通して、身内やお上だけを愛する偏愛の道徳を刷り込むのが儒教という宗教である。身内や権威の上だけを愛する偏愛の道徳で成立する縁故社会は、「万人の万人に対する闘争」を無政府状態よりも激しく燃え上がらせる。公平も中立も存在せずに立場論だけで全てが決定されるのだから、権威とその集団が全てを占有支配することを目指して、常に争い続けることになるのだ。

　とはいえ、中華においてはこの闘争というものも怪しいものである。儒教が敵前逃亡の原因であると韓非子が「五蠹」で訴えていたことを考えれば、儒教社会は「万人の万人に対する闘争」というよりも「万人の万人に対する逃走」でしかなかったのかも知れない。日本人には信じ難いことであるが、国家ではなくて一族しか想定していない儒教においては、敵前逃亡による保身こそが親孝行の道徳とされているのだ。とはいえ、彼等には儒教的な虚飾への信仰があるのだから、戦っている振りだけは上手いことだろう。なんであれど、「万人の万人に対する逃走」においては、船が沈むような有事にはまず船長から逃げ出すことになる。儒教に支配された国では国内での社会契約すら成立しないのだから、ましてや国外との契約を期待することは何よりも愚かなことだ。

　結局のところ、道徳というものは親孝行か権威孝行の滅私奉公であり、「忠誠こそ我が名誉」というナチスの標語と同じものであって、アイヒマンの逃走精神そのものでしかない。一方で、理念というものは、社会契約であり、「格人に格人のものを」であって、ソクラテスの「知への愛」であるのだ。

　さて、先の章までに儒教の戒律と教義について述べたが、大体の宗教では戒律と教義と道徳の三要素を考慮すれば、その性格が明らかになる。戒律と教義と道徳とは、「妄信と従属と抑圧」そのものであって、これによって権威は人間関係を破壊して隷属関係を成立させている。

　儒教とは、礼儀作法という形式的虚飾の戒律、人間の間の序列という権威主義の教義、そして近視眼的な一族主義の偏愛の道徳によって成立している。これらを順守する人間は、些末なことだけを気にするも政治には無関心で、上に媚びへつらい下を弾圧し、個人利益と自己保身だけを重んじる性根卑しい小心者であるということは誰にでもわかる。
斯様な三要素をして、「自由・平等・博愛」とは対極的な「不自由・不平等・偏愛」と言って問題ない。この「不自由・不平等・偏愛」は、「束縛・独善・逆恨み」か「不寛容・人治主義・排他性」と言い換えても何ら問題はないが、これは公共への無関心であって、「漢意」そのものである。「不自由・不平等・偏愛」は、権威への極大的な妄信であって、他者を絶対に信用しないという観念であり、個人利益と保身以外を一切において目的にしていないのだから、他者から奪うこと以外を一切において否定している。儒教とは、権威主義による脅しと形式主義的による騙しの組み合わせであって、これは嘘への信仰に過ぎない。

余談だが、ブルデューは、人間の社会階級は収入だけではなくて文化によって決定されると訴え、フランスは見えざる階級社会であるという説を唱えていた。ブルデューは、フランスを「自由・不平等・博愛」の国だと考えていたようで、フランス革命のスローガンは嘘ではないにしても本当であるかは相当に怪しい。

鎗崎は「自由・平等・博愛」よりも、「気概・公平・理知」の方が社会に必要だと考えている。何故ならば、文化相対主義的な平等を用いれば、「自由・平等・博愛」と「不自由・不平等・偏愛」を平等とすることが可能だからだ。平等と公平を峻別することが出来ないならば、全ては嫉妬による足の引っ張り合いに帰結して、人間社会が滅ぶだけであろう。

平等によって公平を否定することなど容易いことであるが、それは正義を社会から放逐するだけのことを意味している。公平の否定とは、実体に基づいた判断の否定であって、つまりは恣意性に基づいた暴力を跋扈させるだけでしかない。公平性を持たない者は、反知性の暴徒が高貴な義者と同じように扱われる平等を求めるだけであって、信賞必罰を破壊して公共の福祉を破壊するだけなのだ。

実は、ルターの唱えた「排除の論理」も、カルヴァンが唱えた選民思想も、儒教の偏愛と同じ性質を持ったものである。奴隷意思論と運命予定説の勤労カルヴィニズムは、「不自由・不平等・偏愛」という分断以外の何物でもない。それが故に、アメリカの白人至上主義のＫＫＫやドイツのナチズムなどの勤労カルヴィニズムは、「白い儒教」と呼んでも何ら問題がない。世界史を考えれば、勤労カルヴィニズムの道徳は「私有・暴動・迫害」と言い換えることも出来るだろう。「自由・平等・博愛」を否定する彼等の最大の問題は、金儲け以外を目指していないこと以上に、富の独占を目指しているということなのだ。

勤労カルヴィニズムとは世俗的な公共利益の否定であって、営利によって蓄財を目指すだけの信仰である。信仰心という名前の権威主義と個人利益主義は、他者を守り国家を繁栄させ社会正義を成立させるための公共心とは完全に別のものでしかない。公共財産を増やすことには興味がなくとも私有財産を増やすことに熱心な彼等彼女等は、創造的なプラスサムゲームとは無縁である。とはいえ、「ゼロサムゲームを行うことすら出来ずに、思考停止して他者を攻撃し続けて破壊のための破壊というマイナスサムゲームを繰り返している」というのが彼等彼女等の実情だろう。斯様な野蛮は、創造のための破壊から最も遠いものでしかない。

儒教や勤労カルヴィニズムは、人間に公平性の破壊を刷り込むことで権威の支配に対して無抵抗にさせる洗脳であって、つまりこれは英雄性の破壊である。彼等は社会を支配するために、人間から公共性を取り除き、個人利益主義を信仰させ、統治能力を完全に否定する。市場原理主義においては、国力の蓄積や人類への遺産の創造が否定されて私有財産のみが積み上げられることになるが、生産能力も科学技術も実体情報の共有や共同体の協働によって成立していることを忘れてはならない。

儒教や勤労カルヴィニズムといった弱い者虐めへの信仰には、公共判断が一切において存在していないのだから、人間関係を破壊して不寛容な社会以外を作ることは何も出来ない。理念も助け合いもまるでなく、ただ奴隷制度と権威主義支配と拝金教だけを肯定し、選民思想的な民族主義に走るだけのものが儒教と勤労カルヴィニズムであって、これらは実は全く同じ宗教である。科学技術にも政治哲学にも関心を持たず、ただ蓄財と動物的快楽を追求する市場原理主義とは、これらの宗教が変化しただけのものに過ぎない。これらの宗教は奴隷制を信仰しているのだから、市場原理主義は奴隷制経済を造ることしか出来ないのだ。

プロテスタントでは自己責任という言葉を信仰と絡めて使うことが多いが、これも公共政治を放棄するミーイズムに裏打ちされた道徳的思考である。この言葉は、「裕福になれる自らは宗教的に肯定される選民であって他者がそうなれないのは神が決めたことである」という運命予定説の言い換えでしかない。

自己責任という言葉を好んだサッチャー首相も非英国国教会のプロテスタント教徒であったが、彼女は経済に道徳を訴えていた。現代社会に見られる「誰の助けも借りてはならない」という信仰は徹底的にプロテスタント的なものであり、カトリックでは人間が一人で生きていくことを禁止している部分がある。

国家の中で最強の実体有形力である政府が道徳観念を唱えるなら、「政治家は社会を変えることへの責任を負うつもりはない」という意思表明であって、それは社会を有形力によって統治する政治権力の本質を弁えない平和主義でしかない。実体的な問題を道徳や御涙頂戴に訴えて忘却させる扇動術は、あらゆる宗教が愛する手口である。我慢への信仰や同情の御涙頂戴は実体を無視させるアヘンとして有効であるのかも知れないが、他人の問題を個人的に消費する姿勢は感動ポルノなどと呼ばれて昨今では批判されているものだ。

万事において一人だけで行うことは絶対的なまでの不利が付くのだから、自己責任論とは究極の無力主義であることは間違いがない。政府による自己責任論の強要とは、空襲の火をバケツリレーで消化することか、若しくは賽の河原の石積と同じだけに不毛なことであると言えよう。自己責任論というキレイゴトを唱える者の中には自己陶酔することが目的の者も多いが、彼等彼女等には公共性というものが一切において存在しない。他者に何も任せないことは単なる人間不信だろうが、道徳を布教するのではなくてシステムをより発展させることで公共の福祉が達成される。政府権力による効率的な問題解決を国民が考え抜くことこそが、民主主義社会における究極の自助努力であることを我々は自覚しなければならない。システムをどう動かすべきかを問い、そのために自らはどう動くべきかを考えることが、人間の政治能力というものだ。

実体構造を動かすことではなくて、単に苦しむことと無駄に働くことを信仰する我慢強い奴隷がいるが故に、権威による人間支配が永久なるものとなる。必要なものは自己犠牲よりも問題解決であって、これが認識されないが故に自己犠牲が裏返った自己責任論が登場する。人間と社会を救うのは観念論ではなくて的確な有形力の行使であるという事実を無視するならば、政治を否定して宗教に縋るだけのことでしかなく、自己犠牲というものも単に誰をも守らない意味になるだろう。「無力と平等と権威主義」では社会を崩壊させるのだから人間を救うことは不可能で、「権力と公平と科学技術」こそが社会を成立させて人間を救うものだ。権威が何を訴えようとも、己を守り他者を守る問題解決が人間理念であって、社会権力の本質である。

国民に創意工夫を訴える政府自身に創意工夫がまるでない現状は、「足らぬ足らぬは工夫が足らぬ」という戦中のスローガンを体現する最悪の形の戦中回帰なのだ。科学的探究と技術的開発を知らずに文明の利器の恩恵だけを受け取ろうとする知的怠惰こそが、リソースをどう活用すべきかを理解できない堕落した政府を創り上げた。「武士は食わねど高楊枝」という文句は江戸時代的な儒教の妄想そのものでしかなく、「腹が減っては戦は出来ぬ」という本来の日本のリアリズムを取り戻さなければならない。

有形力をどう制御するかを考えることが政治の本質である。それを否定する儒教の文治主義は、権威の無責任と権威による社会の所有を正当化する最悪の支配であって、これは勤労カルヴィニズムの自己責任とも徹底的に類似したものだ。宗教は洗脳が効く人間相手にはこの上なく万能な支配力を発揮するが、それが効かない物理現象や社会問題には一切において無力そのものでしかない。

サッチャーという「女カルヴァン」は、南アフリカのアパルトヘイトに抗議すべきというエリザベス女王の提案を拒否したことがある。彼女の実績を考えると、ロバート・オーウェンの「空想的社会主義」よりもジョージ・オーウェルの「空想的全体主義」の方が彼女の精神に近いものであったのかも知れない。オーウェンの社会主義は空想的というほどではなかったが、彼の公平さはイギリスの貴族的精神の顕れであった。

だが、サッチャーの「プロテスタンティズムの倫理と資本主義への信仰」は、ルターやカルヴァンのような神官の空想でしかない。権威主義者達は自己が救われることだけを考えていて、他者を救うことを考えていないが、自己決定権の放棄への信仰である奴隷意思論と人間は人間を救えないという運命予定説が、斯様な自己責任論を倒錯的に創り出したわけだ。ビスマルクの政策こそが現実的社会主義と評するべきものであるが、ロマン主義者のヒトラーは極大的な被害妄想を抱いていたのだから、彼の政策は「空想的社会主義」というよりも「妄想的社会主義」と呼ぶべきだろう。

現代日本においては、社会が貧しくなるだけではなく助け合いが無くなったが故に、己が儲けることと現実逃避のための妄想しか考えない者が増え続け、結果として人間関係が営利化した。飢えた百人の敵を放置しておけばこちらに襲い掛かってくるだろうが、そこに十人分のパンを投げて内乱を誘発させることが、権威の手口というものだ。民衆が煽動されてお互いに叩き合いを始める姿を見ることは権威にとっては愉快なことなのかも知れないが、国家にとっては究極の不幸そのものであろう。

サッチャーには、「社会というものはない。あるのは個人としての男と女と家族だけだ」という発言も存在する。存外に彼女は儒教的な一族主義を信仰していたのかも知れないが、イギリス的な精神と無縁であったことは確かだ。個人利益主義者達は、社会を守る機能も社会を変える意思も社会を考える知恵も持っていないが、人間を支配することと社会を壊すことだけは得意としているということは覚えておいた方がいい。

自己責任論とは市場原理主義の根幹であるが、市場原理主義における「神の見えざる手」という人間による制御の否定は政治の否定であって、それは問題解決の否定であり野放図への狂信でしかない。これは公共の福祉に反し、民主主義に対する侮蔑であって、己で世界を変えることの否定であり、問題解決を行わないことへの信仰そのものだ。「神の見えざる手」とは運命予定説の延長であるという話もあるが、勤労カルヴィニズムの自己責任論では経済的な自立が唱えられようとも、宗教権威への精神的な依存はどこまでも強まるという皮肉が存在している。そもそも、運命予定説とは究極の他力本願であるのだから、本質的には彼等が責任意識など持っているはずがなく、現代の政治家の無責任さは斯様な宗教から生まれたわけだ。

　実体公平性に基づいて自己責任論を唱える資格を持つ者は、アルコール中毒の父親と薬物中毒の母親に虐待して育てられ、遺産もなく他者からの支援もなしに、公共判断を重んじた上で合法的に成功した人間だけであろう。鎗崎は他者に多くを助けられたのだから、そのような人間ではないということを明記しておく。斯様な環境で成功できるほどに知的な人間は客観性を有しているが故に自己責任論を唱えることがあるはずもないが、困窮した他人の心情と境遇を理解しようとしない者には政治が務まるわけもない。

　自己責任とはトランプ前大統領のように他人のことを絶対に認めない人間が持つ観念であって、否定のための否定であり、自分を肯定するために他人を否定しなければ死んでしまう病気である。彼は単純に自己を認められず、実体を捉えられず、比較と権威主義でしか考えられないが故に、保身に取り憑かれるのだ。

　集団に迎合することを共感やら同情やらと呼ぶことがあったとしても、その共感と同情は他者のことを考える能力のことではなく、「群れ意識」による「我の消滅」であり、感傷による思考停止から生まれる「同化と権威主義」に過ぎない。観察し、判断して、意見を出し、議論し合うことを求めることもなく、ただ群れるだけのことを望む心性は、組織的協働からは程遠く、民主主義社会を徹底的に破壊する。とはいえ、政治による問題解決を求めさせずに自己責任を妄信させれば、権威の支配が安泰となることだけは確かだ。

　儒教や勤労カルヴィニズムにおける愛国心という言葉は、「不自由・不平等・偏愛」を意味する民族主義であって、国家権力の行使によって社会契約を成立させることを考える精神ではない。国民を貧乏に追い込むことで思考力を減らし、それに合わせて権威主義宗教を流布させれば、支持率を得ることも簡単なことだ。

　個々人が分断された社会は、最終的に全体主義に行き着くとハンナ・アーレントは述べていたが、アジア的専制もナチスも上命下服の中央集権の一党独裁であって、国民の個々人の双方向的な連携によって政治権力を創り出す国家主義とは最も遠い。斯様な社会をして、「虐めと政治と宗教の三位一体」とでも言うべきだろう。現在の政府の「増税すれども保障なし」といった態度は、無形の虐めと恣意的な暴力によって成立する学校社会を国家規模に拡大させただけのものに過ぎない。誰も学校内の法秩序にも問題解決にも関心を持たずに見て見ぬ振りを繰り返したが故に、的確な統治というものが社会から消滅してしまったわけだ。

　だが、我々の全ての者が国家の統治というものに関心を持つことが、民主主義の理念である。身の回りの不正と不法を無視することが積み重なれば、ナチスの支配が完成するだけなのだ。「自分だけ良ければそれでいい」と思う者が、「自分だけ良ければそれでいい」と思う部下を大量に集めて、「自分だけ良ければそれでいい」と思わない人間から搾取を繰り返す、斯様なナチスの社会を造ってはならない。

　他者への不信と観念的なヴァーチャリズムが実体生産力への無関心を生み出し、それが金への絶対的な信用という個人利益主義に具現化されたものが現代の拝金教だ。人間関係までもが金で売買されるようになり、それが恐ろしいまでに希薄化したが、これも金という権威に対する奴隷意思論の実現なのだろう。

　不況とそれを対処しない政府が悪いのではなくて、「自らが安定した企業に入れないのが悪い」やら「実体産業力に関わらないマネーゲームで儲けられないことが悪い」やらというのであらば、公共権力を否定しているだけでしかない。こうした思考は、権威主義によって公平性を完全に否定するという保身であるが、「万人の万人に対する闘争」が激化した最後にはそこら中が燃え上がり、水や安全どころか酸素さえも蓄財した金では買えなくなるという状態に帰結する。国家の公共財産である実体産業力が無ければ、私有財産の貨幣がどれだけあったとしても何も買うことは出来ない。

　だが、自らが救われることだけを考えていて他者を救うことは何も考えていないドイツは、この事実に気付いていないことだろう。彼等は金を蓄積することによって自らが選民であると証明したいだけで民主主義や社会的目的とは無縁であるが、これは現在のＥＵの惨状やウクライナ戦争を見ていれば明らかなことだ。

マルクスの階級闘争史観は他の世界では成立するものではないだろうが、人間的探究精神や統治者に必要な資質とは無縁なロマン主義者の世界では当然の認識であるのかも知れない。

他者と協力し合わないと死ぬということは、宗教的な題目であるというより必要性に基づいた事実である。責任転嫁によって他人を犠牲にし続けて保身することには美が伴わないという問題があるだけではなく、社会が崩壊して保身すらも出来るわけがないのだ。蓄財した財産を持ってアメリカに逃げようとも、白人でない貴方は迫害されるだけに終わる。アメリカの白人を妄信し、アメリカの白人であるかのように振舞うことを信仰しているのかも知れないが、貴方はどこまでも白人ではない。日本という国家について関心を持たない限り、最終的に貴方を含む日本の全員が困ることになるだけだ。

儒教であっても勤労カルヴィニズムであってもナチズムであっても、絶対的な唯心論と教典原理主義を備えていて、これらは徹底的に現実実体を規格化するイデオロギーであり、実体の多様性を否定して権威主義序列に置き換えるだけのものでしかない。これらの宗教権威は、人間を戒律で束縛することと、教義によって人間の観察する力を破壊することと、道徳によって人間の思考する力を抹殺することを求めている。だが言うまでもなく、これに反抗する者を殺害することにはそれ以上の関心を抱いている。

彼等は、思考停止して権威に服従して、前後不覚の夢遊病の内に労働する「意識弱い系」の人間以外を社会から消滅させることを望んでいる。公共に何かを残すことではなく自らが儲けられればいいという個人利益主義は、文明を残さずに破壊的収奪を繰り返すことしか出来ない。環境を破壊して公共が壊滅したとしても儲けられるならばそれで良しという信仰は、イースター島のモアイ産業と何ら変わるところがない。

収奪的経済によってイギリスの経済を後退させたのがサッチャーの政治的成果である。実体経済力の強化による国力の向上よりも観念的なイメージ操作による民衆の扇動が彼女の得意分野であった。彼女が指揮したフォークランド紛争においても、イギリスは艦艇を多数失うという醜態でしかなかった。

一方で、ロナルド・レーガン大統領は軍拡という公共事業で軍事企業へのバラマキを行ったため、サプライサイド経済学ではなくてポリシーミックス政策を取っていた。狙撃されても動じることが無かったロナルドは、前大統領のドナルドのような「弱いアメリカ」とは異なる「強いアメリカ」であったことは疑いようのない事実だろう。アメリカは双子の赤字を出したが、ソ連を倒すことが出来たし、現時点においても財政赤字が原因で国家が崩壊しているというわけでもないのだ。

アメリカが本気で自国の民主主義を守るつもりならば、世界の民主主義を守る必要があるし、それにはロナルドの覚悟と強い決断力が必要となる。だが、ドナルドに分かることは個人利益主義が限界であって、彼は政治的理念を提示することが出来ないのだから、権威主義的な専制支配と正義なき大衆への迎合によって人々を動かすことしか選択肢が無い。ロナルドの「強いアメリカ」とドナルドの「弱いアメリカ」を比較すれば、現代アメリカが如何に劣化したかは一目瞭然だ。

現代の日米の政党政治家達には国家の政治や経済を背負う意識などまるでなく、政策に無知でも政権に執着する彼等彼女等は、法を無視してでも政争に熱心である。権威に媚びを売って衆人の歓心を買うためにキレイゴトを繰り返す野蛮さの方が、事実に基づいた意見を訴える誠意よりも選挙においては役に立つだろう。道徳的心性が蔓延する限りにおいて、選挙という民主的な制度は奴隷主を求める信者達による人気投票に成り下がることは必然であって、ヒトラーは「大衆は自ら達の支配者を求めている」とまで述べていた。

国家威信を破壊するような失言であっても、それによって売名出来るならば、選挙においては有利となる。マニュフェストを軽視するソフィスト達は、ビスマルクの産業主義政策よりもヒトラーの民族主義的な煽動を参考にしている。肥大化妄想に裏打ちされた嘘によって有権者を騙す技術を政治に用いることは、ピラミッドを崇めるだけの神官の所業だ。

神官達は、人間の身体を支配することを通して人間の精神を支配することを求めている。マスゲームのピラミッドは肉体を硬直させることで精神を硬直させるための宗教儀式であるが、「非合理で非実体的な行動を強制することによって非合理で非実体的な認識と思考を造る」という教義と道徳と戒律の関係が成立していることは説明不要だろう。この洗脳の構造を、フランスの哲学者のフーコーは「従順な身体」と呼んでいた。「権威主義・平和主義・ロマン主義」という破滅のトライアングルは、国家公共における理想主義と民主主義を滅ぼすことしか出来ない。

己で何も言わず何もせずに迎合するためだけに生きている畜生道は、保身と虚飾以外をまるで求めていないが、往々にして彼等は平和主義者と呼ばれている。平和主義者は権威に対して奴隷的に屈服する善を好むのだから、彼等を屈服させる賊徒を、自由を重んじる哲学者よりも好んでいるわけだ。

人間から勇気と知性がなくなれば社会が平和になるのではなく、社会から言論の自由が消えて、全体主義に陥るだけでしかない。他者と理念と公共を守る高貴なる機能が欠如した平和主義者達は、全体主義をどこまでも愛していて、言論の自由や創意工夫といった文明的な理念を徹底的に逆恨みしている。平和主義によって文明人が暴力を捨てたならば、野蛮人が世界を支配するということを、我々は理解しなければならない。無謬無罪で居ることだけを望み、そうでなければ地獄に落ちるという強迫観念に取り憑かれた平和主義者達は、結果の在り方についてなどは完全にどうでもいいと考えていて、社会の公平性や実体的な他者を守る気など全く持っていないのだ。責任回避の追求しかしない彼等彼女等は、自己満足の追求や観念の強制、個人の保身や個人利益の蓄積が出来たとしても、近代民主主義に目覚めることは絶対に不可能である。

平和主義者にとっての平穏と平等とは、人間を不自由にすることを示す道徳であって、無力を意味する無抵抗主義である。宗教的マゾヒズムとロマン主義的ニヒリズムを信仰する彼等には、社会的理念を守ることは不愉快で仕方がなくとも、幸福を放棄して理不尽に耐えることは偽善的で倒錯的な快楽であるのだろう。死後の世界以外には無関心で、自らの観念的な潔白以外を何も望まず、恣意的に決めたルールを押し付けるために公益を破壊することに専心し、正義の無力化を追求するのが平和主義者の実態である。善で居なければ不必要に他者を傷つけるという認識は観念に過ぎず、善で居れば公共を守ることが出来ないのが事実だ。

儒教が蔓延すれば、「全てのものには序列あり」といった教義の「観念の拡大再生産」が起こる。それによって、自らで何も考えず、世界の実体を何も認識せず、ただ権威の下に集って踊り、群集心理によって気を大きくする権威主義者達によって、文明が破壊されることになる。魯迅は『阿Q正伝』で事実に関心が払われず、権威と多数への迎合が重んじられ、見栄なりメンツなり表層を取り繕うことのみを求める衆愚の精神を徹底的に糾弾した。この精神は上なり大なり権威なりに阿ることを信仰する事大主義と呼ばれるものであるが、儒教や勤労カルヴィニズムではこれこそが理想とされる道徳なのだ。

そうした事大主義の社会においては、エネルギーは序列をつけることにだけ費やされ、会議というのも揚げ足取りの論破合戦か責任の押し付け合いにしかならない。あらゆることの判断基準は身分の上下だけになるのだから、誰もが現実に対して興味を失い、互いのメンツを競い合うだけでなんら団結は起こり得ない。

儒教や勤労カルヴィニズムとは異なってカトリックは平等と博愛については一定に備えている可能性はあって、権威主義的であっても儒教や勤労カルヴィニズムほどの毒性を持ってはいない。儒教と勤労カルヴィニズムは例外的に奴隷制を肯定する教義を持つが、基本的に大体の宗教は、奴隷制を否定する性質を持っている。博愛を唱えているカトリックでは、労働者を保護する運動も一定に存在していた。

そして、付け加えておくが「自由・不平等・偏愛」という社会は存在し得ない。何故ならば、そのような公共判断に反するものは自由であるとは言えないからだ。そうした状態であっても自由が存在しているならば、法的な不平等や人種差別の偏愛は遠からぬうちに修正されることになる。それが修正されないというのであらば、単に自由が存在していないということであって、「野放図・不平等・偏愛」に過ぎない。

現代のアメリカが、貧富の格差を圧縮できないのも、人種差別をやめられないのも、勤労カルヴィニズムが原因である。トランプ前大統領を視る限りは、アメリカが非白人国家の日本との契約を破ったとしても何ら不思議なことはない。アフガニスタン人にもクルド人にもアメリカは安全な生活を提供していないのだ。アメリカは世界に民主主義を広めることなどまるで出来ていないのだから、日本の民主主義はアメリカが持ち込んだものであるはずがない。日本人がアメリカンドリームや勤労カルヴィニズムを懐疑し得るならば、日本人が白人至上主義と市場原理主義を否定出来る現時点の情勢ならば、まだ日本はアメリカに征服されているという状態でもないのだ。といっても、我々に必要なことは単に彼等彼女等を恨むようなことではなくて、彼等彼女等のように醜くならないためには何が出来るかを考え抜くことであると鎗崎は確信している。そしてそれは、公平性を求めずに個人利益を追求することを、宗教的な権威主義によって正当化せず、「無知の知」という自らを顧みる勇気を持つことであるだろう。

アメリカや中華、そしてナチスとは「不自由・不平等・偏愛」という宗教教義をイデオロギーにして構築しただけの社会である。現代のドイツであっても、大きな変化があったわけではないのだ。

一方で、大日本帝国はアジア主義的な儒教思想を内包していても、政教分離と人種の平等を備えており、アメリカやナチスというプロテスタント型の構造とは異なった体制であった。大英帝国においても経済格差の解消を求める運動があって、「不自由・不平等・偏愛」が完全に成立しているというわけでもなかった。

世界史において、ローマなどの強力な軍隊を持つ国は国民への福祉政策や一定の政治的権利の平等が確保される場合が多く、徴兵と参政権は常に一体であった。このことは、権威主義に基づいた身分制度が前提であれば、強い軍隊を保有することは不可能であるということを示している。福祉政策とは単なる慈善業ではなく、歴史的には国力を増大化させる機能を目的として行われてきたものであった。人類史においては、国家主義と民主主義とは単なるキレイゴトの観念論ではなく、この組み合わせは生存のための機能美である。そしてそれは、民族主義と権威主義の組み合わせであるナチズムとは徹底的に対極的なものであった。

日本でも、徳川幕府の軍隊が草莽崛起の奇兵隊に対して惨敗した。日清・日露の両戦争であっても、国民国家を志向した日本は、専制権威主義の大国を打ち破った。十六世紀のスウェーデンの身分制解体は国民国家を目指すものであったし、十七世紀からのプロイセン王国の徴兵制も国民国家の基盤となった。

プロイセンにおいては、徴兵制によって国民が国家に統合されたと言われているが、プロイセンは、合計十倍以上の人口を持つフランス・オーストリア・ロシアの連合国との戦争に勝ち抜くことに成功する。そして、そうした国民軍が完成したのはナポレオン時代のフランス大陸軍であって、これは「自由・平等・博愛」というフランス革命の理念とも関わりが強いものだ。プロイセンの辞書には中世という文字が無く、フランスの辞書には不可能という文字が無いのかも知れないが、ドイツの辞書には国家という近代的リアリズムが存在しない。そして、アメリカの辞書に存在する項目は、「銃・暴動・迫害」の三つであって、この野蛮極まる道徳はどんな馬鹿にでも簡単にわかるという点において傑出していると言えるだろう。

公平性の破壊とは人を束ね国家を率いる源への攻撃であって、文明を守るためには正義を守る必要がある。個人利益や己の快不快以外のことを考える精神が公共心であって、社会を創る力の欠如から生まれるものが「万人の万人に対する闘争」の競争社会であり、斯様な分断の正当化がアメリカンドリームである。公共性を持たない者が個人利益競争に有利であるのは事実であるが、彼や彼女は自ら以外を守る力を持っていないし、それ故に国家そのものを破壊する。この問題を解決するには、公共性と個人利益を相関させるシステムを造り、監視と記録を徹底する必要があるが、現代においては信賞必罰がまるで機能していない。

競争社会においては、妨害によって他者を失敗させ、敵対的交渉によって奪い取り、他者を身代わりに使って保身することが、最も効率の良い手段である。己の利益以外を何も考えられず、他者を守る力を持たない分断された個々人には、協働を基にして社会を成立させることが不可能だ。アメリカの差別の問題は日本の虐めと同じような問題であって、保身や個人利益の追求のために特定の者を不当に扱うことが常態化し、そして常識化し、道徳化してしまったのだろう。

権威主義によって人間的公平性を潰す社会的不正義は、社会を停滞させるか「万人の万人に対する闘争」しか生みださない。何故、戒律や教義が存在するか？　戒律や教義が順守された結果としてどのような実体結果が生まれるか？　この前後関係を考えないことこそが道徳と呼ばれているものの正体である。宗教権威が唱える道徳とは、保身と隷属と差別を尊び、実体を恨み、他者を僻み、権威を崇めるだけの堕落でしかない。硬直した形式主義が戒律であって、実体を無視するネガティブな先入観が教義であり、そして権威への奴隷的服従、つまりは人間の自由意思の放棄が道徳と呼ばれていたのが人類の歴史であった。

全体主義社会の醜さとそれと戦う「あらみたま」　「やまとこころ」による未来のために

　己を権威に支配させることが道徳の本質であるが、宗教権威による道徳の刷り込みの中で最も有名なものは中世のものではない。ハビトゥスを提唱した社会学者ブルデューの出身国のすぐ隣の、ライン川を挟んだ東の土地の一九三〇年台における洗脳教育は何よりも苛烈なことで有名だ。斯様な教育を生み出す伝統こそが全体主義の温床であり、現代に生きる我々はこれを絶対に破壊しなければならない。ここから先には激しい批判が続くが、ナチズムに対する批判としては公平なものであるし、今の鎗崎には己の激情を隠すことを選択する意思は一切に存在しない。ナチスという不正義に対しては我々はどれだけ非難をしても足りることがないが、ここから先の批判を読んで心に痛みを覚えた読者の方々は、当時のユダヤ人がどのような痛みを味わったかについて、一定には理解出来るようになっていることだろう。

　ナチスは子供達を幼少期からナチスが規定した作り物の観念世界で生きることを余儀なくさせるために、ヒトラー・ユーゲントに強制入隊させていた。子供達はナチスによって生活の全てが規定されてしまう一種の宗教原理主義的な閉鎖空間の中で生活することになる。

「空気に従わされる」という言葉もあるが、この閉鎖空間はナチスの空気で満たされた「ガス室」であって、息が出来ないほどに強烈な圧力が個々人の肉体と精神に掛けられることになる。こんな状態であったとしても、権威への服従を正当化するために、大体の子供は権威を正しいと妄信してしまうのだ。

　このガス室の中では、ナチスの戒律の通りに行動し、ナチスの教義を追認させること以外は全てが許されない。戒律に抗議したり、教義に疑問を持ったりしたならば大怪我をするどころでは済まなかった。抵抗や疑問に思う力を獲得し、その結果として大人になるといった機会は絶望的なまでに存在していない。敗戦後にすら「ナチスは正しかった」と発言するドイツ人が存在しているのは、思考能力や現実認知能力を破壊するための洗脳が幼少期の彼等に徹底的なまでに施されたからだろう。

　ガス室の中では、観念の幻覚を見せる独ガスが脳細胞を変質させて、人間の愚かさと虚弱さをこの上なく深化させてしまう。現実を観察するよりも権威の言うことを無警戒に信じること、判断を停止して全てを権威に服従すること、機能美の放棄が徹底的に強制されることによって、脳という量子思考回路が丸写ししか出来ない粘土板へと劣化していく。ナチスは禁煙政策に拘っていたが、それはタバコの煙に含まれている幾許かの自由が、ナチズムという独ガスを中和する可能性を危惧していたのかも知れない。

　このナチスのガス室の中には、禁煙やら自然保護やら菜食主義など一見すれば是に見えるキレイゴトが溢れていて、不寛容な健康主義のサラダがこれでもかというほどの高さに盛り付けられている。ヒトラーは自然保護活動家である以上に白人至上主義者であったので、彼の観念的な性格を考えれば、サラダに使うアスパラガスはグリーンアスパラガスよりもホワイトアスパラガスを好んだはずだ。

　ヒトラーは、「ユダヤ人が貧富の格差を造り出している」などと述べ、ユダヤ教徒というよりも人種的なユダヤ人を弾圧の対象にしていたが、ゲルマン民族の富豪にはどこまでも甘かった。このゲルマン民族主義者は、プロイセン貴族についても徹底的に攻撃していたのだから、プロイセン貴族とはゲルマン民族の対義語であるのかも知れない。彼の直属の部下であったナチス親衛隊についてはゲルマン民賊とでも呼ぶべきだろうが、斯様な賊徒は貴族でもなければ義賊であるはずもない。日本の戦中の「鬼畜米英」という標語は米英を一体視していた点において愚かであったが、ナチス親衛隊のような「家畜独兵」はそれ以上に愚かな存在である。ナチスドイツには人狼団という組織も存在したが、斯様な畜生道は野犬というよりも飼い犬であると評するべきである。しかし、狂犬病に罹患していたことだけは確かなことだろう。

陰湿な彼等は自ら以外を認められず、他人が称賛されるということが精神的に耐えられなかったが故に自らと異なる者を排除しなければ気が済まなかったのかも知れない。とはいえ、人間社会は異なる存在が一つの結果のために協力するが故に機能するものであって、集団を同じ存在に統一して纏め上げるならば全てが停滞するだけだ。自然主義も勤労カルヴィニズムもナチズムも、己の意思で結果を動かすことではなく、単なる権威への同化願望の発露に過ぎない。自らの「個の意識」に自己自認を持てず、所属する民族に自己承認やら誇りやらを持つというのは大変に情けないことだ。

ヒトラーが何と言おうとも、こうした軟弱さは「個の意識」を尊ぶヴァイキングやローマ人の価値観とは最も遠い。ナチスには文明の継承という人間的な要素が欠如しているが故に、人種という生物学を偽装した観念を造り上げ、そうした動物的要素を徹底的に信仰することにしたのだろう。動物的本能に人間の意思を完全に破壊され、機能よりも形態を重んじていたナチスの畜生道は、人間と交配出来るだけのド汚物でしかなかったのだから、彼等が動物愛護に熱心なことも必然であったのだろうか？

今日においても、ドイツは人間理念よりも自然主権を選択し、向学心よりも野蛮を信仰しているように見える。これは、災害の化身であるヤマタノオロチを殺し、自然を調伏させて国を造り出す、日本人の統治者意識の対極だ。主役は人間であり共同体であり国家であるのが日本的な価値観であるが、ドイツでは自然と権威こそが人間の所有者であり、それ故に人間は自然に融合すべきとでも考えられているのかも知れない。己の運命を己で斬り拓くのではなくて、自然という権威に委ねようとする心性は、野蛮そのものでしかない。ルネサンスの人間主義を否定する斯様な自然主義をして、「非人間主義」とでも呼ぶべきだろう。こうした何も制御しないことへの信仰は、野放図への信仰が裏返っただけの硬直性であることは説明不要だ。

現代ヨーロッパでも科学技術を否定するイデオロギーは流行していて、その妄念を広めることによって世界を動かすことが出来ると考える者まで存在するが、それでは選挙に勝てたとしても社会が破滅する結末を迎えるだけだ。自然主義者が農業や牧畜を非難して、それによって食糧生産が不足するという惨状をも招いている。現代農業を支える化学肥料の量産プロセスを造ったのは、フリッツ・ハーバーというユダヤ人であったが、非科学的な農業を狂信していたヒトラーならば「ユダヤ人の科学技術者達が迫害されたのは、ドイツの自然に背くという罪によるものであった」とでも言うのだろう。環境保護にも科学技術が必要なものだが、その程度もわからないナチスが戦争という環境破壊を選択することは必然であった。

おそらく、ヒトラーはユダヤ人を抹殺すること以上に、ユダヤ人を抹殺することを通して人間の判断能力や科学的合理性を根絶させ、それによって洗脳支配を安定化させることに拘っていたのだ。ナチスが科学技術を持っていなかったわけではないが、判断能力や科学的合理性とは無縁であったことは完全に事実である。キレイゴトやロマン主義を愛する反文明主義のゲルマン民族とは対照的に、ユダヤ人は結果に対する執念と科学的合理性を持っていて、一所懸命な爆発力を発揮出来ることもまた事実だ。

人間の文明を破壊する野蛮人であったという点に関しては、ヒトラーもポルポトも完全に同じだ。工学の放棄とは人為性の放棄でしかなく、世界には人間が作為創造しなければ成立しないことも多々あるという事実を見逃している。不公平と恣意性と非合理を信仰するならば理性も感性も破壊されて、機能美のない暴力を無駄に繰り返すだけだろう。政治哲学も科学技術も否定する観念論は醜い妄想に過ぎず、創造と破壊を制御する意思から最も遠いものでしかない。

自然保護を訴える宗教団体が中世的なカルト村を作ることはしばしば見られるが、アメリカの建国もそうした要素が強かった。ナチスもそのようなカルトの一派であるが、その狂信性は他と比べても傑出していた。実は、現代のアメリカのカルト村はドイツ系アメリカ人によって形成されていることが多く、彼等はヨーロッパでは失われた古いドイツ語を未だに使用している。彼等は、本質的に科学技術を使わないことを追求する集団であって、宗教権威を妄信して全面的に服従しない者を悪魔扱いしている。また、そうした村落の内部では、法律が守られないことも重大な社会問題ともなっている。斯様な有様がまさに「永続中世論」というものだろうが、日本の元財務大臣やその周りの省庁も出世すること以外は何も出来ないのだから、これと似たような儒教村に過ぎない。

知的好奇心を持たずに権威に従順であることを尊ぶ社会は、『Village』という映画の村のように自閉すること以外は何も出来ない。彼等は、自らと異なる他者を拒絶しないことは世界最大の危険であると考えているのだろうが、何も視ずにただ恐れる臆病こそが究極の危険である。こうしたゲルマン的反知性は文明への恐れとしか言いようが無いが、彼等は未だにローマ的な自由を嫌悪しているのだろうか？

ナチスが支配する世界は巨大なガス室であって、ある部屋に入ればユダヤ人のように毒ガスによって殺されてしまうことになる。別の部屋に入ればヒトラーの好物のアスパラガスを食べることが出来るが、そこに充満している催眠ガスによって精神の自由が窒息することになる。もしも、この部屋で「ホワイトアスパラガスよりもグリーンアスパラガスを食べたい」などと自らの感情に率直なことを言おうものなら、たちまちに部屋を追い出されてもう一つの部屋で殺されることになる。ナチスの世界では自由は一切に存在せず、物理的に殺されるか精神的に殺されるかの二択しか存在していないのだから、ガス室に押し込まれて殺されたユダヤ人を他人事に考えて慮ることが出来ない者は、推察力が欠如した愚か者に過ぎない。そして、もしもガス室に押し込められて殺されることが避けられないのであれば、フランチェスカ・マンというユダヤ人の女性ダンサーのように勇敢に戦って死にたいと思うものだ。

人間を思考停止させて生かすことで全体主義支配を目指したナチスの規則は、法律という規律ではなくて信仰に基づいた戒律であった。実際にヒトラーは全権委任法によって憲法を停止させた上に、その後にも王権神授説的な宣伝を行っていた。憲法とは国家における指揮系統の適格性を担保するものであるが、構造を嫌って妄想を愛するロマン主義者のヒトラーは、指揮系統の重要性が理解出来なかったのだろう。

ユダヤ人の『ベニスの商人』には契約を重んじる意識が存在したが、ゲルマン民族の「ナチスの党員」には権威に従うこと以外が何もわからない。民族主義とは政治的首長という属人的権威に忠誠を尽くすべきという思想であるが、勤労カルヴィニズムの権威主義もこれとほぼ同じものだ。「権威である長老の言うことは絶対」という序列と同調の個人崇拝は、ヒトラーやトランプ前大統領が喜ぶ道徳であるのかも知れないが、中世的身分制度そのものであって、合議を壊して独裁を成立させることしか出来ない。

日本やイギリスの立憲君主制は、このような序列的社会とは全くの別物であることは言うまでもない。プロイセンの啓蒙専制君主も文明世界の王であって、ナチスの総統のような山奥の森のボス猿とは完全に異なった存在である。社会契約を重んじるプロイセン人と、麻薬中毒者のように自己を喪失して群れに同化するナチス親衛隊は、人種がどうあろうとも精神構造は完全に別物だ。

ヘロインという麻薬はアヘンを基に化学合成にして造られるものであって、ドイツのバイエル社が精製法を確立したものであり、これはアヘン以上の酩酊作用を有した強力な鎮静剤である。西ドイツのアーヘンは宗教都市として有名だが、「宗教はアヘン」という格言を考えれば「ナチズムはヘロイン」と呼ぶに相応しい。ドイツのバイエル社が生み出した薬物のヘロインはドイツロマン主義の酩酊に類似した薬物であるが、ドイツのバイエルンの山奥ではナチズムというヘロインが生まれた。

かのプラトンは、人間を閉じ込める誤解や迷信のことを「洞窟」に例えたが、観念的な煽動を行う宗教が「アヘン窟」を作り上げるものであるとすれば、ナチズムというヘロインは人間の世界を「ガス室」に変えるものだ。世の中には電子顕微鏡を使わないと視えないものも多いし、空間と時間の実存は三次元よりも高次元であるという科学的な仮説も存在している。だが、独ガスが充満した部屋の中では脳の認知機能が不全化し、目で視て明らかな実体すらも認識出来なくなってしまう。

快楽と自己陶酔だけを求める畜群には、ヘロインはまさに効果覿面なのだろう。自らが安穏とすることだけを求めて公共の結果を考えず、妄想的自己満足に生きることを追求し、文明を破壊する不正義への信仰に走る姿は、まさに覚醒を否定する酩酊の具現化だ。『ベニスの商人』には「ユダヤ人には目がないというのか」というシャイロックの名台詞があるが、ゲルマン民族には目が存在しても実体を認知しようとせず、臆病なアニメオタクのように観念妄想に浸り続けることを選んでいる。

ドイツ観念論には「実体の存在が証明できないが故に、実体とは妄想である」という屁理屈も存在するが、仮に実体が妄想であったとしても我々はそれに関わって生きる以外にはなく、それがアンガージュマンというものだ。「生きた哲学」を否定するために自閉的認識を積み重ねて論理構築することは、理性による知性の否定であって、単なる実存の拒絶に過ぎない。死後にのみ興味を持つ彼等彼女等は、ニーチェが言うように生に無関心なだけであって、結果への執念によって戦うことなど出来るわけもない。陰鬱な野蛮人は向上心を持った者を徹底的に恨んでいて、正義を滅ぼし文明を破滅させることを信仰しているというわけだ。

鎗崎はムッソリーニを肯定するわけではないが、ファシズムとナチズムは別物であるし、ヒトラーの演説にはムッソリーニの演説に見られる意気揚々が存在していない。ヒトラーの演説は反ユダヤ主義者のワーグナーに影響されたものだが、彼の「トリスタンとイゾルデ」などは「悲劇のヒロイン」願望から生まれた「悲劇のヘロイン」に過ぎない。精神的な弱さを無制限に許容する野蛮人は、不幸を背負うことを何よりも信仰しているが、斯様な本質的絶望は貴族の美意識にはどこまでも反している。被害妄想的で御涙頂戴の演説を好むヒトラーは、「悲劇のヒロイン」願望に取り憑かれていたのだろうが、「悲劇のヘロイン」よりは「喜劇のヒロポン」の方が絶対にマシだろう。なお、鎗崎は薬物の非合法な濫用に断固反対する立場である。

御涙頂戴という共感は、「憐れみ」という感傷によって扇動するだけの詐術であるが、観察や思考といった「人間本性」を否定するものであって、名誉や公平や政治的自由とは対極的なものだろう。己の快不快以外に判断機軸を持たないことは、野蛮以外の何物でもない。共感と呼ばれるものは主体的な感情を殺す受動的な感傷に過ぎず、本質的な軟弱性への信仰でしかない。ヒトラーが民主制選挙で選ばれた理由は、彼が劣っていることがゲルマン民族の共感を集める要因となったということなのだろうが、政治的無能の彼はその後に社会を破滅させることしか出来なかった。思い込みに流されるだけの人間は、社会構造を観察することもなく思考停止して破滅を選ぶことしか不可能であるということだ。感傷によって受動的に動くだけの野蛮は、自らの意思決定を何も持っていないだけのことであって、文明性の否定そのものだろう。

古代ギリシャ人は、観念的な思い込みのことをドクサと呼び、イデアとは厳然と峻別していたが、御涙頂戴というドクサを崇めるのは、哲学者を殺しイデアを隠そうとするロマン主義者だけだろう。近代に成立した元素周期表もギリシャのイデア論の延長であって、物体の本質、原子の性質と構造を明確にした科学的知見である。だが、文化相対主義は金の斧と銀の斧と鉄の斧が平等であると断定してしまうし、ドイツ観念論ならば金の斧と銀の斧と鉄の斧の差異を主観的認識から生まれた妄想であると訴えることだろう。これらのヴァーチャリズムは、イソップ物語と近代科学を同時に否定してしまうわけだ。

御涙頂戴とは人間の活力と思考力を殺すだけのものであって、結果に執着して一所懸命に戦う精神とは正反対のものであり、日本人が好む昂揚感からは程遠い。日本人が愛する「鷲のマークの大正製薬」はファイト一発で有名だが、ロマン主義者達の「鷲のマークの第三帝国」はヘイト連発そのものでしかなかった。日本の伝統はファイト一発の「あらみたま」の爆発力であって、それは絶対にヘロインの性質に類似したものではない。なお、鎗崎の叙述は歴史的文脈に基づいた批判的な風刺の連発であって、ナチズムに対する殺意であり、公平性の顕れであると加えておく。

「あらみたま」とは、実体に基づいた明るさと血を滾らせる猛々しい向上心であって、これはヘイト連発の「悲劇のヘロイン」願望とは対極的なものである。激情にただ呑まれることではなく、それを制御に繋ぐことで実存に己の決断を徹すアーツが、「やまとこころ」の本質だろう。ロマン主義的な夢遊と無力主義の酩酊の化合物、自己陶酔とヒステリーの合成ドラッグは、日本のヒストリーには存在していない。愚か者には実体を観察することよりもキレイゴトを妄信することの方が快楽であり、神官は騙しにしか興味がないが故に事実に無関心であるのだろうが、それらは文明性を否定するだけの野蛮性でしかあるまい。

ヒトラーとムッソリーニの比較から言えることは、ドイツロマン主義とはヘロインに浸るだけの現実逃避でしかなく、それは「来た、見た、勝った」というローマ的な陽気な実体感性からは最も遠いものである。ヒトラーが好んだワーグナーの音楽は、実体的な活力を生み出す「あらみたま」という美への愛ではなくて、妄想に逃げ込む情けない小市民精神であり、これはどこまでもオタク向けの受動的な麻薬であって、虚弱性への信仰そのものでしかない。

「たとえ溝の中でも前のめりに死ぬべし」とは、維新志士の坂本龍馬の精神である。これは、吉田松陰の「英雄的な狂気」と同じイデアを持つ心である。苦境にありながらも死ぬまで前進を志す日本の悲劇とは異なって、ワーグナーの悲劇は苦境に流される人間の弱さを描いただけのものに過ぎない。ナチズムというヘロインは徹底的に平凡たる陰鬱であって、「凡庸な悪人」のアイヒマンの「奴隷的平凡さ」そのものだ。

だが、権威の指図に従うこととそれによって出世することにしか興味を持たない人間は、悪人と呼ばれるよりも善人と呼ばれることの方が多い。そもそも、悪とは権威に逆らうことであるのだから、アイヒマンのことを悪人呼ばわりすること自体がおかしなことである。自意識もなくただ権威に従順であったアイヒマンは善であるとしか言いようがなく、彼は「凡庸な善人」そのものであった。この「凡庸な善人」は、正義を逆恨みする凡人であることは説明不要のことだろう。

平和主義とは、ナチスに抗う者を殺し、ヒトラーに従属する「凡庸な善人」を増やす観念であることは言うまでもない。有形力を放棄すれば平和になるという思考は、科学技術を放棄すれば世界は安泰するという自然主義と同じものであって、力を制御することを考えない奴隷的反文明思考に過ぎない。こうした「無力への信仰」によって「万人の万人に対する闘争」が起こることは説明不要だろう。制御なき力の具現である大艦巨砲主義も似たような発想であるが、制御抜きの力では結果を創造することは絶対に不可能だ。

文明的センスを持たない野蛮人がどれだけ醜かろうとも、人生において権威から評価されること以外を何も求めない従順で根暗な農奴であることを、親の管理の外に出ることもなく思考停止して予定を守るだけの「良い子」であることを、我々日本人が目指すべきではない。ゲルマンの森の暗い影はローマの栄光から最も遠くに位置しているが、「我が闘争」とは「蛮人の文明人に対する闘争」でしかなかったのだろう。

ギリシャ・ローマの文化は人類に普遍であると言われ、「全ての道はローマに通ず」という格言も存在している。だが、実体よりも幻想、政治よりも宗教、芸術よりも扇動を愛したナチスの総統は、その道を通行することが出来なかった。ヒトラーは「ゲルマン民族は特別」だと述べていたが、ヨーロッパの近代の歴史から独り逸脱する独逸の有様をして、歴史家のフリッツ・フィッシャーは「ドイツ特有の道」と名付けた。

ルネサンス期の哲学者達は社会の異物であったことは事実であるが、ナチス親衛隊のような人類史の汚物とは完全に対極的だ。ラテン的感性とノルマン的理性は同じようなものであるかも知れないが、ゲルマン的蛮性は負の方向に特別な怯懦でしかない。前者二つは能動的な思考であるが、後者が受動的にしか思考出来ない観念的ニヒリズムである。

全てのものごとが悪くなるという陰鬱な妄想は、現在のドイツでも好まれる悲観主義であって、英語圏ではこれをGerman Angstと呼ぶこともある。精神の爆発力を持たない勇気なき野蛮人は、怯えるだけで実体構造を認知しようともせず、唯心論的不安に囚われて保身と権威主義のみを志向する。実存と向き合わなければ、何をしても危険だと思い込み、恐怖に苛まれてリスク回避を取り続け、結果を動かすための意思決定を試みることも出来ない。拒絶しかしない者には観察力が身に付くわけもないが、自らの認識を疑う勇気こそが世界と対峙する意思を生み出す。運命から逃れることは出来なくとも、我々はそれと対峙して運命を変える勇気を持つべきだろう。

ネガティヴしか持たない彼等彼女等は、「自分には何も出来ない」と「権威には絶対に勝てない」という観念に取り憑かれていて、それを布教することが教育であると考えている。妄想に熱心で、実体的安全よりも気休めの安心を求め、生産性のための努力よりも我慢と自己満足と御涙頂戴を好むようでは、創造性を発揮することは不可能だ。人間として大切なことは、不安に従うことではなく、積極的に構造を視切ることだろう。不安とは観察と思考抜きの動物的本能であるが、勇気とは「認知と制御と出力」を繋げる人間的本性を示すものであって、つまりは「観察と思考と行動」を連結させる知性なのだ。

勇気が無ければ前進の思考が生まれるわけもなく、不寛容とネガティヴと保身しか考えられず、猿山のマウンティング競争が起こるだけでしかない。軟弱で卑屈な思い込み、ドイツ的な観念的な悪夢の類は、森の邪霊とでも言うべきだろうが、この臆病なヴァーチャリズムはキリスト教の人生は原罪に対する罰であるという教義に適う。人生は苦しみに耐えるためのものであるというキリスト教の価値観は、創造価値を否定するだけの奴隷的マゾヒズムと観念的ニヒリズムへの信仰でしかなく、これは勇気を放棄させて知性を軽蔑させるだけの倒錯である。「笑う門には福来る」とは言ったものだが、「悪いことしか起こらない」という観念によって社会を破壊し続けるバーバリアンコンプレックスはジョークとしても笑えない。

権威による全ての支配を信仰する彼等は、社会から高貴さを撲滅することを求めていて、人間を不幸にすることを望んでいる。苦しむこと以外が罪であって、遊ぶことがとりわけに重罪とされ、快楽は悪魔の誘惑であると妄信し、徒労を崇め奉り、合理性を忌避している。斯様な実体を否定する陰鬱が、Angst に基づく観念が、結果を創ろうとしない陰湿性が、判断を放棄する「自由からの逃走」が、下らない屁理屈を大量に生み出し続け、それが集積されたものが勤労カルヴィニズムという奴隷労働宗教なのだろう。彼等彼女等は苦しみを減らすことを目指さず、苦しみを受けること自体を倒錯的に信仰しているのだ。

公共社会を考えることもなければ実体と向き合うこともない畜生道は、権威に逆らわないためには何でもやる。ゲルマン民族にとっての労働とは、必要性に基づいたものではなくて、権威に許しを請うための宗教的な儀式であり、自らが苦しみに耐えることだけではなくて、他者を苦しみに耐えさせることをも目的としたものなのだろう。だが、宗教観念に取り憑かれて自らの共同体を発展させることを望まない者は、永遠に奴隷で居ることとしか不可能だ。「他者や社会や実体」を認知出来ず、「己と権威と妄想」しか考えないならば、近代国家を形成することなど出来るわけもない。苦しみを愛する一方で、その臆病さ故に痛みから逃れようとする彼等には、危機意識と敢闘精神が存在していないのだ。

勇気とは、構造を観察する意思であり、判断を行わんとする激情であって、これこそが「間合い感」という空間的警戒心の源であって、「認知と制御と出力」を回す霊力でもある。己の思考を放棄することが死ぬこと以上の真の敗北であるが、このことを知覚させる「あらみたま」が視野の広さを創り出す。自らの判断で動くことが出来る状態こそが、自由と呼ぶべきものであって正義を守る力であるが、ゲルマン民族の如き者は、保身を愛するがあまりに不正義を信仰するに至ったのだろう。臆病さによって己を守るならば他者を守ることなど出来るわけもなく、我々は勇気によって己を守らなければならない。

己を守るだけで名誉を守る意思がない者は高貴であるとは言えるはずもない。ドイツロマン主義という実体を無視して理念を否定する妄念は、勇気の炎を逆恨みする臆病であって、啓蒙の光を灯すことも、正義の鋼を精錬することも、文明の剣を鍛造することも、一切全てを拒絶する。速さを使いこなす意識とも、社会を守る意欲とも、実体と対峙してそれを認知する理性とも、機能美を視抜く感性とも、システムの力を制御してアーツを創造するマインドとも、全く以て無縁なのだ。ドイツロマン主義の本質とは、自己規範を否定する野放図と全てを縛り上げる硬直性と実体性の拒絶の組み合わせであって、「己がどうありたいか」を考える美意識を恨み、「世界をどうしたいか」を考える政治哲学を侮蔑し、理性を放棄することによって感性を歪め、自発的向上心の欠如を感傷によって正当化する、「無力への信仰」そのものだ。

　イギリスが近代科学技術を創発して実体を動かし、フランスがワインと芸術を創り出して実体を楽しむ間に、指示待ちのドイツは観念的な答えだけを求めて実体から逃避していた。彼等彼女等は、構造を観察しようとせず、結果を創造しようとも思わず、権威から承認されることと権威に罰されないことだけを求めて絶対に正しいとされる答えを探していたが、これは判断の停止を求めていただけに過ぎない。判断するためではなく判断しないために思考を積み重ねるという「自由からの逃走」は必然的に禁欲に繋がるのだろうが、イギリスとフランスとドイツの差異は政治と芸術と宗教の差であると同時に文明と文化と野蛮の差である。

　ヴォルテールは、神聖ローマ帝国というドイツの祖先について、「神聖でもなく、ローマ的でもなければ、帝国ですらなかった」という言葉を残している。だが、「宗教的であっても、ローマ的でなく、帝国ですらなかった」のが神聖ローマの実体であって、それはつまり、「文明的でもなく、文化的でもなければ、野蛮でしかなかった」ということだろう。更に言うのであれば、帝国というものは多民族国家であることが基本的な前提なのだから、ゲルマン民族しか許容し得ない第三帝国は、「神聖でもなければ、ローマ的でもなく、ましてや帝国ですらなかった」という言葉が相応しい。自らを騙していることを自覚出来ないという認知不全症こそが、神聖ローマ帝国であり、第三帝国であって、ゲルマン民族の歴史であった。

そうであるが故に、ゲルマン民族のアルミニウスがトイトブルクの森の戦いで衰退期のローマに勝ったところで、その後に国家を創ることなどは全く出来なかった。戦術レベルで優れていようとも合理性を持たずに判断能力が欠如して、「万人の万人に対する闘争」を称賛したドイツロマン主義者のエルンスト・ユンガーという小説家は有名であるが、彼は『アルミニウス』という雑誌を発刊したこともある。彼等が好む闘争のための闘争は、目的を持った戦争とは完全に別のものでしかなかった。ロマン主義的野蛮は文明的殺意から最も遠いものであって、前者は国家を弱体化させることしか出来ない。思考停止して規則を守る不自由を信仰し、受動的な対応力と先を考えない勢いに酔い潰れる愚か者は、マウンティング競争が得意であったとしても、結果を創るための貴族の意思決定からは最も遠い存在だ。彼等は戦いにおける知性というものと無縁であって、斯様な様相の政治的無関心は「ロマン・ゲルマン・バーバリアン」とでも呼ぶべきだろうが、意思決定なき力とは本質的な無意味でしかあるまい。

　システムの力を持たない斯様な野蛮人達とは異なって、過去の日本人は元寇や黒船のような外圧に対して国家権力を築き上げて戦う英雄であった。勇気と合理性の「機能的な繋がり」によって、知恵というものが生まれる。文明国家を創って公共社会に責を負う精神が、「貴く尚き心」という日本の伝統的な高貴なる精神だ。この心は、己と実体に嘘をつかない心であって、「何をするか」「何をするべきか」を考える動くための心であり、我慢以外を何もさせないための儒教的な「規制のための規制」から最も遠い。

　そういえば、儒教では中華皇帝への中央集権と権威への絶対服従の上意下達を唱えているが、ナチスも指導者原理として総統への集権と絶対服従を道徳であると唱えていた。ナチズムは北欧やローマの感性から遠く、その一方で地理的に遠く離れた中華の儒教的な精神と瓜二つであった。これらは共に体制に対して個人の末端化を強制する全体主義であって、権威の下への同化・癒着を強制して人間の「我の消滅」を起こす。こうして麻薬依存症ならぬ権威依存症の人間が増え続けるわけだが、「意識弱い系」の彼等は自らの目的意識を持たずに権威の代理人として道徳的に振舞う。権威の独裁という世界観を人間のマインドに刷り込み、それによって全体主義社会というシステムを構築するのが、この二つに共通する性質である。権威が全てを管理することを求めて己で何も制御しない惰弱さは、文明を目指す「あらみたま」から最も遠い精神だ。

さて、このようにアジア的であったヒトラーは、『我が闘争』の中でアジア人のことを創造行為が出来ない文化追従種と扱っていた。だが、美大に落ちるほどに創造力が乏しい彼は、マスゲームの重視なども含めてアジアで千年以上前に存在した統治手法をコピーしていただけでしかない。実体を示すことではなくて幻想的な肯定感だけを訴える手法は儒教的なおべっかであるとも言えるが、アジア的専制を好んだヒトラーの選挙演説とは、欺瞞的なアジア的優しさそのものであった。

ナチスは異常に事細かい命令を好んでいたが、これこそが指導者原理というナチスの教義を人間の生活全てに反映させるための戒律である。ナチスの命令はそれを実行することによって生まれる効果を狙ったものではなく、支配下の人間に権威の命令の絶対順守という道徳を刷り込むためのものであったが故に、効果に疑問が持たれるような不合理な命令も多発していたが、理不尽を強制することに異常な拘りを示していた。

儒教にもこれと同様の構造が存在していて、『二十四孝批判』で福沢諭吉はこのことを徹底的に批判している。人間の思考能力を殺すために非合理を強制して、子供を従順にさせるために非効率な徒労に従わせることを行う儒教は、子供への怨念であるか、若しくは子供を親の奴隷にすることへの信仰に過ぎない。

不寛容な戒律は、奴隷達が一切に逆らわずに権威以外を拒絶し続けるかを確かめることがその目的であって、それが故に意図的に不合理な指図を連発しているわけだ。権威が押し付けた不要な義務を破棄せずにただ順守することが善であって、それを疑わない心性が道徳である。権威に従わない者や集団に異を唱える者を徹底的に弾圧し、規律も社会契約も否定して、戒律と権威主義支配を妄信することが道徳の本質なのだ。

この「従属への完璧主義」の帰結として、ナチスの指揮系統には無思考故の無駄が多く発生し、彼等は戦争という有形力の嵐の中で生き延びることが到底に不可能であった。事実を拒絶して選挙に勝てたとしても、その姿勢では戦争に勝つことは絶対に無理なことだ。全てをコントロールしようという徒労を好む神官は、実は結果のコントロールを得手としていない。愚かさによって勝利を目指したところで、民主制がない所ではそれは通用するはずがない。洗脳によって奴隷をマインドコントロールする認識の支配は、「認知と制御と出力」によって結果をコントロールする意思決定とは完全に別の話に過ぎない。脅しと騙しによって保身と個人利益は達成出来るが、事実に無関心ならば強い文明を築くことは不可能だ。

戦争とは、変化を拒絶するゲルマン民族が好むような完全に規格化された奴隷的作業の能力によって遂行されるものではなく、自己優越化を求めるだけの闘争とも徹底的に異なっていて、結果を求めないロマン主義者の彼等が嫌うような目的意識とシステム思考と機能的構造をどこまでも要求する。そもそも、社会理念の喪失に対して何も戦わず、「自由からの逃走」を起こしてナチスを支持した畜生道が、戦場において能く戦える由があるわけもない。儒教もナチズムも文字をなぞる力によって本を書く力を否定するものであって、頭を使って動く力を封印するものであり、それは武の力から最も遠いものに過ぎない。

ナチスの下を弾圧するための暴力は、美意識が完全に欠如した単なる粗雑な乱暴でしかなかったが、非権威を従わせるための騙しと脅しとしては効率的に機能した。他者に理不尽に被害を与えることを信仰し、知性の放棄が強さであると錯覚することが野蛮の本質というものだろう。斯様な賊徒達の力は敵を殺すための能力からは程遠く、「知は力なり」を体現した近代兵器を駆使する戦争においては全く以て無力でしかなかった。強弱二元論を妄信し、勝負事の本質を理解出来ないのが、ゲルマン民族の性質である。粗野で鈍感な石頭は砥石として優れていても、その絶縁性故に脳神経に知性の雷を宿すには向いていない。

呑気でどんくさい彼等のように、身体を動かさずに攻撃を避けないルールの決闘が得意であっても、それは兎跳びやピラミッドを得手としているだけのことでしかない。体幹の動きを否定する身体的な愚民化は、初撃を避けるための警戒心と初撃で倒すための「速さと狙い」を不全化させるものであって、無駄な攻撃に固執して溜めを失うどころか「間合い感」の展開を妨げる空間的圧迫に凝り固まるだけであり、これは構造を観察して結果を創造するアーツから遠のくこととなる。丹田を回して力の流れを的に伝えるアーツを理解する意識が勇気であって、知性を加速させる意識こそが敢闘精神であり、単に形式の中で窮屈な我慢をするだけのことは臆病さの発露でしかない。レールの上を走る能力は三次元的な認知能力の否定であるが、潰すべき要所を潰す手筋は百回の戦いで百通り以上に存在する。受動的な権威主義によって能動的な意思決定を否定する道徳者は、近代を目指す哲学者に勝てるわけがない。ピラミッドや兎跳びの如く合理性の欠如した戯事によって根性を付けるという蒙昧な価値観は、幼少期にそれなり以上に命の危機を経験した鎗崎からすれば噴飯ものであるし、戦地を知っている人間からすれば猶更そうだろうが、「それでも地球は回っている」と宗教権威の前で発言することに比べれば何ら覚悟を必要としない。未来を目指す勇気とは、顔に傷がつくかも知れない程度の危険性のママゴトで身に着くようなものではないのだ。

　野蛮なだけで勇気と無縁なゲルマン民族の如き存在は、宗教権威の恫喝脅迫ペテンに騙され続けることしか出来ない。彼等が好む決闘のやり方は、体幹の爆発力を阻害するだけのものであって、動きの制御の放棄でしかないが、それは戦いの術理の否定である以上に能動的な活動力の否定であって、つまりは人間の自由の否定そのものでしかない。知性抜きの戦いとは「理合い」抜きの競争であって、機能的構造を否定する形式的虚飾は科学的認知と技術的創意の否定であり、結果を考える能力の放棄は「生きた美」から最も遠い。見栄張りや維持張りに固執する愚かさではなく、構造の認知を求めずに結果だけを欲する即物的な知的怠慢でもなく、機能美の追求に妥協をしない執念こそが、我々日本人は絶対に忘れてはならない「あらみたま」というものだろう。勇気がなければ自分の頭で考えることは不可能であって、高貴さを目指すことなど出来るわけもなく、保身と快楽だけを追求して無意味な人生を送るしかない。野蛮な行動力があっても文明的な研究能力が存在しないのであれば、進歩を成し遂げることから最も遠いだけでしかない。自己満足よりも結果の義を目指す者であるのなら、規定された正攻法に満足することはなく、己に適した上手くいくやり方を求めるはずだろう。

奴隷意思論に基づいた奴隷的動きを繰り返すのであれば、己の力と実体構造を噛み合わせて己の意思決定を徹すことは到底に無理なことだ。相手の今とその先の更に先を取り、敵の「構造と制御」の「機能的な繋がり」を破壊することは、あらゆる戦いにおける勝ち筋であるが、権威主義とは意思決定そのものを破壊する兵器である。認知と予測と攻撃の間の「機能的な繋がり」が意思であって、己の動きを外部構造に噛み合わせる意識がアーツを創る。体幹に己の意思を徹し、間合いの先を突き貫く「槍の理合い」が分からなければ、手元に力むだけであって、速力を制御して扱うことなどは到底に出来るわけがない。己の身体にではなく狙った先に力を込めるコントロールがアーツであって、能動的な意思決定と空間的な狙いを理解することが出来ないならば総合芸術で勝利を得ることは不可能だ。固定解の暗記で万事を動かす形式主義は、「構造の視切り」の否定であって、「解析と決定」を禁止する観念であり、己で判断しないことへの信仰であって、自らの意思によって制御させないという呪詛でもある。意思決定出来るということが己の意思の存在証明であるが、「我決められる、故に我あり」とでも言えばいい。自由とは、権威に洗脳支配されない能力と国家を的確に統治する能力を意味する言霊である。

ナチス親衛隊は高い戦果を挙げたと反論する読者の方も居るかも知れない。だが、彼等にはヒトラーに偏愛されて良い装備を優先配備されていたという政治的な要因が存在していて、公平な判断によって国防軍にそれらが支給されていれば、全体の戦局はもう少しはマシになった可能性がある。義の無き力しか持ちえなかった親衛隊員は、動物的快楽欲求を満たすことしか求めておらず、「認知と制御と出力」の「機能的な繋がり」を創れず、「妄信と従属と抑圧」を崇める彼等は、勝利から最も遠い存在だろう。臆病者の野蛮とはシステムの不理解そのものであって、勇気のアーツとは完全に別のものでしかないのだ。

一九四一年には、ウクライナのサッカーチームがナチスのチームに勝った際に、ナチス親衛隊が勝者を収容所送りにして殺したという事件があった。ソ連にもドイツにも屈しないウクライナ人達は、サッカーのみならず戦闘をも得手としているが、実体公平性の否定を信仰するナチス親衛隊はどこまでも醜く浅ましい。ヒトラーにも負けず、スターリンにも負けず、チェルノブイリの爆発にも負けず、ドローンとジャベリンを使いこなし、一日に六機の敵航空機を撃墜して、敵の戦車を奪い取り、権威に追従する事大主義を根絶し、近代意識に覚醒して自らで政治を考える、そういう人に私はなりたい。命を懸けることを知るウクライナ人達には、戦後の復興を成し遂げられないはずがない。戦争で手足が吹き飛んだとしても、身体構造の機能美を知覚するセンスを持った彼等彼女等は、機械動力が付いた優れた義肢を開発してみせるだろう。

たとえ敵であっても勇敢で賢い者は助命して登用しなければならないという人類の普遍的な価値観を放棄して、民族主義といった下らない宗教に走ることは、向上や進化といった前進の意思を放棄することでしかない。「昨日の敵は今日の友」という格言は、団結力と無縁なゲルマン民族の歴史には存在していないものだ。ナチスがどんな宣伝を行おうとも、包囲戦術を得意としたアフリカのシャカ王の方が、ゲルマン民族の総統よりもシステム思考を遥かに得意としている。反乱を起こす暴徒の数が増えたところで文明的な思考が欠如しているのならば、それが軍事行動に昇華されることは有り得ない。「バイエルンの法螺吹き」が畜生道を掻き集めて、「ブレーメンの音楽隊」ならぬナチス親衛隊という群れを作っても、それは人間的な強さを有したプロイセン軍には成り得ないのだ。

フリードリヒ大王は、小学校では暗記だけではなく判断能力を獲得させる教育が必要だと訴えて、「階級とは命令違反を適切に行う能力に応じて与えられるべきである」と述べた。一方で、ヒトラーは「服従することを自明に思うことが優秀であるということだ」という思考停止の強制を唱えていた。従順な奴隷を求める神官と勇敢な戦士を求める貴族の差異が、両者の発言には如実に顕れている。ドイツロマン主義の全体主義者は、「勇気を持つことを許さない」という怨念に取り憑かれているが故に、臆病であることを優秀だと考えているわけだ。結果を考えて己で判断する能力が人間の意思というものであるが、それを無用であると考える連中は動物としては我々よりもさぞかし優秀なことだろう。ヒトラーの発言は、「ギリシャ人は屈しない」という格言の対極であるが、不服従を知らない彼等彼女等は能動的な意思決定が出来るわけもない。

民主主義者の大王にとっては「命令を理解して吟味する能力」が優秀の基準であるが、ヒトラーには「命令に従順」であることが優秀という意味であった。プロイセンの啓蒙とドイツの迷妄は人種がどうあろうとも完全に別物であって、普遍的理念の「やまとこころ」と独善的妄念の「漢意」の究極的な差異がここに端的に示されている。自らによって実体を観察して判断する科学技術的な精神が大王の教育理念であり、単にやらされるだけの勉強がヒトラーの信仰であるが、経典を読むだけのスコラ学ではなく自らによって構造を観察するイギリス経験論によって科学技術が発展した意味を我々は理解しておかなければならない。

フリードリヒ大王の社会契約が文明であってヒトラーの権威主義が野蛮であるということは、文明的な日本人には簡単にわかることだ。政府を監視するという民主主義の基本は、実体への観察意識と一致するものであることは言うに及ばない。監視の否定とは性善説的な観念に過ぎないものだが、他者を疑わない善への信仰は「我の喪失」であり、実体観察への意識の欠如であって、個々人が権力を扱うという「力への意志」を完全に棄損する。監視こそが犯罪を抑圧する最大の圧力であり、あらゆる戦いにおいて最初に必要となる手段であるが、これを忘れた者は、個々人の小規模な犯罪どころか政府の大規模な犯罪を助長している。

幼少期からヒトラー・ユーゲントに入隊させられ、細かい規則や礼儀を徹底的に守らせたり、「ハイル・ヒトラー」を宣誓させながら右手を上げさせる儀式は「犬」に対してお手を強制させる行為でしかない。だが、権威主義の観点では思考停止した権威への賛美と服従こそが信仰に適う。「嫌われる勇気」を説いたアルフレッド・アドラーは、アドルフ・ヒトラーの対義語であることは言うまでもないだろう。

ヒトラー・ユーゲントの教育は、自力で判断する能力が未熟な子供の脳に強烈な衝撃を与える。社会契約や論理による説得ではなく、「偽善の搦め手と脅迫の決め手」から発生する同調圧力によってヒトラーへの従属と忠誠を当然視させるのだ。こうして、表層だけが真面目な大人でありながら赤ん坊未満の判断力で、媚び売りと誤魔化ししか出来ない人間が量産されるのだが、それは儒教的な奴隷そのものだろう。

キレイゴトを唱えるだけであっても、権威への癒着的同化を求めるだけの「兎」「豚」「犬」からは票を集められるのが民主制であるが、それは民主主義ではなくて権威主義を成立させる。畜生道にとって政治とは、群れるための娯楽か宗教かの類であって、一切の実体性が存在していない。判断することを嫌い扇動に流されることを愛する畜群は、思考停止するための居場所と幻覚剤のヘロインが手に入れば国が亡ぼうと構わないと考えている。彼等が求めているものは、芸術家のフリードリヒ大王のルネサンス理念でもなければ、美食家のビスマルクの産業主義政策でもなく、美大落ちの総統の妄想的選民思想なのだ。

「腹は減っては戦は出来ぬ」とは日本の諺であり、「パンとサーカス」はローマの堕落を示す風刺であって、「人民はパンを求めている」とはマルクスの言葉である。ナチスの世界では理論物理学者が追放されたように、サーカスを求めるロマン主義者達は実体性を拒絶することしか出来ない。そして、「愚民はパンよりもサーカスを求めている」ということは、現代社会の観察から導き出される確かな事実だ。

かの有名な「パンが無ければお菓子を食べればいいじゃない」という言葉は、実はオーストリアのマリー・アントワネットの発言ではないらしい。とはいえ、この格言が彼女のものでなかったとしたとしても、国家意識を持たずに上に立とうとした中世主義者は、あのような破滅を迎えることに関しては自業自得であった。見栄に狂い自己顕示を目指すゲルマン的個人利益主義は、歴史において幾度も国家を破壊したものであるが、今後もそれを繰り返すのかも知れない。だが、彼等彼女等は儒教徒と同じように民族や王朝しか理解出来ないのだろうし、それ故に国家というものを認知することが出来ない。ジュリアス・シーザーは彼の国であるローマを愛していたことだろうが、この女は自己以外に愛を向けることが出来ないのだ。

世間と社会契約を知らずとも、ロマン主義的な趣味による浪費はどこまでも強かった個人利益主義の田舎者は、パンよりもサーカスを求める愚民でしかなかった。ヴォルテールをはじめとするフランスの文化人は、己を肯定することにしか興味を持てない彼女の反知性とは絶対に相容れることがないだろう。我々は、政治哲学にも科学的探究にも生産技術にも興味がなく、着飾ることだけを求めるドイツの田舎姫になるべきではない。我々は、文明への無関心に取り憑かれた、野蛮なる臆病者であってはならない。彼女は「たおやめぶり」のマリアンヌから程遠い野蛮なゲルマニアそのものであって、この女に騙されることはナチスに迎合すること以上に情けないものだ。近代的な大英帝国は七つの海を知っていても、井の中の蛙は大海を知らないのだから、「田《い》の舎《なか》のドイツ、近代を知らず」という格言は歴史そのものであった。

近代国民国家の人間に必要なものは、公共判断を志す高貴なる精神である。自省が出来ない彼女は、胴体を持たない生首にしかなれなかったが、それよりも高貴なる精神を持たない名ばかり貴族にしかなれなかったことの方が遥かに惨めなことだ。公平性を守る力も正義を為す意思も持たず、「高貴なる義務」を履行することが不可能な貴族擬きは、首を撥ねられる役目のためだけに存在していた。国家を創る力や国家を変える力を持つ者が王や哲学者であり、国家を守り支える力を持つ者が戦士であるが、彼女はそうした力を無視することしか出来なかった。自己と服飾にしか興味がない者は政治哲学や科学技術を好む者と異なって貴族で在れるわけもないし、金儲けにしか関心が無い者は社会構造の観察に熱心な者と異なって民主主義国家の国民として不適格な存在に過ぎない。だが、文化相対主義においては、本質的な統治能力が欠如して貴族であることから最も遠い首だけ姫を、プロイセン国王のフリードリヒ二世と平等に扱うことになる。現代の民主制選挙のように、アイドルにしか成れない者と文明を発展させる政治家を平等に扱うことになる。

貴族はより多くの社会的責務を負わなければならないのだから、貴族と平民の平等が成立するはずがない。平等というものは、「高貴なる義務」の否定でしかない。平等への観念的信仰は実体を視る科学的な意識を破壊し尽くして、何をしても平等になるという思考を蔓延させて、ミーイズムに基づいた行動以外を社会から追放する結果となる。斯様な平等に平和を加えれば、向学心の欠如と保身の追求を意味する個人利益主義が生まれ、公共理念は全て否定される。個人利益主義の賊徒は自らに利益が生まれる解釈しか出来ないのだから、彼等彼女等が唱える平和とは保身を意味する言葉に過ぎないのだ。

　公共心がなければ社会を支えることが出来るはずもなく、向学心がなければ社会を向上させることは不可能だ。公共心と向学心を併せ持つ者が貴族であり、公共心しか持たない者はその部下で居るべきなのかも知れないが、どちらも持ち得ない不正義の彼女は政治に関わるべきではなかった。正義を持たない者は、反知性の暴徒と高貴な義者が平等の権利を持つことを訴えて、信賞必罰を破壊して公共の福祉を抹殺する。正義を持たない者が必要に応じて正義を持つ者に道を譲らないならば、文明は成立しない。理不尽な恣意性を押し付けることにだけ関心を持つ賊徒を排除するシステムがなければ、国家は崩壊するだけだろう。

　仮に現代よりも民主主義を向上させ、それが完全なものになったとしても、階級というものは人間の選択から発生する。それは、必要性や義務に応じてではなくて、己がどんな趣味に時間を費やすかによって、つまりはブルデューが述べたように文化というものによって決定される。

　ブルデューは、個々人を決定する文化は親や社会に強制され、それが階級を形成していると『ディスタンクシオン』で述べた。だが、それらを親や社会が強制することがなくなって、自らで選ぶことになったとしても、自らが選択した文化によって精神における階級が形成されることには何ら変わりがない。世間では身分と階級が混同されているが故に、階級社会という単語を頻繁に聞くものであるが、それは本来は身分社会と呼ぶべきものでしかない。身分とは単なる社会的地位に過ぎないが階級は実存的なマインドであって、それ故に前者が消えても後者が消えることはない。受動的で妄想的な権威主義の精神を取るか、思考と観察を重んじる公平な精神を取るか、中身のない共感を求め続けるか、社会を発展させるための美意識を重んじるか、それこそが自由意思による選択というものである。つまり、この問題は「どんな死に方を選ぶか」という日本人の伝統的な人生観と同じものに過ぎない。

ナチス親衛隊も、ルッキズムに拘る点と自然保護とロマン主義に異常なまでに執着していた点が貴族の精神を持たない野蛮姫と殆ど同じであって、連中は精神における本質的奴隷階級の見本だろう。胴なし姫が持っていたチヤホヤされたいだけの「悲劇のヘロイン」願望は、アドラーが説いた「嫌われる勇気」から最も遠い精神でしかない。自省無き自己愛と無様な承認欲求に取り憑かれて、他人から崇められることを求める彼等彼女等は、他者に対して個人崇拝を強制するカルト教祖と全く同じ存在であり、自らが世界で一番偉いと信じていて、そして自ら以外を不自由な奴隷にすることにしか関心を持っていない。

ヴァレンヌ逃亡事件とは、田舎姫が家族でオーストリアに亡命を計画した際に、急ぐことよりも豪奢な服を用意することに執着し、その結果として追手に捕まったという歴史的喜劇である。この事件が無ければフランス革命は革命未満の改革となった可能性も高かったが、これが原因で彼女のみならずルイ十六世までもが処刑されることとなった。ルイ十六世は野蛮な毒妻の家庭内独裁のために死すべき定めとなったわけだが、ブルボン朝を壊した彼女は現代によく見られるサークルクラッシャーの姫の先例であったと言える。彼女は、深尾洋子氏が『日本の男を食い尽くすタガメ女の正体』で指摘していた個人利益主義者そのものなのだ。

本よりも服に散財するタガメ女は、人間的探究精神を持たずに動物的快楽欲求に塗れたB層でしかなかった。外見以外に褒められる点もなく、着飾ることでしか成功を得ることが出来なかったが故に病的にそれに拘る彼女は、国家に尽くす貴族であるわけもなく、政治的判断が出来ない匪賊でしかなかった。鈍間な彼女は何をも守ることが出来ないのだから、絶対に貴族の家に生まれてはならなかった。ウクライナの伝説的な狙撃手のリュドミラ・パブリチェンコは、「前線の女兵士が下着の色を気にするとでも思うのか」とアメリカのマスメディアの前で堂々と啖呵を切ったが、この高貴さこそが「ますらおぶり」の発露というものだ。

　身分だけの姫は己が着る服をひけらかすことが出来ても、貴族が誇るべき内面とは徹底的に無縁でしかなかった。斯様な女が知性を虐待する野蛮人である事実を、幼少期の鎗崎はユダヤ人のように思い知ったものだ。勇敢な文明人と臆病な野蛮人は一つの屋根の下に同居出来ず、ルネサンス人文学とドイツロマン主義は相反するものであり、己の感情を隠さない「やまとこころ」は権威主義の「漢意」と一つの国に共存し得ないのかも知れない。そして、そうであるというならば、どちらが生き残るべきかは火を見るよりも明らかであって、高貴なる文明の炎で中世の暗黒を灼き殺すべきだろう。知性には野蛮を弾圧しないことも可能であるが、野蛮には知性を弾圧しないことが不可能であって、それ故に知性は野蛮を撲滅しなければならない。

　フランスにおける近代とは、彼女がギロチンで斬首されることによって生まれた時代である。饅頭とは元々は生首の代用品であったが、彼女の首を象った饅頭菓子をパンの代用食にすることは革命的であると言えるのかも知れない。だが、慈悲をかけるに値しない野蛮人に対しては、斬首という貴人向けの処刑方法よりも、釜茹でのフォン・ド・ヴォーという罪人向けの処刑方法の方が、その末路に相応しかったという可能性も否定は出来ない。貴族であることの否定を体現していたこの野蛮人は、この世で最も民主制を体現していた人物であるのかも知れないが、欠片程にも民主主義の精神が存在していなかったことは疑いようがない。彼女のような平民に期待したところで政治的結果は何一つ出てくるはずがなく、この平民に政治に任せないためにフランス革命が存在していたと考えることには何ら間違いが存在しない。

　フランス革命の後には、社会契約を否定して人治主義に走った彼女の祖国も、近代史の敗残者として八つ裂き刑に処されたということを付け加えておこう。胴なし姫は女性の社会進出を求めたのではなくて、妄想的な自己顕示欲を社会に押し付けただけに過ぎず、その身勝手さ故に滅ぶことと滅ぼすこと以外が何も出来なかった。自立した「個の意識」を持たない権威主義的ミーイズムの権化であり、「客観的事実を無視して己の気持ちだけ」という自閉的認識しか持てなかった野蛮人の姫は、「サリーとアン問題」を解くことが出来ないだろうが、それ以前に全く以てフランスらしさが存在していなかった。つい最近には『フランス人は十着しか服を持たない』というフランスの女性貴族の習慣を説いた著書が流行したが、知性に熱意を注がないことによって数多くのドレスを着ることが出来たとしても、故郷を数多くの布片に裁断されてしまうということなのだろう。

義を目指すことから最も遠い野蛮姫は、せいぜい着飾って媚びを売ることくらいしか出来ないのだから、彼女の如き者こそが女性の価値を最大限に侮辱しているのだ。彼女のような平民が金持ちになることが出来たとしても、貴族であることは不可能だろう。「満足した豚であるよりも、不満足なソクラテスでいる方がマシだ」とはイギリスのミルの格言であるが、「着飾ったマリー・アントワネットよりも、ボロを来たリュドミラ・パブリチェンコの方が美しい」とは言ったものである。鎗崎は、大多数の日本人の男性がこの格言に同意することを信じている。

正義も文明も何ら求めず、快楽と保身以外は何も欲せず、個人のためのもの以外を何も追及しないというのであれば、社会や国家のために何をも求めていないのだから、政治権力に関わってはならない。実体に立ち向かう直向きさを持たず、浅ましい自尊心を取り繕う虚飾にのみ尋常ならざる熱意を向け、問題解決を目指すよりも自己正当化と観念的偽善に走るという野蛮への信仰が、ロマン主義の本質である。斯様な表層的な拘りは儒教的偽装と完全に一致しているが、タイガーマザーの自己顕示欲も斯様なロマン主義と似たようなものであって、彼女等には上昇志向はあれども本質的な向学心は存在していない。保身と見栄張りだけで実体公平性も公共性も持たない人間は、ただどこまでも醜いものだ。ゴシップにしか関心を持たない者が政治哲学や科学技術に強い興味を持つ者と同じ階級で居られるわけがないように、野蛮と文化を平等にすることは不可能である。文明と文化に優劣をつける必要もないだろうし、文明人や文化人を細かい階級に分けて競争させることも鎗崎は大嫌いであるが、その中に野蛮を入れてしまえば全てが平等なる野蛮に堕落するだけだ。往々にして野蛮人は自らと異なる他者に不寛容であるが故に、「万人の万人に対する闘争」によって文明と文化を破壊するのだ。

　明治維新において吉田松陰は草莽崛起という反身分制度を唱え、古代ギリシャのソクラテスは身分とは関係なく国家と人類の哲学を背負って戦った。「偉大さを知らない人間は偉大になれない」とド・ゴールは述べたが、彼は間違いなく偉大さを知っていた。個人利益よりも公平性を優先させる精神が高貴さというものだろうが、高貴さを忘れ得ない人間が貴族という存在であって、それは貴族の身分であるかどうかとはまるで関係がない。貴族と平民と賊徒の精神を平等に扱う価値観や、賊徒の精神を貴族の身分と組み合わせるような宗教は、社会から高貴な精神を放逐して、国家を崩壊させてしまう。平等への観念的信仰は、実体合理性を全て破壊し、責任意識を人間から忘却させ、公共を破壊して権威による支配を成立させる腐敗に過ぎない。平等以外の全てを許すことが出来ない一神教的な信仰は、公平を許すことが出来ず、公益と知性を排撃し、正義と無縁であることを積極的に肯定し、思想と言論の自由を弾圧するだけでしかない。「高貴なる義務」を積極的に受け入れることが真に自由と呼ぶべきものだろうが、それを放棄する「自由からの逃走」では、我慢と権威主義の勤労カルヴィニズムを崇めてナチスの世界を創り出すだけに終わるだろう。

　自己顕示欲と承認欲求に取り憑かれ、実体的な目標を持たぬが故に文明を創ることが出来ず、宗教の劣化コピーを繰り返すだけであるのならば、偉大さから遠いだけでしかない。畜生道は、甘えることと甘やかすことにしか興味がなく、自分が民族という群れから追放されないこと以外を何も考えていない。向上心を持たない彼等彼女等は、ただ批判されたくないという虚弱さを原動力にした現実逃避するだけの臆病者であって、保身と騙し以外を何も考えられず、裏切り合いの中に生きることしか出来ない。自らと社会が権威に支配されていても何ら問題がないと思う者は、公平性が無いが故にあらゆる理不尽な恣意性を許すことが可能だ。彼等彼女等には公平性だけではなく、知的好奇心も敢闘精神も備わっていないことは説明不要であって、我慢と動物的快楽欲求のために生きることしか出来ない。排他的自己愛のミーイズムしか持てない彼等彼女等は自らが安穏としたいだけであって、結果への執念によって一所懸命に戦うことが出来ない存在なのだ。『大衆の反逆』を叙述したオルテガは、大衆は偉大さを求めずに平等以外を何も望んでいないと説いた。平等に群れることを求めた大衆は、卑賤で野蛮で愚かであることに共感して、ヒトラーという偉大さから最も遠い独裁者を選んだわけだが、権威の下に群れるだけの同調は人間関係とはとても呼べるはずもない。平等は、平等と不平等を平等にするが故に、実は上下関係の存在も許容出来る。儒教も勤労カルヴィニズムも他者の「個の意識」を尊重するという価値観が一切において存在していないが故に、人間関係を上下関係にすり替える。美的な理念も己の意思を徹す文明的創意も全てが排除され、群れることだけが横行する。大衆の間には本質的に友情が存在しないが故に、本音を語り合うことが出来ず、忖度を繰り返して表面上の関係だけが維持される。彼等彼女等には公平性を認知する脳機能が欠如していて、政治に必要な最低限の正義感を心に持っていないが故に、社会が全体主義に陥るというわけだ。文化相対主義者達が平等を主張するならば、最終的には全てがナチスと平等の存在になるという帰結を迎えるだろうが、鎗崎はナチスと同じになることだけは絶対に拒否したいと思う。

　ナチスのリンチと脅迫は大衆に望まれて支持されたものであったが、それはユダヤ人への有形力による弾圧だけではなく、国防軍の将官への恣意的な左遷といった無形の形でも存在していた。ヒトラーは、敵を幻惑する攪乱戦術を得意としたロンメル元帥を処刑し、攻撃戦術に長じたマンシュタイン元帥を左遷していたが、有能な元帥達を活用しなかったことによって勝利を失ったとまで言われている。優秀なゲルマン民族とやらは、どうやら優秀な個人の価値については、まるで理解出来なかったようだ。「貴く尚き心」と無縁で、妄想観念の中にしか生きられない三級のオタクが政治を執る様が、二次大戦の一部始終であった。理念を伴わない力は弱く、公平性が伴わない知恵は破滅のみを導き、「間合い」も「理合い」も「気合い」もわからぬならば敗北に至るということが、人類に残された教訓である。

ナチスの総統は、その臆病さによって批判を拒絶することしか出来なかったが、それ故に芸術とは表層を示すだけのものという陳腐な思考からも脱却出来なかった。功利主義よりも観念論、社会的繁栄よりも宗教的承認、科学技術よりも権威主義的同調圧力、理想主義よりもロマン主義を愛する彼等は、何が出来るかをまるで考えることもなく、何者にもなることが出来ない自らが何であるのかを考えるだけで、社会をどう変えるかを求めずに、社会を規格化されたあるべき形に固定することを繰り返す。つまり、彼等は進化を続けることではなくて、停滞を求めることしか出来ないということだ。

停滞を愛好する彼等が、全ての個人を自発的に何も出来ない奴隷にすることは必然でしかない。彼等にとっては人間の内面は全て同じような奴隷でしかなく、彼等は人間個々人を区別することが不可能であった。一方で、彼等は肌と髪の色にだけはとてつもない偏愛を抱き、民族の差別を重視するという様であった。このような彼等は、当然のように組織運営をまるで理解していなかったのだから、人道に対する罪だけではなく、文明に対する罪によっても裁かれるべきだろう。

ナチスの時代であっても、有能な軍人達はプロイセン的であったわけで、問題となるものは人種ではなくて、個人の在り方である。仮にゲルマン民族に生まれたにしても、「嫌われる勇気」によって小心者であることを拒絶して、文明への意思を持ったプロイセン人であることを選ぶことは可能なことだ。

ナチスの時代には、自動車を愛するポルシェ博士やロケット狂のフォン・ブラウン博士のような技術者達も存在した。価値創造を行う夢追い人の彼等は、ドイツ的な観念妄想からは程遠い人物であった。我慢弱い彼等はナチズムとは対極的な精神を持っていたが故に、中世の野蛮の森から飛び出るための乗り物を創造したのだ。鳴滝塾を造ったシーボルト博士のように、そこを飛び出して日本まで到達した者も存在することを忘れてはならない。

科学技術の領域に宗教的イデオロギーを持ち込むことは、社会を徹底的なまでに破壊する。夢追い技術者達は実体的な機能美を追求する芸術家でもあったが、科学的探究心と技術的向上心を伴った芸術的理念はドイツロマン主義的な退廃の厭世観や幼稚なアメリカンマインドからは最も遠く、同床異夢とは言ったものだ。

観察力や論理性や能動的思考を恨み、共感や受動的快楽や唯心論を求める虚弱者達は、オルテガが唱えた「文明社会の野蛮人」そのものであった。美的センスがないナチスには、虚飾の美によって人々をかどわかし、銭儲けをすること以外が不可能であった。技術力に優れたフォッケウルフ社やハインケル社を冷遇し、同郷のバイエルンのメッサーシュミット社ばかりをナチスが優遇したことは有名な話である。

傑出した科学技術者達は、ナチズムのような宗教的妄想に染まるわけがない。ポルシェ博士やフォン・ブラウン博士のような才人達は己に信を持ち、芯となる自らの軸を実体に持っている。向上心に溢れる彼等は血統がどうあろうとも、嫉妬に駆られて実体性と公平性を破壊するドイツ的怨念とは完全に無縁であった。「文明社会の野蛮人」であるヒトラーがどう言おうとも、彼等はドイツ人ではなくてプロイセン人であったと考えるべきだろう。観念しかわからないルターの脳みそとは異なって、工学博士たちの脳みそは近代科学に対応しているのだから。

ヒトラーの故郷のオーストリアでは、センメルヴェイスというハンガリー人の医師が細菌の存在を世界の誰よりも早く発見し、環境衛生を整えることで新生児の死亡率を下げることに成功した。だが、ウィーンの医者達はそれを徹底的に否定し、彼を死ぬまで精神病棟に入れて隔離するという蛮行を選んだ。二次大戦中のオーストリアにもナチスの収容所が存在し、ナチスの党員も大勢居たが、気に食わない異民族の賢者を隔離施設に入れて殺したという点において、十九世紀の医者達はナチス親衛隊と同じ存在であった。センメルヴェイスが発見した細菌よりも、彼等の精神は遥かに腐敗的であったとしか言いようがない。

　何も疑わずに愚かな医者を有難がる愚民達は、より優れた治療技術を求める探究心とは無縁であるだろうが、彼等彼女等が何も疑わずに愚かな政治家を支持することも必然のことだろう。規格通りのことしか出来ないゲルマン民族の畜群達は、本質的に問題解決意欲をまるで持たず、新規性に逆恨みすることしか出来ないが故に、Ｖ２ロケットを使っても政治的結果を創ることは出来なかった。意思と実存の分断によって観念論を連発する臆病者のセンスには、鎗崎は心の底から驚嘆している。

　工学博士の近代的な感性はヒトラーの鬱屈した現実逃避とは全く対極的であるのだから、ヒトラーが人材活用において成功出来ると考える方がおかしなことだ。彼等のような科学技術者は自らのセンスを形にするデザイン力が傑出していたが、ヒトラーにはそれ以前にセンスがまるで無かった。芸術感性の工学的発露がアーツというものであって、ヒトラーの神学的プロパガンダは嘘と権威主義以上の何物でもない。主体的・人為的・随意的・意識的な芸術を創れず、文明性とは無縁なヒトラーは野放図なる自然を愛することしか出来ないのだろうが、これをして「緑の儒教」と呼ぶことも問題なかろう。

　ヒトラーの絵を見れば明らかなことであるが、彼は陰鬱で軟弱な強迫神経症のような性格であって、無意味に細かいところばかりを取り繕っている。彼の絵には大局観も主体的な狙いも写実的な観察力も発想力を駆使した転喩の捻りも無く、斯様な美の欠如は表現物と言えるものではない。ヒトラーは演説では勤労の大切さばかりを説いていたが、これはゲルマン民族へのご機嫌取りにはなるのかも知れないが、広い視野も要所への意識もない勤労は単なる徒労でしかなかろう。

　自動車にしてもロケットにしても、機能美に基づいたシステムであって、近代科学技術とそれを生み出すルネサンス精神によって駆動している。観念論から機械工学が生まれたという歴史はこの地球上には存在していないのだから、ドイツロマン主義は燃料どころか潤滑油にすらなるわけもなく、ノッキングによるエンジンブローといった結果が関の山だろう。システム思考を否定するマインドでは機械を使いこなすことも出来ず、ましてやそれに勝つことは絶対に不可能なのだ。

ソ連の遺産の一つであるAn-225ムリーヤを躊躇なく破壊したプーチン容疑者も、ヒトラーと同じように科学技術よりも民族主義を好み、国際法を無視して虐殺を行うロマン主義者である。個人利益主義によって他者を殺すことにしか興味がない彼は、ウクライナがロシアと同じ民族の集団であると考えて居るのかも知れないが、国家としてウクライナとロシアは全く別の存在であることに、ウクライナ人とは異なって全く気付けていない。まるで、毒親が自らの子供が自らの一部分ではないと気付くことが出来ないように…

ヒトラーのような権威主義者のプーチンが、ロマン主義で有名なドレスデンに居住していた日々を幸福だったと回想するのは必然のことだろう。だが、今の彼にはかつての冷静だったころの彼の面影はどこにもなく、戦場のチョークポイントもわからずに柔よくキエフを制することも出来なかった。過去の彼と今の彼は物理的に別人であって、今の彼はドレスデン時代の記憶を持っていない可能性もあるだろう。

体制維持にしか関心がない独裁者達は、儒教やナチズムをどこまでも好んでいる。だが、ウクライナ人のジェノサイドよりもノルドストリームⅡの稼働の方が遥かに国益に適ったはずだ。ロシアを破壊している政治家はゼレンスキー大統領ではなくてプーチン容疑者である。「ドンバスを越境しなければアメリカはロシアに制裁をしない」というバイデン大統領の発言を無視した彼は、諜報員であったとは思えないほどに鈍感であった。嘘と保身しか求めない愚かな彼は、ウクライナ人から家具を略奪することが出来ても、首都を奪うことは出来なかったというわけだ。

ナチス総統は自分に反抗する者をユダヤ人として認識し、プーチン容疑者の場合は自らと異なる者をナチスと認識するという差異が存在している。だが、ナチズムや共産教といった勤労カルヴィニズムを信奉し、騙しによる支配だけを目指している点は完全に共通している。違いを認められない不寛容な彼等は幼児の精神のまま大人に成っただけの老人に過ぎず、狭量な排外主義に走ることは必然でしかない。共産教の文化破壊は、ドイツ観念論のヘーゲルを通して勤労カルヴィニズムの文化破壊を受け継いだものであって、彼等の性質が似ていることには必然性が存在している。

　トランプ前大統領もカルヴァン派の父親に従順な子供であったのだから、彼等と似た精神であっても何ら不思議なことはない。実際に、トランプ前大統領は故マケイン上院議員よりもプーチン容疑者との仲の方が良かった。トランプ前大統領にはＫＧＢのスパイに操られているという説もあるが、文化を拒絶する彼の性質を考えれば納得がいく。嘘によって他者を支配することにしか関心がない彼等には、近代国家を成立させることは絶対に不可能である。彼等は力の信奉者であるというよりも、不正義の信奉者であるに過ぎず、それ故に軍事的無知をこの上なく発揮したというわけだ。

　今回の戦争はＥＵにおけるエネルギー安全保障を分散化せずに、ロシアと結託してエネルギー支配を試みたメルケル前首相にも甚大極まる責任がある。ＥＵ外部のロシアからエネルギーを買うことは、ＥＵの利益や自然エネルギーの有効活用よりもドイツによるＥＵ支配を優先した結果に過ぎない。戦後には東欧と北欧で新しい政治連合が生まれるだろうが、なんならば日本も彼等彼女等と提携すべきだろうか？

　依存症的なドイツは戦後においても縋るべき権威がヒトラーからキリスト教にすり替わっただけで、ナチスという宗教政党がドイツキリスト教民主同盟に変わっただけに過ぎない。実体否定と自己放棄というプロテスタント的な信仰は戦前戦後において何も変わっておらず、未だに中世的な宗教国家の様相を呈している。彼等彼女等は権威を信仰している己を信仰しているだけなのかも知れないが、宗教によって正当化された自己を信仰することは倒錯的な選民思想でしかない。

　自らのこと以外を考えられない自閉性は、「万人の万人に対する闘争」を引き起こすものであって、正義と文明を否定して、権威と野蛮を信仰することに帰結する。ゲルマン民族という集団の習俗が世界で最も高貴さから遠いという仮定は、ゲルマン民族こそがナチスを生み出してしまった理由としては合理的なものだろう。とはいえ、この仮定の真偽を確かめるには、白雪姫の魔法の鏡が必要となる。

宗教権威の力を使って批判を停止させる政治とは、民主主義への敵意そのものだ。「権威に支配されなければいけない」やら「権威に従い続けなければ死んでしまう」やらといった強迫観念を人間に植え付けて、宗教権威は今日も人間と社会を支配することを企んでいる。全てにおいて外発的で、中身が何もない心性こそが、儒教と勤労カルヴィニズムにおいて道徳と呼ばれるものなのだ。それであるが故に、自由にならないことのみを目指し続けるナチス親衛隊のアイヒマンが生まれ続ける。

現代で問題となっている「教育虐待」であってもヒトラー・ユーゲントと全く同じものであって、子供達の「個の意識」を否定するために道徳の詰め込み教育を行っている。アメリカの「ジーザス・キャンプ」という映画ではプロテスタントの過激派による道徳の詰め込み教育が克明に描かれていた。

タイガーマザーであっても、ジーザス・キャンプであっても、ヒトラー・ユーゲントであっても、その本質は全くにおいて変わることはない。儒教と勤労カルヴィニズムは毒親教であって、親であれば神であれば絶対に正しいと説くこれらの宗教は、世俗的な近代国家を破壊するために存在している毒親教なのだ。毒親とは、子供に対する全能的な支配者として振舞おうとするものであって、これはキリスト教の神の観念と同様の親子原理である。

斯様な親は、子供達には精神と肉体を完全に支配できるロボットであること以外を何も求めていない。キリスト教や儒教とは、親の言うことを聞き続けていないと親に殺されるような、親に脅迫され続けている子供が、抑圧的な奴隷状態を心理的に合理化するために造り出した屁理屈でしかない。これらは、「親に許されなければ死んでしまう」という強迫観念と「親には勝てない」という思考停止と「親の許可がなければ何も出来ない」という自由意思の否定を正当化するだけのものに過ぎない。

毒親達の家庭では、対話や実体合理性に基づいて何かが決定されることは存在せず、権威が承認するかどうかという恣意性によってのみ決定される。親達は子供が実体構造を観察することを絶対に禁止するという虐待を行うが、実体を完全に無視して観念を全面的に妄信することを信仰している彼等彼女等とは、会話が成立する余地が全く以て有り得ない。自らが善であり権威であり絶対に正しいという観念を信じる親達は、事実実体を否定することを平然と行い、これを恥じることも躊躇うことも絶無であって、中世の神学者かの如くに振舞うのだ。「無知の知」を持たない彼等彼女等は、自分が絶対に正しいと考えるが故に、結果に無関心で、責任を負う意識も無く、他者の創造性を否定し続けること以外は何も出来ない。つまりは、彼等は子供を攻撃せずには居られず、彼女等は自らよりも弱い者を虐めないことが出来ないということなのだ。

彼等彼女等は、子供のことを権威主義的ミーイズムのための道具であるとしか認知出来ず、それ故に子供達に観念的ニヒリズムを押し付けて、奴隷的マゾヒズムを刷り込み続けることしか行わない。子供の全てをコントロールすることにしか関心を持たない親達は、意思のある他人という存在を認識することが不可能であるのだろう。自らが絶対に善であるという観念を妄信する彼等彼女等にとっては、そもそも実体としての子供など存在していても存在していないに等しく、自らが望む子供の偶像以外は否定し殺すべき対象なのだ。

権威がどれだけに理不尽なリンチと過酷な脅迫を行っても何も文句を言わない程度に、自己放棄した権威依存症の卑屈な子供を作ることが道徳教育の目的である。自発的向上心を一切持たない奴隷労働力を造ることによって権威の保身を安泰にすることが、宗教の目的である。個人と社会を自由な状態にしないこと、社会契約を殺して権威が全てを野放図に支配し続けることが、権威が唱える道徳の本質なのだ。子供の意思決定能力を破壊して奴隷を造ることを目的とする儒教や勤労カルヴィニズムが社会に蔓延しているうちは、民主主義社会は絶対に成立し得ない。

「親が許していないことはやってはならない」という妄念が宗教の本質であるが、「意味もなく他人に迷惑をかけてもいけないし、公共益を創る人間であるべきだが、基本的には自由にするべきだ」と教えることが近代哲学の本質である。「自分で何がしたいか」と「公共に何が必要か」と「実体に何が効果的か」を考えることが公共判断であるが、「己がしたいことをすれば死ぬ」と「他者を弾圧しマウンティングを行う」と「神学に励んで地位を獲得する」という権威主義観念の三位一体によって、権威は人間から近代理念を取り上げようとしている。果たして現代日本の学校教育は斯様な洗脳とどの程度の違いがあるのだろうか？

　現代の日本では明治時代に『自由之理』が必読書とされたことも忘れ去られ、親孝行という親に自らを支配させる人身御供が有り難がられている。実体的に不必要な拘束によって人間を縛ることが中世道徳であって、進歩がなく理念もない抑圧の世界を造り出すことが権威の目的である。権威が何を述べようが、近代理念を思考しても実行しても世界が破滅することはないというのが事実であって、これに気付くことが啓蒙の本質である。毒親達の粗暴さを強さと思い込んで真似をすることは、判断能力を捨てるだけのことであって、美の無き力は己を弱くするだけのことに過ぎないという真実を、子供達は見抜かなければならないのだ。

　本著では、日本史と世界史における人間と宗教と啓蒙の構造について解説した。続編では、現代日本では、どのような社会構造によって、権威による支配を受容させる洗脳が人間個々人に刷り込まれていくかを考察しよう。現代の学校教育における、校則、座学、体育、部活、受験などは、儒教や勤労カルヴィニズムの教義と道徳を刷り込むために戒律を強制する装置でしかなく、こうした教育こそがブラック企業や社会契約を無視する政府を支えているが、これは宗教的な洗脳によって中世権威主義社会を継続させるための「永続中世論」に過ぎない。これらの教育は、文明性を否定する野蛮性への信仰であって、フリードリヒ大王ではなくヒトラーであることを教えるものでしかない。文明と野蛮を平等にする文化相対主義というヴァーチャリズムは、社会を権威が支配する全体主義に変えるナチズム以外の何物でもないのだ。

　諸行無常の幽玄の美を感じられない者は、「もののあはれ」を知ることから程遠い。変化の否定である儒教は、絶対の正解を求めるキリスト教と殆ど同じものだ。人間と社会の流動性を否定する宗教が蔓延すれば、実在をただ恐れて大人に成長することもないアニメオタクだらけになることも必然であるが、儒教の「老莱子」では親を喜ばせるために大人に成らないことが道徳であると説かれている。「高貴なる義務」を認知し得ずに惰弱なままでいることを信仰するアニメオタク達は、「卑賤なる欲望」の具現そのものだろう。

鎗崎の知る限りはアニメオタクには昆虫を何よりも嫌う者が多いが、彼等彼女等は不快感をゼロにすることにしか関心を持たないが故に三次元を拒絶したということなのだろう。即ちそれは、日本の伝統的な美的感性である、詫び・寂びの拒絶でしかない。彼等彼女等は、単純に世界の実体構造が嫌いであるが故に、事実を拒絶して観念妄想に逃げて、実体構造の何をも変えようとせずに、文明を創ろうともしないのだが、キレイゴトを愛する道徳者もこれと似たようなものだろう。彼等彼女等は、現実の認知よりも観念への追従を優先してしまう宗教原理主義者であるが故に、「政治への無関心」に取り憑かれ、公共にも他者にも無関心のままに「自由からの逃走」を続けるわけだ。

科学技術、政治哲学、軍事力や警察力が適切に機能している状態が先進国で、そのための高貴さとリアリズムを失えば、必然的に発展途上国に落伍する。社会的理念が存在しなければ国家として分断が起こるだけであるし、個人の蓄財と快楽だけを追求しても公共は成立し得ない。宗教権威の奴隷がどれだけいても、国家に貢献する勇者一人のアーツに及ぶことはない。他者を脅す能力と問題解決能力は別であり、下らない規制を守る能力と敵を倒す能力も別物であって、不幸を嘆くことと理不尽に憤ることは完全に異なる心性であることは言うに及ばないだろう。

非合理徒労の強制は「人間本性」から最も遠いものであって、子供の才能を否定するためのものである。目的無き力では破壊のための破壊を繰り返すだけに終わり、自己犠牲では何をも守ることが出来ない。権威の観念によって身体が操作されることによって、思ったように身体を動かすことが出来なくなるばかりか、己の精神までもが権威に操作されることになるが、思考と感情の分断こそが「漢意」というものだ。人間個々人の意思と動きを否定することによって、権威に支配された人間を作ることが学校教育であるが、社会における儒教的価値観によってこの愚民化が道徳的善として崇められている。権威に抵抗しない人間を造るための洗脳である平和主義も、権威の観念を守ることだけで近代理念を守ることと無縁の者を造り続けている。結果を無視して観念的正当性を優先する信仰は、「構造の視切り」の否定であって、意思決定の忘却であり、つまりは未来を創ることを放棄するものでしかないのだ。

権威が人間の勇気の否定に取り憑かれているのは、勇気を持った者は不公平な権威の抹殺を試みるが故にであって、臆病と不寛容を尊ぶ不名誉な人間から全体主義社会が生まれるが故にだろう。公平な理由なく他者を傷つけることを繰り返す権威主義者には、人間や理念、社会を守る権力は全く備わっていない。公平性を破壊するための賊徒の暴力は、哲学者の有形力とは本質的に異なるものだ。愚か者を止める勇者が居なくなれば社会は崩壊するだけだが、アメリカが訴える自由とは国家を壊す野放図のことでしかない。人間の自由とは己の意思によって制御を行うことであって、野放図であっても硬直性であっても、どちらも自由から最も遠いものに過ぎない。

米独中の宗教の影響を強烈に受けた現代日本社会は、彼等の社会と同じように、権威の理不尽に従うことへの信仰によって成立するイデオロギー社会である。儒教や勤労カルヴィニズムの本質は、「人間個々人が行うことは、権威が全て決定するべきである」という全体主義そのものである。現代日本人の最大の問題は、アメリカ白人の肌の色を持っていないことではなく、ヨーロッパ人のルネサンスの心を持っていないことだ。公共社会のために生きることを否定したアメリカ人は、個人利益のために生きることか、親か権威のために生きることかの選択しかない。

アメリカンドリームやドイツロマン主義や中華的儒教等の「漢意」しか知らない現代日本人は、近代理念から最も遠い存在であって、文化的貧困を超えた文化的文盲であると言っても何ら問題はない。斯様なキレイゴトは真実を覆い隠すためのものであって、権威の支配を成立させるためのフェイクでしかない。斯様な嘘を信じるようならば、真実を求める意思も人間の能動性も破壊されるだけだろう。「漢意」によって、「やまとこころ」を否定するならば、自由が失われ、結果を制御する意識が社会から消え失せ、誰もが無責任となり、次の世代に何をも残せなくなるわけだが、これは文明人の所業であるとは言えない。

世界がどうあるのかを知って、それをどうしたいのかを考えることが、我々に本当に必要なことである。だが、権威からどう許されるのかだけを考えさせる教育によって、正義よりも保身を求める権威主義が社会に溢れることとなった。己の意思によって発言して行動すること、己の意思を己の外に発揮する勇気を自由と呼ぶが、それがない社会では人々は嘘だけをつくようになる。人間の制御を否定する野放図への信仰は、己の意思によって何をも出来なくさせるものであるのだから、これは自由から最も遠いものでしかない。能動的に実体構造に意思を噛み合わせることを否定して、受動的に権威の迎合させることを強制する教育は、全体主義社会の歯車たるアイヒマン以外を作らないのだ。

我々は、社会における無駄な拘束と規制のための規制という権威主義を減らして、監視と透明化と必要な規律を重んじて民主主義社会を創らなければならない。我々は、市場原理主義によって国家と個人の蓄財を求めるのではなくて、国家全体の科学技術と実体産業力を高める政策を取らなければならない。我々は、支配のための支配を目指すカルト宗教の教祖ではなくて、未来の創造を志す統治者であらなければならない。我々は、権威の妄想を信じ込むことや扇動されることではなく、構造を観察して結果を創造するための科学技術を体得しなければならない。我々は、観念によって人間を抑圧する全体主義と戦って、実体に基づいた判断と個々人の自由を重んじる人間理念を守らなければならない。我々は、「中世」の「漢意」を撃ち砕き、「古代」の「やまとこころ」を再興させ、明治維新をもう一度起こし、人類の社会に「近代」を取り戻させなければならない。我々は、そうすることによってのみ、ヴァーチャリズムに包まれた暗黒時代を、「現代」と呼ばれる「中世」を超克することが出来る。

現代の国学

市場原理主義と儒教を打ち壊し、人間と国家と実体産業を救う、高貴なる日本精神《やまとこころ》について

2023年12月4日　第1刷発行

著　者　鎗崎　火炉貴

発行人　大杉　剛
発行所　株式会社 風詠社
〒553-0001　大阪市福島区海老江 5-2-2
大拓ビル 5 - 7 階
Tel 06（6136）8657　https://fueisha.com/
発売元　株式会社 星雲社
（共同出版社・流通責任出版社）
〒112-0005　東京都文京区水道 1-3-30
Tel 03（3868）3275
装幀　2 DAY
印刷・製本　シナノ印刷株式会社

ISBN978-4-434-33017-9 C0095
